公共政策分析

PUBLIC POLICY ANALYSIS

Peter Knoepfel
Corinne Larrue
Frédéric Varone
作者 —— Michael Hill

譯者 —— 曾健准

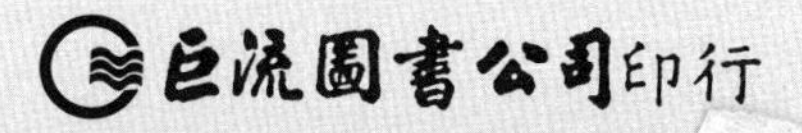

國家圖書館出版品預行編目（CIP）資料
公共政策分析 / Peter Knoepfel, Corinne Larrue, Frédéric Varone, Michael Hill著 ; 曾健准譯. -- 初版.
-- 高雄市 : 巨流圖書股份有限公司, 2021.06
面；　公分
譯自 : Public policy analysis
ISBN 978-957-732-614-0（平裝）
1.CST: 公共政策 2.CST: 行政決策 3.CST: 公共行政
572.9　110007450

公共政策分析
PUBLIC POLICY ANALYSIS

原作者　Peter Knoepfel、Corinne Larrue、Frédéric Varone、Michael Hill
譯者　曾健准
發行人　楊曉華
編輯　張如芷
封面設計　曹淨雯
內文排版　魏暐臻

出版者　巨流圖書股份有限公司
802019 高雄市苓雅區五福一路 57 號 2 樓之 2
電話：07-2265267
傳真：07-2233073
購書專線：07-2265267 轉 236
E-mail：order1@liwen.com.tw
LINE ID：@sxs1780d
線上購書：https://www.chuliu.com.tw/
臺北分公司　100003 臺北市中正區重慶南路一段 57 號 10 樓之 12
電話：02-29222396
傳真：02-29220464
法律顧問　林廷隆律師
電話：02-29658212

刷次　初版一刷 · 2021 年 6 月／初版二刷 · 2024 年 7 月
定價　500 元
ISBN　978-957-732-614-0（平裝）

目錄

圖表清單

表

圖

作者序（中文版）

這本教科書為公共政策研究提供了一個分析框架，其構思與撰寫主要是希望增益相關領域大學部、碩士班和博士班學生之學習成效。透過本書，讀者將能夠檢視有關政策過程的不同理論假設、行動者之間的資源和權力分配、政策決策與其在真實世界的運作及結果。在過去的十五年當中，本書的分析框架已被不同國家的學術同儕廣泛應用，舉凡：加拿大、法國、西班牙、德國、瑞士、烏克蘭、英國、墨西哥、秘魯等。當然，因應各國不同的制度環境，迄今也發展出七個略有不同的版本。本書最早以法文寫成，其後並有英文等其他語文之譯本，我們很高興在此向全球的中文使用者呈現本書的正體中文版。

本書的基礎，是瑞士公共行政學院 IDHEAP 多年來教學與研究之具體成果。相較於其姐妹機構（瑞士洛桑國際管理學院 IMD），IDHEAP 聚焦在公部門。事實上，發起籌辦 IMD 和 IDHEAP 的雀巢公司，當初之所以倡議創建這兩個獨立但相輔相成的機構，就是因為該公司當時的主政者 Enrico Bignami 先生相信公、私部門的治理與管理同等重要，但屬性又有所不同。承襲這樣的思路，我們認為應該把公、私部門（國家與市場）之間的關係納入公共政策分析的範疇。我們相信一個有效能的政府才能確保市場機制的良好運作，這是因為國家及其公共政策必須保障財產權（例如專利）、確保私人公司之間的公平競爭（例如反托拉斯法）、糾正市場失靈（例如降低環境污染之外部成本）。

本書涵蓋理論、實務、相關的實證研究成果，與公共政策有關的實務工作者可以將本書視為一本指引或手冊。全球化使得各國政府之政策與國際組織之規範相互影響，而本書的寫成，也是我們陪伴、培力日內瓦、洛桑眾多國際組織的反思與沉澱。因此，本書充分整合了與多層次治理有關的辯論與論述，並重新思考國內（在地）政治與國際關係之間的相互作用。我們期待把這一套分析工具傳授給學生，幫助他們在既定的背景脈絡之下（不論是國際、國家、區域或地方等不同層級），完成與公共政策有關的實證分析。本書所揭櫫的分析框架已被應用於數百項實證研究，這些研究旨在具體瞭解政策行動者、他們在政策週期中的決策、以及他們集體行動的效果。相關的實證研究所涵蓋的領域則包含（但不限於）：環境、農業、教育、國防、社會、勞力市場、土地使用計畫等。這些研究的發現與結果，已經被用來協助現實世界中公、私部門行動者，進而改善政策的制訂與執行。

Peter Knoepfel，瑞士洛桑大學與瑞士公共行政學院榮譽教授

Corinne Larrue，法國東巴黎大學教授

Frédéric Varone，瑞士日內瓦大學教授

Michael Hill，英國新堡大學榮譽教授

作者序（英文版）

《公共政策分析》這本書的英文版，我們給它的定位是：公共政策分析的操作手冊。亦即，本書的寫成，並無意針對政府（國家）提出一套新理論。相反地，它是以學生和公共行政的實務工作者為主要受眾，它是以其法文原典 *Analyse et pilotage des politiques publiques* 為基礎寫成。「vii」

這本手冊的編排與寫作，對於沒有社會科學學術背景的讀者來說，應該是淺顯易懂的，但仍舊介紹與解釋了來自法律、社會學、政治學與行政學的關鍵概念。它提出一套分析架構（analytical framework），可以用來對不同的公共政策進行實證研究（empirical studies）。這個架構也可以用來形成（formulation）、執行（implementation）與／或評估（evaluation）新的公共政策。

植基於作者曾經執行並應用於公共行動（public action）各領域的分析與研究，這本手冊提出一套公共政策分析的模型，以及這種模型在日常政治－行政情境（political-administrative situations）中運用的案例。最早的案例大多來自瑞士與法國（如同在法文原典所呈現者），大部分這些例子也保留在本書中。此外，從法文翻譯成英文的過程中，也加入若干來自英國的案例。源於英國的文獻很多，但是限於篇幅，我們在譯介英文版時能夠援引的有限。對於需要更多材料的讀者，可以參考 Dorey 的 *Policy making in Britain*（2005）或 Richards 和 Smith 合著的 *Governance and public policy in the UK*（2002）。

法國和瑞士依照其各自的政府模式，基本上呈現兩種極端。瑞士是以政黨共識為基礎，實行直接民主程序的聯邦國家，同時展現了高度的語言、宗教與區域差異。法國是個中央集權國家（centralised state），主要建立在代議民主（representative democracy）的體系上，其組成的基礎是政治光譜上分屬左派、右派的兩黨政治（bipartisanship），並且根植於共和的歷史，旨在按照語言、代議政治模式，以及支持單一與共同的政治利益，使地方同質化（至少在過去兩個世紀）。英國（儘管最近已有權力下放）是另一個中央集權的國家，但與法國有不同的制度設計。

參照這些政府類型的對比，我們可以說明本書所提出的公共政策分析模型，並且指出公共行動各種不同模型的共同要素（common elements）與具體特徵（specific features）。

「viii」 英文版由 Susan Cox 翻譯，這個譯本包括把原文是其他語言的引文翻譯成英文，也包括將某些原來是英文、但後來被翻譯成其他語言的引文，重新還原成英文。我們已進行了校對，試著確保這些文句能忠於其原意，但其中難免會有若干可能的瑕疵。

英文版的作者 Michael Hill 已將文字的修改壓縮到最小限度，讓讀者（來自英國、其他英語系國家、以及英語作為教學語言的其他國家）在使用本書時能夠更得心應手。此外，也帶入新的圖示與案例，並刪除一些不太合適者。大部分原始的參考文獻均已保留，裨便有法語或德語閱讀能力的讀者，可直接使用這些線索進行文獻查證。本書反映了德國和法國主要學者的影響，他們對政策過程（policy process）的研究有重要的貢獻，但是在其他使用英語的學術界，卻還沒有被廣泛地認識。

英文版的作者 Michael Hill 在與法文原典的三位作者討論之後，對法語版當中若干原始論點進行了一些修正。正如在本書最後一章中明白指出的，這本書奠基於作者在多樣、多變的政策世界中不斷累積的研究、教學實務經驗，這本身就是一個需要不斷進行滾動式修正的過程。

在這本平裝本（2011）中，我們引進一個新章節（3.5），本書讀者（學生和學者）欲將分析概念應用於特定政策時，可在本節得到若干實用建議。這些建議主要是關於構思因果模型（causal model）和行動者分析（actors analysis）的方式。我們也進一步改編圖 6.3 的若干誤導。

在各章結論中，也探討了伴隨著我們所採用的方法可能會有的一些困難。事實上，為提供另一個國家使用而編寫、譯介的英文版，已提供若干新方案解決前述某些困難，特別是對政策目標群體（policy target groups）此一概念的詳盡描述，讓讀者認知到它們的多樣性和複雜性。

我們感謝蘇黎世的 Verlag Rügger 出版社允許發行 *Analyse et pilotage des politiques publiques* 這本書的英文版，並感謝洛桑大學瑞士公共行政學院 IDHEAP 的 Erika Blank 協助編輯圖表和其他材料。感謝 The Policy Press 出版社的 Philip de Bary、Jo Morton、Emily Watt 和 Dave Worth 協助籌備本書，也感謝 Dawn Rushen 的編輯與 Marie Doherty 的排版。

譯者序

自 1990 年代以來，臺灣社會經歷了獨特的民主轉型過程與新自由主義所帶來的私有化浪潮。然而，這些機遇和挑戰，對臺灣社會與其政治體制所造成的利與弊，仍需要從更多元的視角加以檢視。當重新審視新自由主義的呼聲在國際上已逐漸得到共鳴，臺灣當然也不能自外於世界，特別是當新自由主義已經在許多面向影響攸關眾人福祉的公共政策。

本書對於臺灣讀者的重要性有三。首先，本書向臺灣讀者引介不同於美國的歐陸視角，這些從歐陸經驗所累積的洞見，或許能帶給臺灣讀者不同的刺激。其次，本書提供相關組織場域中的具體案例，從而能夠促進理論與實務的對話和反思。第三，相較於其他側重於政策的公共政策教科書，本書對於政策行動者有更多的著墨。本書原作者認為：因為是這些行動者在制定、詮釋、實踐政策，所以如果有關行動者的討論付之闕如，那麼我們對於政策的全方位理解也將因此而受限。

期待本書正體中文版的譯介，可以在更大的程度上啟發臺灣讀者，除了能運用本書所介紹的分析框架，從不同的觀點切入審視不同政策脈絡的運作機制和意識形態，也能為臺灣下一階段公共政策的形塑與討論，帶來更多元的思辨。本書譯稿的完成，正值 2020 年的百年大疫，介於中國和美國之間的臺灣，也來到攸關未來發展的歷史分水嶺。如果我們對於公共政策的想像，不是只有威權國家的社會主義與新自由主義這兩種選擇，那麼來自歐陸老牌民主國家的觀點與見解，或許能夠在此時此刻為臺灣帶來更多的可能。2020 年臺灣的防疫成就在國際上已是有目共睹，面對攸關未來長遠發展的公共政策，我們應該也要有信心，走出一條更適合臺灣的道路。

曾健維，瑞士洛桑大學研究員

推薦序

欣聞巨流出版社為臺灣讀者譯介《公共政策分析》一書，體育、運動、休閒本身是公共政策的一環，其發展同時也會反過來影響公共政策的形塑與相關之討論。基於本人多年來在體育行政、運動管理、休閒遊憩之教學、行政、研究之經驗，以及借調擔任教育部體育署署長（2018 年 7 月至 2020 年 7 月）的歷練，我看見本書在公共政策理論與實務之價值，我推薦這本書給臺灣的讀者。

本書法文版最初由瑞士公共行政學院 IDHEAP 知名的 Peter Knoepfel 教授等人合著，可視為以 IDHEAP 為基地、依據該學院歷年教學研究累積之 know-how 所寫成的專書。瑞士公共行政學院（法語全稱 Institut de hautes études en administration publique，簡稱 IDHEAP；英語全稱 Swiss Graduate School of Public Administration）於 1981 年創立，其姐妹機構 —— 瑞士洛桑國際管理學院 IMD（International Institute for Management Development）—— 則是於 1990 年整編兩個機構（分別成立於 1946 年與 1956 年）改制而成。在臺灣，我們常聽到 IMD，其實 IDHEAP 與 IMD 可視為姐妹機構，因為他們在創立伊始是由同樣的單位共同出資、規劃 —— 總部位於瑞士法語區沃州的雀巢公司、瑞士沃州政府（首府在國際奧會所在地之洛桑，全球最主要的單項運動國際總會也大多落腳於此 ——73 個在瑞士，其中 65 個在沃州，其中 52 個在洛桑），並由洛桑大學、洛桑聯邦理工學院 EPFL 協助建置。

IDHEAP 專注於公部門相關事務的教學研究，IMD 則是聚焦在私部門，這樣的任務分工說明了兩件事：(1) 一個社會總是需要公私部門一起分工合作（當代社會還多了第三部門與混合型），因此我們對於公共政策的討論與關注，必須考量到被公共政策影響，同時也會影響公共政策的其他部門之行動者；(2) 如果政府與其公共政策運行不良，那麼市場機制也難獨善其身、享受資本主義的果實，這一點在 COVID-19 疫情期間相信大家已經有很深的感受。專責公部門教學研究的 IDHEAP 較晚創立，也是因為雀巢公司（當時由 Enrico Bignami 先生所領導）基於之前推動商管教育的經驗深刻體認到：只針對私人公司進行商管教育訓練是不夠的，欲維持一個健全的市場機制，一個有效能的政府與公共政策實屬必要。

Peter Knoepfel 教授在歐陸公共政策學界地位崇高，他在 1995 年至 2002 年同時也擔任 IDHEAP 院長一職。事實上，在 Peter Knoepfel 教授卸任院長之後，繼任者 Jean-Loup Chappelet 教授（2003 年至 2011 年）是國際體育運動研究之泰斗，他是學界咸認當代最瞭解國際運動組織實際運作的學者之一。這兩位 IDHEAP 的前後任院長一直戮力於研究、推廣本書之分析框架如何為國際組織所用。此外，本書另一位作者任教於日內瓦大學，在日內瓦這樣一個國際組織密集的一級戰區，Frédéric Varone 教授在寫作本書時融入許多他與國際組織互動的第一手經驗，也從國際組織主政者之回饋不斷修正本書的立論基礎。在這個全球化的時代，國際組織的規範與決策深深影響各國政府的施政與政策，舉凡國際經貿、公衛防疫、氣候變遷等重大議題。綜此，本書在很大程度上體現了作者們在瑞士法語區（洛桑、日內瓦）與諸多國際組織互動時「以理論引導實務、從實務修正理論」的寶貴經驗。值此臺灣逐漸邁向國家正常化、更有自信地走向國際的同時，這些實際參與國際事務的經驗對於我們而言相當具有參考價值。

瑞士聯邦允許各州有相當高程度的地方自治，加上該國內部的語言多元性（德語區人口約佔 65%、法語 23%、義大利語 8%、羅曼語與其他山區方言 4%），講不同語言的各州因其語言文化在各種程度上受到鄰國之影響（德語區主要有德國、奧地利；另有法國、義大利），這也影響各州對同一公共問題的思考與公共政策之實踐有諸多歧異。前述的事實也凸顯本書之於臺灣的兩個重要性：(1) 本書所援引的瑞士案例，因其位居歐陸交通要衝，某種程度上也反應了歐陸蛋黃區（德國、奧地利、法國、義大利）對於公共政策與相關議題不同思考的折衝；(2) 瑞士的處境其實跟臺灣很像，這也是瑞士經驗之於臺灣的重要性。位於東亞島鏈海陸交通渠道上的重要結點，臺灣的歷史與其地緣政治密切相關。值此國家逐漸邁向正常化、轉型正義逐漸落實之際，臺灣內部的多語言環境若能逐漸鞏固，那麼不同區域、語言、族群之間如何針對共同的社會問題尋求最不撕裂社會的共識，也是我們當前在建構這個「生命共同體」所無法迴避的課題。

因為臺灣獨特的歷史脈絡，體育運動一直是臺灣政府對外面向國際、對內凝聚民眾向心力的一個重要政策工具。臺灣特殊的國際地位使得臺灣想參與各項國際體育事務時，比起其他國家會需要有更多的政治考量，因此也就必須有相對應的政策。體育署與各縣市政府、特定體育團體之間有不同的治理與夥伴關係，我在擔任體育署長期間，親身處理幾項國際體育事件，我的實務經驗與本書之各項立論、分析框架是相互呼應的。舉例而言：國際奧會 IOC 來信要求遵守 1981 年《洛桑協議》不受東奧正名公投影響，以免違反 IOC 憲章；東亞奧會 EAOC 無理由取消 2019 年臺中東亞青年運動會；FIFA 警告我國足球協會依其規範完成理事會改選以免被 FIFA 接管；世界運動禁藥管制組織 WADA 要求中華運動禁藥防制機構 CTADA 限期改善違反禁藥之若干個案以免因違反 WADA Code 而受到處分；滑冰協會烏龍取消國際競賽等。至於 COVID-19 全球蔓延的衝擊，導致全國學生運動聯賽以及職棒比賽等必須採取閉門比賽搭配網路直播，全中運、全大運、全國身心障礙運動會以及東京奧運都不得不延緩辦理。為了紓困振興臺灣體育運動，體育署爭取 52 億元特別預算，補助體育團體和運動產業之營運成本，發行動滋券鼓勵運動消費支出等特別計畫。凡此種種，都已超越體育運動的範疇，必須從國家安全的層級來進行通盤的評估，並啟動相關政策的規劃與執行。

上述這些事件的危機處理讓我對於本書的核心概念深表同感：公共政策是政府對於公共問題之回應，而公共問題本身在很大的程度上具有「社會建構」的特質，這應該也是本書作者把相關概念列為六項政策產品之首的原因。此外，我在體育署長任內代表國家執行 APEC 體育政策網絡小組業務，比較 APEC 各國政府推動體育運動事務的相關公共政策，我發現我們對於公共政策的想像，其實可以不是只有美國所主導的那一種範式。來自歐陸學者具有說服力的論述可以幫助我們對於公共政策及其分析有更多元的思考。

從 2019 年底席捲全球的 COVID-19 疫情，我國政府在 2020 年初疫情伊始的精準、即時回應（入境管制、口罩相關政策等），民眾自發的參與防疫作戰，乃至於 2020 年中疫情逐漸趨緩時，中央流行疫情指揮中心透過跨部會協調，最後決定以體育賽事（職棒）的開放作為後疫情時代社會回歸正常的試金石，並據此與民眾搏感情（棒球是臺灣的國球）。作為中央政府的一份子（體育署長），我個人在參與這個史詩級的抗疫過程中，深刻體認到本書作者所提的第二到第六個政策產品不僅在實際應用上更貼近實務需求（尤其是公共政策的制定、執行、評估），在理論上因為拉出了一條「行動者＋資源＋制度」的縱深，也凸顯來自歐陸的（不同於美國所主導的）政策分析框架對於當代臺灣的重要性。

借調體育署長職務兩年後，我回歸校園從事教學研究服務，聚焦國際體育運動休閒政策。這一本有關公共政策分析的專書，在很大的程度上幫助我把過去在中央政府的行政歷練做更好的梳理。此外，我現在的身分也是一個臺灣公民，此刻臺灣除了有疫情的挑戰，還有能源、環境、資源、永續等議題需要處理。如果我們相信且希望臺灣的公民社會可以更臻完善，那麼關心公共事務的臺灣公民（個人或團體）應該也會發現本書的價值。作者援引歐洲國家在環境治理的許多實際案例，特別是瑞士這樣一個公民創制、複決權制度被完整落實的民主國家，這的確可以幫助我們省思臺灣社會當前所面臨的挑戰（不論是公民社會或者環境永續）。

跟其他的專業領域一樣，體育、運動、休閒是公共政策的一環，同時也有營利、非營利部門參與其中，後兩者也都是公共政策的利害關係人，因此在討論公共政策時必須考慮這三個部門的互動。基於我個人過去在體育運動休閒領域教學、研究、行政之經驗，我相信這本書對於實務界的政策行動者與其利害關係人都具有啟發性。不論是未來有志於從事公職的學子，或者是未來在工作上必須與公部門互動的其他領域之學生，這都是一本很好的入門教科書。我也期待未來臺灣學界同儕（不論是公共行政、體育行政，或是公衛行政等其他不同行政類科），能夠以臺灣這片土地上所發生的案例，擷取本書分析框架的諸多亮點，並與來自美國的主流政策分析視角展開對話。這是我們這一代臺灣的學術人，身處新冠肺炎疫情時代立足臺灣、放眼世界，應該而且能夠為臺灣所做的貢獻。非常感謝巨流出版社相關工作人員的投入，以及洛桑大學研究員曾健准博士的翻譯。對我而言，如果三年前就讀過這本書的話，我擔任體育署長期間在處理公務時，心情應該會更舒坦，視野會更寬廣，思維也會更多元！

高俊雄，國立體育大學管理學院特聘教授

導 論

近來，各西方民主國家發展的特點之一在於公部門行動者正面臨著諸多挑戰。其中包括：「ix」

- 減少財政預算赤字和結構性債務；
- 在全球化進程日益加深的大背景下保持對經濟的政治管制；
- 滿足公眾在公共部門所提供的服務方面日益增加的期望；
- 地方、區域、國際等不同層面上公共機關之間愈加激烈的競爭；
- 管理因長時間排除某些特定社會群體而導致的利益再分配的衝突；
- 對更加專業化管理日益稀缺的公共資源的需求；
- 為回應民主需求而對法律法規效果進行的系統性評估；
- 實現少數群體的政治融合，以及在反對多數群體的各種衝突中尋求達成一致。

當前，大多數西方民主政體正在嘗試建立各種制度來應對以上問題。在地方、區域、國家，乃至整個歐洲的各級政府和議會的議程中，都包含了無數個關於新型公共管理及國家現代化的探索性專案，這同時伴隨著一系列特定公共領域及公司自由化、去管制化和私有化的過程。在不確定因素愈來愈多的情況下，政治行政行動者試圖找到可靠並且不會引起分歧的解決方案，從而試圖積累專業知識，為實現政治行政體系現代化和干預找到各種解決方案。

本書所展現的政策分析旨在幫助讀者理解及應對關於公共行動的正當性、有效性和持續性這些基本問題。

「x」

本書政策分析方法的特點

本書中提及的政策分析方法[1]，主要涵蓋三個明確的分析向度——公、私行動者之間的互動、公共問題以及比較分析。

公、私行動者的互動分析

政策分析旨在解讀國家，更籠統地說，旨在解讀政治行政體系。政策分析以政治行政體系對經濟和社會產生的影響為衡量標準。在不否認和模糊所有政治行政程序中固有的權力關係的同時，政策分析聚焦於現有的、正在出現的行政組織以及它們向公眾提供的服務。

因此，本書從分析政治體制為政策行動者提供的機遇與限制的角度出發，使讀者能理解公共行為中的複雜活動。其中還包括瞭解公、私部門的行動者如何在特定部門發揮作用，如何運用資源和機制來管理支配其行為，從而瞭解國家如何作為。行動者、資源、制度規則這三個重要元素能使讀者更好地理解集體行為和個人行為，以及該行為對公民社會和政治行政體系中組織制度條件的影響。

這裡所呈現的分析取徑，試著從國家及國家以外的機構如何解決既定的公共問題的角度出發，來描述和理解他們的行動邏輯。從這個層面上來講，該方法「緊扣」經濟、社會、政治現狀，因此，所有的實證分析將

1　此處的「國家」是指所有構成政治行政體系的公共機構的總和。

以公共組織的日常運作和研究它們提供的各項服務為出發點，從而將公共行動者放到具體的時間與環境中，並且研究不同情形下的公共行動。事實上，這裡的重點應是找出國家（或公共行動者）與公民社會之間的連接點。亦即，我們應該如何在維護長期公共利益的公共行動者和捍衛短期個人私利的私人行動者之間，進行調節斡旋。

上述這種分析方式啟蒙了本書所援引的取徑。根據這種取徑，國家及其制度、政策都是在不斷變化的，需要在完全實用主義目的的基礎上進行解讀。政策分析一方面重構了對國家的分析論述，另一方面也試圖辨別在公私行動者互動過程中某些不斷出現的現象。 「xi」

採用這種實用性研究方法的好處之一就是，政策分析者能夠在立法機構或行政機構的委託下進行專業的政策評估。本書中提出的研究方法被證明能夠直接用於完成此類評估任務。

由於各國逐漸將越來越多的政策評估條款納入本國法律中，對能夠完成此類任務的人才需求也日益增大。因此，本書中所提出的研究方法的目的也在於說明培養出能夠在政府部門、高校機構、諮詢公司從事研究工作的合格、專業的政策分析人員。

公共問題分析

政策分析的第二個領域是關於如何宏觀地從政策管理的角度，不單只著眼於政策內部的一致性和有效性來解釋組織架構和官僚科層制。

顯而易見，專業化管理各公共行政系統以及它們在人員、財政和組織等方面可支配的資源是至關重要的。然而，公共部門完善自身職能並不是目的，而是提供高品質公共服務的前提之一。本書中提出的研究方法有別於嚴格意義上的管理研究法。後者將各項行政服務部門視為自主實體，其產品不會受到在解決公共問題作用大小方面的明確地評估。

政策分析者透過對行政機構的產品，其與存在於政策內部或外部的公共活動的協調性以及其對相關社會受眾群體影響力的分析，從而提高公共行為的有效性，並延伸到提高公共行為合法性的角度展現所有的組織改革。

因此，本書中所提出的公共資源管理目的並非在於逐一分別地資源優化（如降低成本、調整人事、加快各項行政服務供給），而在於協同一致地管理不同資源，從而整合這些資源來加強各項政策的實施效果。

「xii」

比較分析

本書的分析模型同樣適用於比較性研究。原因在於政策品質的評估越來越建立在不同公共機關政策實際執行情況的基礎上。

因為標竿分析法原則（benchmarking principle）替代了將市場價格運用到非市場性質的公共服務的做法，所以其常常用來指導評估各類行政產品（administrative products）和政策。這提高了人們對提供類似服務的不同公共行政機構效率的評估能力。標竿分析法也可以幫助人們更加清楚公共行為的種種優缺點。因此，它也能夠促成負責政策執行的各公共機關之間的間接競爭。無論是政策研究者和工作者在政治行政實踐中都應該考慮到標竿分析法。

這裡的研究方法得益於在很長一段時間內，不同地域內一直不斷進行的研究。因此，本書中所提出的分析方法已應用到多種場合。尤其重要的是，這些實證研究使得人們能夠找到決定政策成敗的主要因素。進一步說，透過強調不同公共機關在同一政策的實施和取得效果方面的異同，使得各公共機關之間能夠傳遞資訊，相互學習。比較研究運用的不斷發展尤其受到了不同聯邦制國家的關注，因為它們本身就是名副其實的「政策實驗室」（policy laboratories）。

研究和實踐目標

從研究的角度出發，政策分析運用不同社會學學科知識。本書的第一部分將會概括介紹此研究方法的理論基礎，並指出政策分析的目標是根據國家各項「政策」及「政策」結果，而非以策略性權力博弈（strategic power games）為基礎來解讀國家和各項政治活動。即使如此，此分析模型也沒有忽略國家根本的，和維持民主合法性所需的各項制度結構和程序。「xiii」

雖然本書所用的研究方法將國家解構成眾多的實質政策，而這些政策又被再次分解成一些明確的、各不相同的構成要素（詳見本書第三部分），此研究方法仍會展示出不同的政治行政行動者各自的行動，這些行動有時是互補的，有時則是相互矛盾。眾多不同的具體行動發生在不同的時間、地點，但卻可以結合實際具體分析，為了理解這些行為，政策研究人員必須解釋說明如何將某項政策重建（或指定）成為公私行動者為了解決一系列明確的公共問題而做出的一系列決定和行為。對於政策研究及運用者來說，這種分析再定義過程的目的是為了判斷這些國家干預措施是否能夠正確、有效、快速地處理被認為是政治上頗為棘手，令人不滿的社會狀況。因此，問題在於如何找出一種行動邏輯，並討論這種邏輯的連貫性和實施，從而區分在不同層面（特別是立法、行政、司法機構；地區、區域、國家及超國家層面上）不同公私行動者各自的職責。

不僅如此，政策分析還能幫助各個政治行動者（political actors）和公共機構預測國家，更籠統地說，政治行政體系從事的各項現代化專案的成功概率[2]。

2　這裡所提到的「政治行政體系」已將如今政策體系的複雜性考慮在內，也就是從「政府」（government）到「治理」（governance）的轉變（詳見 Richardson 與 Smith〔2002〕）。

透過不斷積累研究結果和從事專業任務，政策分析者能夠展示出公共機關和政策運行中所特有的，在各種實例中的一致性（或某些規律）。透過考慮這些資訊，政治行政行動者能夠更好地在改革實施的過程中判斷其創新水準和範圍大小。各項行政服務和政策有時被認為變化太過迅速，這些資訊將會更加利用對這些變化的管理。某種程度上來說，本書提出了一種行之有效的研究方法，用來重新檢驗關於公共部門相對私有部門缺少成效，有所欠缺的種種假說。總之，本書中提出各種概念是為了支持政策工「xiv」作者更加專業化；這種專業化對於提高政府工作和改善公共行為管理模式來說是不可或缺的。

獨創的分析模型

在導論的結尾部分，需要將本書與此領域內其他著作進行比較。首先，此書只是越來越多政策研究者在許多國家不斷進行的研究工作的一部分。所以，它並非徹底改變相關領域知識現狀或概念的學術論著，也不是單純的文獻題錄，而是介於這兩者之間。

其次，本書研究方法的獨到之處在於以下五個方面：

- **分析模型的易操作性**：本書作者從事本科生及研究生的教學工作。鑒於這些學生必須將所學到的理論知識運用到其課程作業和論文中，本書作者盡了大量努力得出對政策的可操作性分析（operational analysis）。對這種可操作性分析的強調具體體現在日常教學和本書中都運用了大量的事例。
- **比較性分析**：由於政治學領域比較分析的各種方法和技巧在某些專門著作中都給予了很好的闡述，所以本書將不會用單獨一章來闡述這些方法和技巧。然而比較研究法是本書概念和分析的基礎。本書中幾乎所有的概念和分析都在國內外理論或應用對比研究上的背景下產生的。

- **具體運用於不同的國家制度：**本書原版中的例子多出自於法國和瑞士。這並非是由作者的國籍或是居住地所決定的。事實上，這是符合在政府制度比較問題上的各種類型劃分（Lijphart, 1999），這兩個國家恰好是兩個不同類型政府制度的典型例子。這點在集權問題、政府體制、文化及語言的多元化上尤為突出，法國是全歐洲最集權的國家之一，而瑞士是歐洲聯邦體制中最為分權的國家；法國採納的是議會多數制的半總統制度，而瑞士並不採納議會多數制，而是以達到共識為目標的半直接民主制度；法國的文化相對統一，瑞士文化和語言更多元。不得不提的是，法國自歐洲經濟共同體成立以來就是成員之一，而瑞士直至今日都不是歐盟成員國。這些差異使得這兩個國家成為歐洲國家差異性的典型代表。本版中所引用的部分案例來自於英國，這也是一個與法國相類似的集中制國家，但是行政有逐漸凌駕於議會體制的趨勢。「xv」

- **區別分析政策的實質方面和制度方面：**無論是在解釋變項的層面上（能運用由制度規則〔institutional rules〕管理的資源的行動者，彼此間的互相影響），或是從不同的政策階段性產出的角度出發，從定義公共問題，到執行和評估，本書建議的方法比其他教材更注重制度方面的探究。因此，政治決策中的制度因素會被凸顯出來。本書中開闢了獨立章節來描述制度規則，無論是在行動者互動還是在各章中不同政策階段性產出的制度方面描述，制度規則都是決定性因素。從分析的角度來看，政策制訂一些背後蘊藏重要政治利益的制度規則的重要性不亞於決策中的實質性內容。「xvi」而且，這讓我們能更有效區辨行動者策略的制度面。而現實中，制度在某些階段有很多不確定性，這也使其成為行動者關注的焦點。

- **有利於政策管理**：本書為不同政策實證性研究所提供的分析模型，不僅可應用於政策內容的比較解釋，也可用來預見政策在未來不同階段的中期結果。基於行動者互動、既有資源和相關制度性規則的公共行動邏輯，能說明公私行動者更好地制訂策略以達到預期效果。本書為讀者提供切實可行的工作假說，以便在公共政策決策的共同管理過程中更好地代表政治立場、利益和信念。這也是延續了由學者 Eugène Bardach 的《執行博弈》（*The implementation game*）所開啟的北美學派的概念，為公共部門決策者提供謹慎自願的建議。

本書分為三大部分。第一部分介紹政策分析理論框架。這一部分首先簡單介紹政策分析的傳統學派著作，之後會引出本書中採用的理論框架。

第二部分主要呈現政策分析的核心概念，並關注在不同政策階段中行動者的個別和集體行為。在此，我們提出的理論是：公共行動的實質和制度內容（作為待解釋的變項），是政治行政行動者和社會團體之間互動的結果，這些社會團體導致或者支持公共行動在試圖解決集體問題時所產生的負面影響（作為具有解釋力的變項）。行動者間的互動取決於他們如何調動既有資源、如何有效利用制度規則來捍衛立場。

因此，第二部分包含了四章。第 2 章描述政策的組成部分，第 3 章描述政策行動者，包括定義行動者的概念以及政策行動者的不同種類：政治行政行動者、社會行動者、目標群體、受益群體等等。第 4 章主要闡述不同種類行動者如何管理既有資源，其中著重分析十類主要資源，以及對這些資源管理的探究。第 5 章旨在挖掘政策行動者決策和行動背後的制度規則，以及不同制度對政策的影響。同時也將會探討所涉及的各類制度以及具體的操作。

「xvii」

而在第三部分中會介紹本書的分析模型並且探究分析過程中涉及的政策組成因素。政策分析從政策週期開始，包括最初將公共問題納入議程，政策行為的執行直到政策評估，都會逐一分析。這部分因此會被分為六章。第 6 章大致描述政策階段（policy stages）和其相應的產品，以及每一部分的分析邏輯。第 7 章描述政策議程制訂過程中的不同階段及其問題。第 8 章向讀者展現政治行政方案制訂和所涉及的行動者安排的構成元素。第 9 章中從理論和實踐的角度闡述政策執行的過程。第 10 章分析政策評估及其實施效應。而在第 11 章中則提出在政策分析過程中解釋性、評估性或論斷性的假說。

最後，本書第 12 章將會概括本書研究方法的優缺點。

I 政策分析理論框架

第一部分將清楚介紹本書政策分析模型建立的理論基礎。「1」

1 CHAPTER 政策分析的各種理論

「3」

政策分析用來研究「社會範圍內公共機關的行為」（Mény, Y and Thoenig, 1989, p. 9）。從學科方面來說，政策分析一直以來都涉及過大量的學術領域。政策分析一詞由 Wildavsky（1979, p. 15）早在 1979 年就已提出。他提倡發展這一方法：「政策研究是一項應用型領域的下屬領域，其內容不應該受到不同學科劃分的限制，而應因時因地，符合解決問題的要求。」同樣，Muller（1990, p. 3）也提到「政策分析交叉與不同學科之間，吸收不同學科知識而形成了自身的主要原則」。

本章首先會簡短概述傳統政策分析學派提出的理論思想[1]，之後將會重點闡述本書中所採用的理論框架。

1.1 政策分析的不同學派

不同學派是根據不同學者所建立或者支援的理論和規範的視角來定義自己所觀察的主要學科。各學派學者是依據其理論和規範而提出自己的主張。因此，繼 Mény 和 Thoenig（1989）以及 Muller（1990, p. 3）之後，政策分析主要有三個主要學派，這三者的目標不同，但並不互相排斥，其主要區別在於重點研究的領域不同。

1 此種分析在 *Analy ser les politiques d'environnement*（Larrue, 2000）一書中也被部分運用。

因此，三個學派分別為：第一個學派將政策分析與「國家學說」(the theory of state) 相結合；第二個學派重點在於解釋公共行為的運行原理；而第三個學派則關注對公共行為結果和效果的評估。

1.1.1 國家學說基礎之上的政策分析

第一個學派的學者認為政策分析意味著揭示公共行為的本質，他們正是透過揭示政策的本質來解讀各種政策。這種由各種政治學占主導地位的學派試圖將政策研究方法與政治學和國家學說相關的主要問題聯繫起來，這種情況在法國尤為明顯。因此，Mény 和 Thoenig (1989) 提出他們的研究方法有助於解決與「國家形成和本質」相關的問題，並有助於「政治學的本質」的研究。同樣地，Jobert 和 Muler 也聲稱他們共同創作《行動中的國家》(*The statein action*[*L'etaten action*]) 一書「填補了政策研究和有關現代社會國家的概括性學說之間存在的鴻溝」(Jobert and Muller, 1987, p. 9)。Mény 和 Thoenig (1989, p. 67) 根據三種「理論模型」將這種研究方法再次細分成不同的研究方法。

「4」

- 第一個模型是**多元化**理論中的一部分，它將國家作為一個「服務窗口」(service hatch)，其目的就是為了滿足各種社會需求。從這個角度出發，公共政策是一種對於社會需求的回應，因此，政策分析應從集體決定是否最優，決策過程是否合理，「官僚」(bureaucrats) 行為是否存在的視角出發。詳見「公共選擇學派」(‘public choice’ school) [2] 和「有限理性論」(theory of limited rationality) [3]。例

---

2 「公共選擇學派」出自 Buchanan 與 Tullock 於 1962 年的著作。而對此學派主要論點的批判性評論可參考 Self (1993)。

3 參見 Simon (1957)；Lindblom (1959)。

如，根據這一概念，體育領域內缺少各項公共政策表明沒有需要解決的公共問題。然而，從另一方面來看，儘管存在大量的公共問題（如濫用藥物、貪汙問題），但私有部門對這個領域的控制也會導致公共政策的缺乏。

- 第二個模型強調了政府作為一個工具服務於某一特定的社會階層的**新馬克思主義**理論（*neo-Marxist* approach）[4]，或者某些特殊團體的**新管理主義**理論（*neo-managerial* approach）[5]。根據此理論，對公共行為的分析能夠顯示出國家在對待資本主義利益或代表資本主義利益的私有行動者和組織上缺乏自主性。從這個角度來說，一個社會問題成為公共問題的前提是解決這個社會問題符合統治階級的利益。新管理主義方法也持有類似觀點，只是以精英（elites）的概念取代階級（class）的概念。
- 第三種理論模型強調不同行動者內部或之間的權力分配和互動。這種權力分配和互動的一種，是根據**新統合主義**研究方法（*neo-corporatistist* approach）[6]，透過代表或組織不同領域或種類的利益來實現；另一種是根據**新制度主義**研究方法（*neo-institutionalist* approach）[7]，透過規範這些互動的組織制度原則來實現。從新統合主義的角度來看，公職人員常常受到某些利益團體影響。他們在行使公共權力時會與這些利益團體維持特殊、排他的夥伴關係。在英國，

「5」

---

4 新馬克思主義理論在 1970 年代興起，代表人物為城市社會學家，例如 Castells 與 Godard（1974），以及德國社會學家，如 Offe（1972）和 Habermas（1973）。

5 新管理主義理論是基於行政精英社會學或更廣泛而言的組織社會學（Crozier and Friedberg, 1977）而產生的理論。

6 新統合主義研究方法請參考法國 Jobert 與 Muller（1987），以及德國 Lehmbruch 與 Schmitter（1982）。

7 主要參見 March 與 Olsen（1984），以及本書的研究方法（詳見本書第 5 章）。

相關的研究方法有強調政策網絡（policy networks）和政策群體的作用[8]。在許多國家，這個方法被用來分析不同農業利益產生的影響。在法國，這一分析導致在解釋中央行政部門工作方式時，著重強調大型國家機構的作用和他們與私有部門同行之間的關係。

在這些理論模型中，政策分析是用來驗證支援模型的種種假說。總之，第一類學派的特點在於政策本身並不是他們研究的重點，政策只是他們用來理解公共部門發揮的社會作用和發展變化的一種手段。結果就是將「政策」引入到了對公共行為和組織的實例分析，並強調對兩者交界點的分析。

一些法國著作，如《政治學專論》（*Traité de Science Politique,* Grawitzand Leca, 1985）的第四輯，以及 Mény 和 Thoenig 在 1989 年關於政策的著作中，都反映了這類學派的各類觀點、思想和發展趨勢。在法國政治科學協會（French Association of the Political Sciences）的「政策」小組也組織了關於類似問題的討論，其研究結果發表在《法國政治學摘要》（*Revue Française de Sciences Politiques*，其中詳見 Majone［1996］；Muller 等人［1996］）。相關主題的英美文獻可參考 Hill 的《公共政策》一書（*ThePublic Policy Process*［2005, ch. 2-5］）。

本書所用到的研究方法有一部分來源於這類學派。不僅因為這本書的很多思想都受到這類學派學者的影響，而且因為雖不以解讀國家的社會作用為首要目標，卻在一定程度上促進了對其社會作用的解讀。然而，本書所用到的研究方法更多來自於其他兩類學派。

8　見 Jordan 與 Richardson（1987）；Marsh 與 Rhodes（1992）；Smith（1993）。

1.1.2 解釋公共行為運行原理

第二類學派的研究目的在於解釋公共行為是如何起作用的。因此，這類學派認為公共政策分析並不是為了解釋政治體系的一般性運作，而是用來理解公共行為的運行模式和邏輯（詳見 Dente［1985, 1989］；Dente 和 Fareri［1993］；Gomà 和 Subirats［1998, pp. 21-36］）。「6」

第二個學派對第一個學派的某些觀點並不加以排斥，這也解釋了為什麼有些學者同時在兩個學派中都有一席之地。然而，在第二個學派看來，研究重點並不在於驗證某項理論的正確性，而在於展示出公共行為所特有的連續性，和運行的一般規則。從這個角度出發，公共分析使人們能夠理解國家，或更廣義來說，公共機關如何運作。

這也正是政策分析人員最初想要解決的一些問題。北美政治科學家對這一研究方法做出了巨大貢獻，他們對這一領域的研究始於 1950 年代與 1960 年代之間，其相關背景是人們嘗試對公共決定做出「合理解釋」(rationalisation)，從而提高公共決定的有效性。Lerner 和 Lasswell 早在 1951 年於美國出版的《政策科學》（*The Policy Sciences*）一書為此類學派奠定了基礎。

然而，「這個研究公共問題和公共政策的統一理論……很快又形成了兩種主要方法」(Parsons, 1995, pp. 18-19)。一種方法是致力於更好地理解公共政策的形成和實施的各種過程（政策**的**分析［the analysis *of* policy］)；另一種專注在形成各種知識用於制訂和實施政策（**為了**政策的分析［the analysis *in* and *for* policy］)。但是在這裡需要強調的是透過兩種方法分析所得出的經驗是可以相互補充的。因此，在第二類學派的評估中，Mény 和 Thoenig（1989, p. 65）區分了兩類人的功能。第一類是對不斷探索新知識感興趣的學者，而第二類則是想把所掌握的知識運用到實際行動中的專業人士。

第二類研究方法在理論上的推動力源於不同的學科，例如：管理學、複雜性分析學（尤其是系統分析）、公共決策社會學，或者更籠統地說，集體行為社會學、經濟科學和資訊科學。

在這個學派中有四位學者占主導地位（Mény and Thoenig, 1989; Parsons, 1995）。第一位是來自北美的政治學家 Lasswell（1951）。他是這個學派的主要靈感來源，他提出了一個完全「管理式」（managerial）的方法，所採用的方法試圖在社會科學研究者、經濟領域人員和公共決策者之間，建立一種對話來提高公共行為的有效性。第二位學者是 Simon（1957），他對公共決策過程的研究指引著該學派利用「有限理性」（bounded rationality）的概念，對公共決策過程進行研究。Lindblom（1959）利用「漸進主義」（incrementalism）的概念，將分析集中在公共決策人在有限範圍內的操縱能力。最後，政治學家 Easton（1965）首次將系統科學運用於政策分析。他對當代政策分析主要概念的發展有重大貢獻。

「7」

雖然這些學者有時屬於截然不同的思想流派，但是都影響第二類學派的形成，也影響本書政策分析中所使用的概念。這些學者不再將政府視為一個單一的行動者，而將其視為一個複雜並常常多樣化的**政治行政體系**（political-administrative system）。人們需要瞭解這個體系的運行原理，從而做出正確的「預測」（predictions）和「建議」（recommendations）。但是，這裡也出現了幾種不同的觀點。

- 某些學者將政策分析的重點放在公共決策的過程以及其行動策略。公共政策的分析一方面應該與法國學者 Crozier 和 Friedberg（1997）提倡的公共組織社會學所聯繫，同時也該與 Simon（1957）、Morin（1977, 1980）和 Le Moigne（1990）對如何將系統分析應用於公共決策過程的研究有所關聯。這些學者也同樣致力於將系統行動者分析和具體行為系統分析融入公共政策分析中。由此，公共管理的概念開始形成。這個概念在經濟合作與發展組織（Organization for Economic Co-operation and Development, OECD）有特別詳細的說明。OECD 的公共管理服務（部門）（Public Management Service, PUMA）經常發表關於「管理者」是如何在公共組織中發揮其作用的文獻。然而這個方法並不適用於分析某些特殊政策。

- 另外一些學者將政策分析的研究建立在干預公共問題的方法和途徑上。在這裡經濟的介入，特別是**政治經濟學**（political economy）的研究占主導地位。該研究分別從宏觀經濟學（傳統上是指 Pareto，以及 Keynes〔1936〕和 Musgrave〔1959〕）或微觀經濟學（特別是這個方法被以客戶服務至上的「新公共管理」〔New Public Management〕[9] 所採納）的角度來分析公共行為的效率。
- 其他的政策研究專注於公共管理的結構、程序和制度形式。這些研究構成了行政科學和行政法律的關鍵部分。這種方法能很好的描述公共管理機構的運作方式。更籠統地說，更好地描述 Quermonne 所定義的**行政機關**（administrative institutions）[10]。在法國，這種方法常在行政改革中提及，特別是在政策地方分權（decentralisation）的情況中。然而，另外一些政策分析工作的組成部分出版於《法國公共行政摘要》（*Revue Françaised' Administration Publique*）[11]。在瑞士，「制度性政策」（institutional policies）指的是一種管理手段，通常被應用於不同的公共行政機構，公務員（civil servants）法令的制訂，以及建構政府部門時涉及的一些比較有代表性的問題（語言、性別、

「8」

9 主要參見 Emery（1995）、Hood（1995）、Pollitt 和 Bouckaert（2000），以及 Pollitt（2003）。

10 Quermonne 將制度性政策定義為「以公共或私有制度的產生、轉型和衰退為主要目的的政策」（Quermonne, 1985, p. 62）；另見 Germann（1996, pp. 5-6）。

11 詳見 Chevallier（1981）。

年齡、政黨等）；協調聯邦政府和州政府之間各種正式的或者非正式的關係。從政策角度來看，政治學家 Germann（1996）在公共政策領域所做的研究工作與這些分析最為接近。

- 最後，近年來出現了某一特殊的政策分析方法。這種認知型研究方法「試圖將公共政策看作一個由認知和規範所組成的矩陣，從而對現實中公共機構和私人行動者之間的互動進行解釋」（Muller and Surel, 1998, p. 47）。這種看法強調各種概念和解釋在形成和改變公共政策，尤其是定義公共行為所針對的問題中所起的作用。這類方法的一大特點是特別強調總體原則、觀點和價值觀，因為其形成一個「總體視角」（a global vision）用來反映並產生公共政策。

總之，第二個學派特別關注對公共決策過程複雜性的理解，其所採取的方法是把分析對象區分為不同的變項（例如，行動者的理性、組織內部決策過程等）。這種取徑在公共管理和輔助決策等領域特別受到歡迎，但是這種取徑因為缺乏可操作性，又與公共管理和輔助決策迥異。

「9」

我們的方法同時具有科學（scientific）**和**運用（operational）的觀點。正如 Friedberg（1993, p. 22）所指出：「政策分析者有兩個相關的研究任務，一方面是要在公共行為的基礎上發展出一套具體的基礎知識，另一方面是要讓各個利益團體運用相關的知識找到自己的定位以及政策所帶來的結果，並運用到實踐中。」

1.1.3 評估公共行動效應

第三類政策分析學派試圖從公共行為目標的角度和（或）間接負面影響的角度來解釋公共行為的結果和社會影響。與第二類學派相比較而已，此學派更注重評估公共行為而非解釋公共行為。在過去的十多年間，這一研究方法在法國和瑞士引起很多的關注[12]。在這些國家，關於政策分析的各種倡議、論壇和刊物數量很多。同樣在英國，對政策「證據」（evidence）的研究也引起人們的關注[13]。

公共行動評估主要包括兩個核心旨趣：

- 第一個關懷包括發展**方法論取徑**（methodological approach）和評估的「工具箱」：因此，大量的研究都致力於明確各種評估方法，從而能夠應用於公共行業的非市場活動。這類研究的基礎在於量化資料的統計處理、多準則分析（multicriteria analysis）（Maystre et al., 1994）、（準）實驗對比（quasi-experimental comparison）以及成本效益分析（cost-benefit analysis）等。很多文獻都探討了公共行為評估的研究方法。在法國，這類概念的展現，可以在 Deleau 等人（1986）的相關著作，以及《政策評估的科學建議》（*Conseil Scientifique de l'Évaluation*）的各類年度刊物中找到。甚至在歐洲聯盟（the European Union）為了推動歐洲結構基金各類相關項目的評估工作發布的一系列關於社會經濟項目評估的手冊中，也著重討論公共行為評估方法。
- 第二是聚焦在**評估流程**（process of evalution），以及它對改善公共管理和影響決策過程的成果。大量的北美學者及最近的歐洲學者，都曾致力於研究這個問題，如美國的 Rossi 和 Freeman（1993）；法國的 Monnier（1992）；瑞士的 Bussmann（1998）。

「10」

12 自 1983 年開始，從制度和科學角度出發的政策分析就已在法國迅速發展，詳見 Duran（1993）以及 Kessler 等人（1998）；瑞士方面可參考 Bussmann 等人（1998），該著作總結了瑞士國家研究項目第 27 號關於「國家措施的影響」的主要內容。

13 參見 Davies 等人（2000）以及 2005 年的期刊 *Evidence E Policy*（見 https://www.policypress.org.uk/journals/evidence_policy/）。

政策評估在瑞士已經成為一種專業，執行相關工作的單位包括大學研究機構、私人諮詢公司，甚至在行政機關內部也成立了「國家行政監督議會小組」（OrganeParlementaire de Contrôle de l'Administration, Service d'Evaluation du Conseil Fédéral）來進行政策評估。瑞士評估監督協會（Société Suiss d' Évaluation, SEVAL）這一專業組織監督各項政策評估的品質（針對其他單位所做的評估，再進行後設評估，舉凡品質、倫理規範等）。

這一趨勢在法國也同樣明顯。法國在國家和地區範圍內都建立了各種評估機制，並且也制訂一系列歐洲範圍內的政策，要求在實施歐洲結構性基金的過程中組織各項評估工作。例如，不久前，為了提高評估工作組織的透明度和有效性建立了法國評估協會（Société Française de l'Évaluation）。然而，這一趨勢卻很難在制度層面成為一種公共管理的規範行為。1990 年推行的「跨內閣機制」消失，以及科學決策議會小組（Office Parlementaire des Choix Scientifiques et Techniques）工作缺乏透明度都恰好說明了這一點。然而，政策分析評估這一課題卻受到了越來越多政治科學家的青睞（Duran and Monnier, 1992; Lascoumes and Setbon, 199; Kessler et al., 1998）。所以說，法國公共政策評估方式的特點是儘管政策行動者對政策執行感興趣，但政策行動者參與度卻很低，並且評估結果很少影響公共政策的修改或制訂。

在英國，「審計委員會」（the Audit Commission）的工作，以及在教育、衛生和地方政府工作等方面，量化績效指標應用的不斷增多也產生了類似的影響（Pollitt, 2003; Audit Commission, 2006）。

儘管評估性研究方法和解釋性研究方法或許在概念上相距甚遠，但前者卻常常與後者相結合。本書中的研究模型吸取了評估性研究方法中關於公共行為影響的經驗——在政策試圖解決的公共問題基礎上衡量公共行為的種種效果。

1.2 「行動科學」範疇內的政策分析

「11」

本書中所用的分析方法並不完全屬於上述三種方法的任何一種，相反地吸收借鑒了三種方法。本書的目的在於建立一種診斷性方法，從公共管理產生的方面以及公共政策及政策產品效用的方面，展示出公共政策運行「好」與「壞」的種種因素。這種政策分析最終產生了對總的政治行政體系運行的**描述**（describing）、**理解**（understanding）和**解釋**（explaining）。因此，本書的研究方法主要建立在解釋公共管理提供的產品或服務上，也就是傳統上所說的「產出」（output），以及解釋這些公共服務對與公共問題相關的各社會團體造成的影響（「影響和結果」〔impact and outcomes〕）。

此研究方法致力於重建公共機關在思考解決公眾問題時所採用的種種基礎前提，從而理解各種公共行為的「邏輯」。從這個意義上來說，本書所採用的研究理論屬於「行動科學」（action sciences）的範疇。

更準確來說，本書中的研究方法所用到的大部分概念來自於「組織社會學研究中心」（*Centre de Sociologie des organisations*）出版的各種學術刊物（Crozier, 1963, 1991; Crozier and Friedberg, 1977; Friedberg, 1993），以及 1970 年代德國受新馬克思主義強烈影響的社會學與政治學家（即法蘭克福學派〔the Frankfurt School〕）的學術著作（Offe, 1972; Habermas, 1973; Grottian, 1974）。然而，這些影響僅限於這些學者們出色運用的個人啟發式貢獻。同樣這也使本書能找到行動者，以及它們之間的網絡和互動模式。與以上學者們採用的「體系力量」（systemic forces）概念相反，在本書的研究方法中，各種可追溯的策略、想法、利益以及行動者行為，從本質上都取決於他們所擁有的各種資源和「制度框架」（institutional framework），以上全都放在實際例子中進行分析。

從這個意義上來說，本書使用的方法很大程度上類似於 Scharpf 在 1997 年提出的行動者中心的制度主義（actor-centered institutionalism）。

這裡採用的公共政策概念（以及本書中大多數的定義和術語），一部分來自於 1976 年至 1981 年德國研究基金會在 Mayntz、Scharpf、kaufmann 及 Wollmann 指導下開展的「政策實施研究專案」（Forschungsverbund: Implementation politischer Programme at the Deutsche Forschungsgemeinschaft）的成果[14]；本書作者之一曾參與這個專案，該專案也是以執行公共政策有關之文本為基礎[15]。本書的研究方法也深受國際公共政策比較研究的影響，主要的原因在於：比較研究有助於定義一套適用於不同國家和制度體制的分析框架，這也是本書研究方法最基本的目標。

「12」

接下來的幾章將會詳細介紹本書採用的研究方法的主要特徵：

- 從政策「行為邏輯」的角度來分析一項政策，因此研究的出發點在於行政管理行為和特定部門內互動的社會**行動者**（actors）。
- 在研究行動者行為和公共行為的實質結果時，結合**制度**（institutions）的影響（儘管最初的政策分析往往忽略制度因素的影響）。
- 尤其注重研究政策行動者為了實現自己的利益而動用的種種**資源**（resources）（這有利於政策分析與公共管理相結合）。

---

14 見 Mayntz（1980, 1983）。

15 有關 1970 與 1980 年代在美國與歐洲所發展出來的執行分析模式，Lester 等人（1987）已做了整理。讀者亦可參閱 Bohnert 和 Klitzsch（1980）、Parsons（1995）、Hill 和 Hupe（2002）。

最後，我們的研究方法，本質上是建立在對經驗資料的回溯解讀（retraceable interpretation），這與其他當代研究方法並不相同，尤其是：

- 新韋伯主義（neo-Weberianism）認為，官僚行動者從某些一成不變或至少變化緩慢的結構和行政規則中獲利，因此會不惜犧牲政策內容來換取穩定的收益。
- 新馬克思主義（neo-Marxism）認為，一個國家除了要提供第一層面的民主合理性，還需要透過擁有強大資源的行動者實現其公共政策的「品質」來保證第二層面的民主合理性，因此國家及其公共政策只不過是少數勢力行動者用來進行壓迫和控制的工具。儘管這一觀點有一定道理，但是本書認為公共行動者仍然擁有在一定範圍內的操縱能力。
- 理性選擇理論（rational choice）（公共選擇〔public choice〕；賽局理論〔game theory〕）認為，政策對於各政黨和官員來說，只是用來在選舉中收買人心，以及／或得到個人利益的工具（物質與非物質）。多數經驗資料顯示，這種理論過度簡化。
- 新統合主義（neo-corporatism）和網絡理論（network theory）指出，政治行政體系中的官員們都容易受特定的有組織的團體所影響，最終導致國家無法制訂和實施再分配措施來為毫無組織的社會團體爭取福利。
- 經典多元論（classical pluralism）堅持「國家是服務窗口」的觀點，即國家關注所有的社會訴求，制訂的公共政策也都反映了社會所有成員的行動重點。不過，從實踐經驗來看，許多社會問題從未在政治上被認為值得成為公共政策。
- 簡單系統化理論（simple systematisation）不認為公共行動者具有任何自主性和自我意圖。他們的行為被簡單看作是直接組織結構授予他們的職能。然而，在社會現實中有很多的例子證明，儘管公共行動者在理論上的操縱範圍有限，但仍具有重要的作用。

「13」

- 在政治體系方面的比較研究法（comparative approach）（比較政治學〔comparative politics〕），通常致力於分析不同政治系統與公共部門的統計與結構資料，而較少分析公共政策實際內容的過程與質性資料（Hofferbert, 1974）。我們相信，在研究實質政策中，還需要更精確的研究方法。
- 批判方法論（critical approach）拒絕思考任何積極和理性的方式來分析公共政策，只強調與具體公共行動間接相關的權力與支配（Fischer and Forester, 1993; Fox and Miller, 1995; Fischer, 2003）。

儘管盡量避免完全採納關於國家、社會或其他體系的任何理論概念，本書的研究方法卻對這些理論提出的所有假說持有一種「完全開放的」態度。本書中的分析模型目標在於對具體理論保持客觀中立的態度，從而盡可能容納更多種類的理論，甚至是截然不同的理論，如新馬克思主義、新自由主義和新統合主義。只要研究者特意運用與其實際研究領域的基本標準相符合的概念。

「14」

政策分析的關鍵要素

第二個部分將會介紹政策分析模型的各種前提條件，並且明確政策分析所需要的各種概念。 「17」

更精確地說，本書方法將重點放在政策各階段，不同行動者的個別和集體行為。因此，本書認為公共行動（待解釋的變項）的內容和制度特徵是各政治行政機關和各社會團體互動的結果，公共行動試圖要解決的就是被這些社會團體引起並且／或者加劇的集體問題之負面效應（解釋性變項）。行動者之間的「賽局」(games) 不僅取決於各自的價值體系和利益，還取決於其所能調動的各種資源，用來捍衛自身在公共政策目標、手段、發展過程等方面的地位。這一系列賽局不僅會影響政策的實質內容，還會影響政策制訂和實施的流程和組織方式。然而，各行動者無一例外的都必須考慮現行制度規則帶來的種種限制和機遇。諸如在憲法層面上的法律法規理論上適用於所有的政策，並決定了某一特定政策中所涉及更為細緻的規則。而這種細緻的規則直接影響到行動者如何進入政策領域以及其可動用的行為資源。如果說這些具體的制度規則，事先為行動者之間的博奕打下基礎，則必須謹記，這些制度規則也可能（部分）是受實質目標結果影響的行動者之間協商 —— 主要在政策規劃 (policy formulation) 階段 —— 的結果。

圖 1 總結了本書中採用的政策分析模型的關鍵要素。

在我們對某項政策涉及的各行動者之間可能存在的關係、各類資源和各項制度展開研究之前，必須要明確一些概念。

第 2 章至第 5 章分別回答了四個基本問題：公共政策的構成因素是什麼（第 2 章）？如何找出不同種類的公共政策主題？它們各自的特徵是什麼（第 3 章）？行動者可調動何種資源來影響政策的內容和發展（第 4 章）？在定義需要解決的公共問題，以及政策設計（programming）、執行和評估的過程中，各行動者之間的博弈受到哪些一般的或具體的制度規則的影響（第 5 章）？

「18」

在某種程度上，各章的順序安排和理論發展的各個階段是相互對應的。

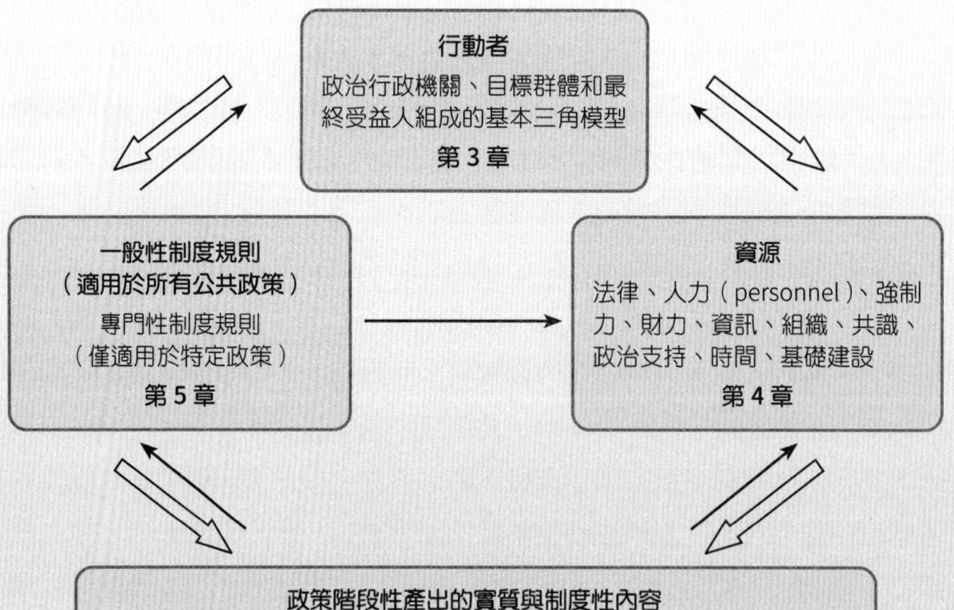

圖 1　公共政策分析的關鍵要素

在 1970 年代早期，政策分析理論試圖突破之前側重關注行政措施是否與法律相符的政治行政體系合法性分析，這類分析主要是為了保證公民在國家層面受到法律保護。與此同時，利用**公共政策**（public policy）這個詞，一方面可以將一群法律、判決（decrees）與指令（directives），聯繫在一起；另一方面，也能使上千種行為與它們的具體結果產生連結。因此，在初期，政策分析試圖解釋「執行赤字」（implementation deficits）的問題：為什麼一條法律在某些地方被嚴格執行，在另一些地方卻形同虛設。執行赤字使律師（擔憂法律執行的不平等）和政客質疑現存立法的效用。

於是，分析者試著解釋這種執行赤字。在尋找解釋這種現象的原因時，他們主要集中在立法及其執行中的公、私**行動者**（actors）所扮演的角色。事實上，這些行動者都擁有各自的價值觀、利益、反抗的手段，以及創造力和適應力；簡而言之，各行動者都有能力利用政策來達到自己的目的。因此，政策分析者是研究政策領域內行動者的社會實體，他們的行為被假定為可以預期並符合法律要求。

「19」

對公共政策及其行動者的研究表明，各行動者，其聯盟組織和代表享有高度的自治權。實際上，他們有很大的空間來操縱影響政策，使其符合自身利益。但是，研究亦表明，不同的行動者所能行使的自主權差別很大。因此，長久以來有關**權力**（power）的問題再次被提及，這類問題向來被視為政治學家專屬的領域（所以政策學者被認為沒有置喙之餘地）。這種把政治學研究和政策研究硬生生切割的人為設限，很可能源於法律面前人人平等這個假定。

在嘗試解釋這個現象時，研究者或多或少都發現了不同類型的行動者，可以獲取的各種**政策資源**（policy resources），以及**制度**（institutions）扮演的關鍵角色（議會、政府、行政和司法）。

如今，在公共管理的概念下，很多種類的學科都被運用於公共領域。這些學科也對政策資源的分析起了很大的作用。然而，在制度研究方面，發揮著重要影響的仍是新制度主義研究方法（Hall and Taylor, 1996）。這一研究方法建立在政治經濟學和社會學之上。

2 CHAPTER 公共政策

2.1 回應社會問題的政策

「21」

所有的政策都旨在解決政府工作議程上出現的公共問題。因此，公共政策是政治行政機構用來處理政治上無法讓人接受的社會現實的手段。

需要注意的是，只有當社會問題產生負面影響後，人們才開始意識到這些問題的存在，並開始討論是否需要制訂政策來解決這些問題。在所有公共干預的開始階段，公共問題的確切起因都無法加以定論，或者公私行動者對起因無法達成一致意見。工業國家失業率不斷攀升，以及失業人群本身對社會帶來的不穩定性影響，促使國家建立或加強失業保障機制、採取措施來刺激勞動力市場。工業生產和石油燃料燃燒所導致的空氣汙染問題，促使國家制訂環境保護政策。城市犯罪問題和吸毒人員健康狀況惡化問題，也促使國家制訂各種新政策規範海洛因的分配。雖然政策分析大部分都將政策視作政治行政機構為了應對難以解決的社會現狀變化所採取的手段，但這觀點並非絕對。社會問題的回應，仍舊要辯證地來看待。

首先，一些社會變化並沒有引起政治行政機構制訂相應的政策。主要原因有兩個：第一，這些社會變化並不明顯，或者未被人提出；比如說，有些社會變化的後果很難被人察覺，有些只存在長期後果，而在短期內並不明顯，或者在有些社會變化中，受負面影響的群體缺少政治話語權。第二，缺乏可行的、不引起分歧的國家干預方式；比如說，公民投票無法對國家干預方式達成共識，缺少可以執行政策的政治行政部門，或者無法改變某些私有行動者的行為。因此，多元主義觀點（pluralist vision）並不可取，因為該觀點認為國家作為「服務窗口」將對所有的「社會需求」（social demands）都一視同仁、自發回應。

「22」 這就引發了一些探討，即以何種方式來定義社會問題（Dery, 1984; Weiss, 1989），政府工作議程的重心該落在何處（Kingdon, 1984, 1995; Rochefort and Cobb, 1993）和政府如何最終決定並不介入或不實行公共措施（Bachrach and Baratz, 1963）。

篩選過程大量存在於各個層面上，這就為不願意讓政府干預某社會變化的、有組織性的行動者提供了很多機會，使這種社會變化無法得到政治行政體系的解決。

其次，某些政策或許並不是旨在解決某個社會問題的集體行為，而單純是某一社會群體對另一群體實施權力的工具。正如第 1 章所描述，新馬克思主義的支持者認為國家政策的目的僅在於強調甚至深化各社會階層間的分歧。新韋伯主義則認為，國家干預只能滿足官僚行動者的內部利益（行政惰性〔administrative inertia〕）。理性選擇理論將政策定義為選舉團體之間為爭取更多選票或黨派支持，而對成本收益進行（再）分配的行為。若從這個角度看來，各種政策實際上是各競選團體在競爭中換取選民支持的籌碼。最後，新統合主義相信，政策保護的是組織性團體的利益，這些團體有能力「左右」（capture）政治行政機構，並且與它們建立侍從關係（clientelist relationships）。

正如本書第一部分所述，認為國家作為一個關注所有社會需求的中立性「服務窗口」，或是將其看作是受組織性集體「操控」（captive）的被架空的國家，這兩種看法都很極端，本書介於這兩種極端觀點之間。公共政策是為了解決反映社會現狀（轉變中）的某個社會問題。這種狀態透過諸如媒體、新社會運動、政黨或是利益團體這些媒介得以明確表達，並且在民主決策過程中進行辯論（Muller, 1990）。這並未脫離這樣一個事實，即便是在諸如車諾比核災（Czada, 1999），或是狂牛病（BSE）

(Greer, 1999) 這類突發的重大事件面前,有待解決的問題仍是一種社會建構或是政治建構的產物,因為這也是由公、私各行動者所占政治比例、所持有的觀念、代表程度、利益和資源所決定的 (Vlassopoulou, 1999)。

對於公共問題造成的客觀壓力,政治行政體系做出的回應都不會是完全直接和機械的。「偏差動員」(mobilisation of bias) (Schattschneider, 1960) 這種再分配行為永遠存在。在實證研究中不乏這樣的例子,譬如在瑞士移民人口眾多的郊區,城市暴力問題突出但警力相對不足;再如,政策選擇在高級居住區優先實行交通靜化的措施,而未在道路交通狀況相對差、噪音汙染的工人階級活動區域實施 (Terribilini, 1995, 1999)。

2.2 公共政策的定義

政策分析的根本物件不是政治力量本身,而是如何使用政治力量來解決公眾問題。因此,公共政策這指的是各公共行動者共同解決某公共問題,與超公共或私有行動者相互合作或鬥爭,在某特定制度背景下進行的權力賽局。由於集體問題一般同特定的行業或是領域有關,1930 年代由於國家干預而新興起來的「政策」一詞,通常用來具體描述不同行業或是區域裡產生的問題 (例如「能源政策」、「農業政策」、「經濟政策」、「社會公共政策」)。

對於公共政策一詞存在各種各樣的定義和解釋。Thoenig 在其 1980 年的研究中列舉了一份清單,至少有四十多種關於公共政策的定義 (Thoenig, 1985, p. 3)。本書並不全部列舉這些定義,而是挑出一部分。其中有的定義很模糊,有的則力圖精確。

- 「公共政策是一切政府選擇作為或是不作為的行動」（Dye, 1972, p. 18）。
- 「公共政策是權力機關運用公權力和政府合法性採取活動的成果」（Mény and Thoenig, 1989, p. 129）。
- 「公共政策是某一個或多個公共（政府）權力機關針對某社會部門或領域專門採取的行動方案」（Thoenig, 1985, p. 6; Mény and Thoenig, 1989, p. 130）。
- 「公共政策是一組活動的產品，這裡的活動是指：政治行動者面對環境中的公共問題提出解方，而且這些政治行動者彼此的關係是相當結構化的。上述之過程會隨著時間演變。」（Lemieux, 1995, p. 7）。

「24」 儘管各方的觀點都不太一樣，但是這些定義中都強調了三個概念：有公權力的行動者（參見先前提及的 Dye、Mény 與 Thoenig 的著作，以及 Sharkansky［1970, p. 1］；Heclo［1972, p. 85］；Simeon［1976, p. 548］），待解決的社會集體問題（Anderson, 1984, p. 3; Pal, 1992, p. 2），和國家提供的解決方案（Laswell and Kaplan, 1950, p. 71; Jenkins, 1978, p. 15）。

最終，政策專家學者們發現，在實踐中建立一種「操作性」定義，能完善和推動對於公共政策目的的理解和有關這個領域的學習研究。接下來的段落會具體闡述這種定義，它是根據學術領域對於公共政策主要因素達成的共識而來的。

因此，在這種框架下，公共政策被定義成：

> 由不同的公行動者或者私行動者做出的協調一致的決定和行動。這些行動者的資源，機構之間的關聯性和利益都不同，以解決特定的集體問題為主要目的。這些決定和行動或多或少帶有規範性和限制性，以期修正社會團體的某些行為。這些行為可能是造成集體問題

的最主要原因，也可能改變這些行為有利於解決特定的社會集體問題，最終使另一些社會團體或公民從公共政策實施過程中得益。

因此，當提出「公共政策」一詞時，實質上代表隱性地參考和運用了很多立法和行政上的行動來解決實際問題。最有效的立法只有當政治、行政和社會行動者都參與到制度安排的決策過程中才能體現。然而，所期待的立法效果只有在從中心到周邊形成一系列複雜的決議之後才能產生。這些決議和政府行動稱為「公共政策」——公共行動者（有時也包括私人行動者）做出決議和行動，旨在引導特定目標人群的行為，最終透過公共行為的努力，解決社會自身不能自我調節來修復的集體問題。這些決議涵蓋了在公共行為的所有階段產生的決議，也包括了普通法律法規和特別法律法規（法律、法令、條例等），以及在政策實施階段形成的各種行為和政策階段性產出（行政決策、政府授權、補貼等）。

當然，在這其中也存在一些例外，在最早的自由主義國家（liberal state），國家立法往往還就一些私有部門提出的框架性條件來促進社會問題的解決。因此，公共行動也受限於頒布的法律本身，同時法院這些司法部門偶爾由於訴訟在政策實施過程中的介入受到限制。在 1930 年代初，隨著壟斷資本主義的發展，國家干預來解決具體社會問題的現象得以發展，國家干預也成為本書所定義的公共政策的奠基石。由於這種發展，越來越多的政治家、公共管理者（public managers）和研究者，開始對規定（regulatory）、鼓勵（incentive）、經濟（economic）、說服（persuasive）和資訊（informational）等不同政策工具的效果（effectiveness）和效率（efficiency）提出疑問（Knoepfel and Horber-Papazian, 1990; Morand, 1991）。

「25」

我們採用的公共政策定義主要是從分析角度出發。然而，公共行政部門能夠自己根據這種分析模型來思考和提高其日常工作[1]。這種分析方法避免了之前不同公共部門所擔心的分析缺乏完整性的問題，而是給出了具象化和綜合性的視角，觀察政策是如何被具體落實到細處，以及怎麼樣實施的。這種分析模型能闡明不同的公共政策實例中不同政策階段的政治行政運作方式和責任分配。最後，這種分析模型能夠區分為了解決特定社會問題而產生的具體公共政策下的公共行為，和其他依附於整個既存政治行政體系而產生的抽象國家行為之間的區別。因此，本書對於公共政策的定義適用於「實質性」政策（Bussmann et al., 1998），而非「制度性」（institutional）或「建制性」（constituent）政策（Lowi, 1972; Quermonne, 1985）。實際上，後者的主要對象是促進、移植或是改變國家以及社會制度（Quermonne, 1985, p. 62），並非是為了或至少沒有直接解決社會問題。本書也把財政預算政策歸類於制度性政策的範疇裡，即便這種政策是實質性政策的一系列工具手段之一。在某些情況下，這種排他的歸類和想法可能也會有些欠妥，因為這些制度上或財政上的變化可能會有明顯的問題解決目標或間接產生了這種效果。然而，這種情況都很複雜，難以進行系統分析。

1 「公共政策」和「政策」（或「政府政策」）在這裡是同意詞。需要指出的是，某些學者習慣精確地定義它：「對於政府部門，政策是一種帶有官方性質的特殊行為。對於老師和學者，公共政策是一種集體行為，兩者思考問題的方式是大相徑庭的。後者大部分的想法並不被前者認為是政策的一部分。」（Lemieux, 1995, pp. 1-2）

2.3 公共政策的構成因素

「26」

公共政策的一些構成因素可以用以下八條定義來解釋：

- **公共問題的對策**：公共政策致力於解決特定的社會問題。這些社會問題在政治上得到承認，並且有助於重新建立不同社會行動者之間消失的或者受到威脅的聯繫。因此公共政策定義提出的先決條件是人們已經意識到這一問題，即這一令人無法滿意的社會狀況必須透過公共部門的作為才能得到解決。即使如此，儘管有些問題曾經是公共政策所要解決的物件，但是它們也能重新變為私人或社會領域問題，不再受到政府的干預。舉例來說，以前同居會受到道德譴責，從而形成了家庭政策的產生因素，這種狀況在現在已經不復存在了。不僅如此，原本為解決某些公共問題而建立的公共機構在之後卻用來解決新的公共問題。比如說，瑞士聯邦農業部主要的「研究和普及」（research and popularisation）部門對於聯邦馬場的維護最初是為了回應軍事政策，現在卻用來解決（新的）問題，即農業研究。
- **引起公共問題的目標群體**：所有的公共政策都致力於引導或改變目標群體的行為，不管是透過直接的方式還是間接改變這些行動者的外部環境。「因果關係模型」（參見第 3 章的 3.3 節和 3.4 節）鞏固了公共政策同定義的目標群體之間的關聯性，這裡所稱的目標群體，是指那些需要改變自身行為來解決特定問題的社會群體。舉例來說，一項關於淨化空氣、恢復公共秩序、減少失業率的政治聲明，因為沒有明確哪些目標群體需要改變行為從而實現這些目標，所以不能算是公共政策。然而，需要注意的是政策的目標群體也會隨著時間變化而變化。例如水資源保護政策的目標群體從最初的魔鬼、女巫、異教徒，演化到後來的家庭、工業公司和農民身上。

「27」

- **至少存在有意圖的一致性**：公共政策是按照特定方向制訂的。它是以「社會變遷理論」(a theory of social change)(Muller, 1985, 1995; Mény and Thoenig, 1989, p. 140)或「因果關係模型」(a causality model)(Knoepfel et al., 1998, p. 74)為預設，應用政策方案解決社會公共問題。它也假定公共行動者的決定和其行動是相互關聯的。因此，如果缺少意圖的一致性，會發生一些在立法者制訂政策意料之外的巧合，兩個政策正好選擇了相同的目標群體但是各自的行動沒有關聯性。用一個例子來說明，在一項能源政策中採取了一些公共行動來節約能源，然而同時，在專門的財政政策中，卻提高了節能產品的增值稅和營業稅。在這個例子中，很顯然這裡不建議把財政措施納入能源政策中。如果能源政策不包含任何的經濟措施，由於立法意圖協調性的缺失，財政措施不符合能源政策的初衷。然而，有些情況下，政策是存在模糊區塊的。特別是當公共行動者沒有很明確定義他們的政策目標或是存在兩種對於政策目標的解釋。譬如，倫敦市長提出的交通擁堵費計畫，顧名思義是一項為了緩解交通堵塞而採取的徵稅措施。但這並不能讓評論家們停止言論，然後，許多評論認為市長的主要目的並不是為了緩解交通擁堵，而是為了增加其可支配的財政收入。有趣的是，這項政策遭到外國大使館員工的強烈反對，其中以美國居首，大使館的官員稱，交通擁堵費是一種稅收，而他們由於豁免不應該被徵收這些費用。在諸如此類的情況下，政策分析者很難判斷政策的「真實」意圖。然而，解決這一問題必須接受某種意圖：所聲稱的意圖，或者受到分析者承認的假說性的意圖。因此，這個案例一方面能夠從政策對交通堵塞的影響進行研究（當政策正在執行時），另一方面也可以當成是提高稅收政策（revenue-raising policy）來研究。有關於定義、看待問題的另類方式（alternative problem definitions），更多討論請參見 7.2.1 節。

- **現存的許多決策和行為**：公共政策的特徵在於是它包含了一系列行為，並不只是某個單獨的決定，但卻不足夠成為一種「普遍的社會運動」（general social movement）（Heclo, 1972, p. 84）。一個基本的政府政策宣言認為愛滋病是一種社會公共問題，但是卻定義不出特定的社會群體作為這個問題的受害者。所以這種政策很難被認定是一項公共政策。此類的宣言可能會促進一項新政策的出現，如果接下來在實踐中有立法頒布以及具體的應用。

「28」

- **干預方案**：上述一系列決定和行動還應該包含與計畫或計畫實施有關的不同程度上具體的、特定的決定。和大多數學者的觀點不一樣，本書認為由單一或是多方政府（Thoenig, 1985）職能機構做出的干預方案本身並不是一種公共政策。因此，瑞士政府為防止大氣汙染而提出的測量計畫[2]，或法國根據1996年頒布的《空氣法》框架內制訂的大氣保護計畫，都只有在實踐中明確實施了個體措施和底層政府決定後，才真正形成了一項公共政策。另一方面，沒有社會影響力和看不到政策積極結果的政府干預方案不能被認定為是一項公共政策；充其量那不過是一項政策中必不可少的構成因素之一（詳見第9章9.3節）。
- **公共行動者的關鍵作用**：從某種程度上來說，上述一系列決定和行動只有由有權介入特定問題的公共行動者做出，才能稱作是公共政策。換句話說，公共政策中，必須要有屬於政治行政體系的行動者的參與，或經法律授權，有正當決策和行動權的私行動者的參與。如果不滿足這些條件，有些決定帶有限制性規定只能被當作是「團體政策」，甚至是「私人政策」。因此，許多跨國公司做出的政策（包括薪資範圍、環境策略、環境管理體系等等）都只是建立在內部決議和責任分配上。

---

2 《空氣保護聯邦法令》（Federal Ordinance on the Protection of Air, 1985）。

「29」

- **具體形式的措施**：公共政策假設行動和**產出**（outputs）的產品，會試圖改變群體或個人的行為。從這個意義上來說，本書對於公共政策的定義事先假定了各項決定的措施都有具體實施階段。然而，在某些情況下，政策分析表明政治行政行動者並沒有進行實際干預或者缺少某些干預工具（intervention instruments）。在此方面，某些研究方法也認為這種「無決策」（non-decisions）（Dye, 1972）和「無行動」（non-actions）（Smith, 1976, p. 13; Mény and Thoenig, 1989, p. 152）屬於公共政策。與上述研究方面不同的是，本書認為同時存在與這些「無決策」相關的其他正式的決定時，這些「無決定」才能構成政策。比如說，為了鼓勵對環境造成汙染的企業進行自主管理，政府部門主動放棄實施一系列的懲處措施。
- **帶有約束性措施的政府決議和行動**：傳統上，大多數行動者認為政治行政行動者做出的決議本質上具有強制性的性質（Meny and Thoenig, 1989, p. 132）。根據 Gibert 在 1985 年提出的假說，公共行為被視作一種公權力的正當授權。然而如今，行動和干預手段的多樣化弱化了政治行政體系中體現出的處理公共事務強制性的一面。不論是傳統的公共活動（Lascoumes and Valuy, 1996）或者是契約性質的活動（Gaudin, 1996; Godard, 1997），如今，相比強制性質的公共行為，公共行政體系更多採用的是契約性質公共行為。這也讓本書重新修正了對於公共政策的定義。因此，現時很多政府干預的落實都依賴於契約化過程，包括國家與公共授權機構的契約合作（例如垃圾管理、道路維護、區域發展等等）；以及國家與企業單位或是私人公司的契約合作（建立在服務型合約之上，為了滿足公眾需求，例如醫院、公共交通特許經營公司、教育機構等等）（Chevallier et al., 1981; Finger, 1997）。

圖 2.1 展示了公共政策不同構成因素間的聯繫。同時，也指出一些此處認為不構成政策的因素。這也顯示，似乎有些普遍被認為是公共政策決策的行為，排除在考慮之外。然而，這不是我們的目的；反之，我們想提出的是，在這些案例中有系統的政策分析可能是行不通的。強調政策過程中容易破壞理性分析的各種因素，提醒政策分析者避免進行毫無意義的評估活動，或試圖合法化形式化的、互相矛盾的政策，是很重要的考量。

「30」

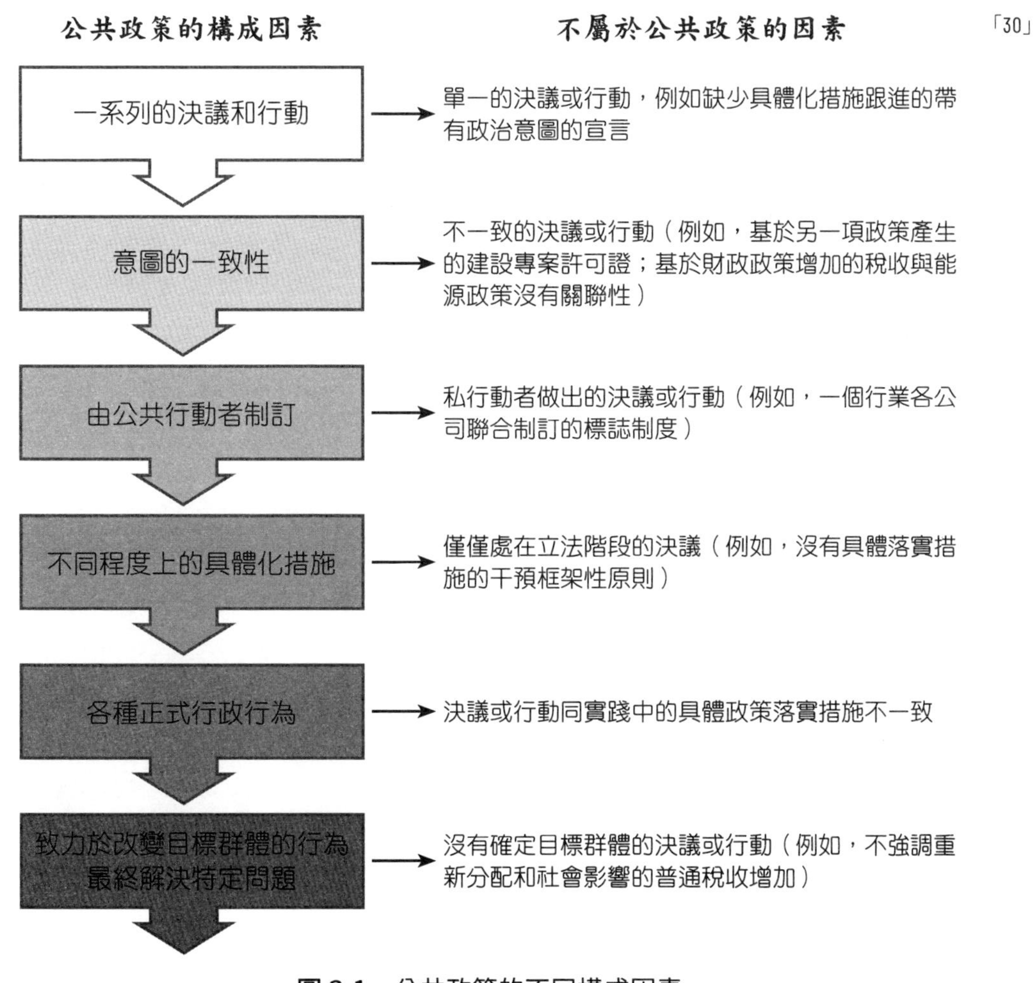

圖 2.1　公共政策的不同構成因素

2.4 政策週期

很多學者（Parsons, 1995, pp. 78-79）都嘗試將公共政策從制訂伊始到實行結果的演變過程，用圖表清晰傳達整個流程。其中一個政策週期就像圖 2.2 所列出的，從問題出現開始，然後是政策制訂過程到政策評估結果的出現。同樣地，政策分析家也在政策週期的不同階段提出了相應的問題（見表 2.1）。

「31」

表 2.1 公共政策的不同階段

不同階段	第一階段	第二階段	第三階段	第四階段	第五階段
專業術語	問題出現	議程設定	政策制訂和採納	政策實施	政策評估
過　程	出現問題	篩選出現的問題	明確「因果關系模型」	應用前階段所得出的方案	決定政策的最終影響
	分析問題：對問題的定性和對起因的識別	列出因果關系模型	提出可行的解決方案	政策實施機構的活動	對政策在解決問題的有效性、高效性以及相關性方面進行評估
	陳述問題	公共行政體系對認定的公共問題採取政策回應	根據現有資源選擇理想的解決辦法		
	尋求公共行為解決		選擇恰當的手段		
分析者的主要問題	對問題究竟有多少認識？	哪些因素促使政府採取措施解決問題？	政府和議會採納的是哪些方案？制訂這些方案是建立在哪些流程上？	法律決定和政府決定是否得以實施？	政策的直接和間接影響是什麼？

這個建立在政策週期模型之上的方法，只需要理解它的大體框架，而非是把它看成一個剛性的、不可改變的範本。這就是 Muller 所指出的：「政策實施的過程不應該把它放到一個機械的順序中，相反地為了使政策更具有意義，應該將其放入一個連續而流動的程序中。」（Muller, 1990, p. 33）但是這種固有模式也可以作為一個輔助工具，結合政策所及的具體內容來瞭解整個決策過程。

「32」

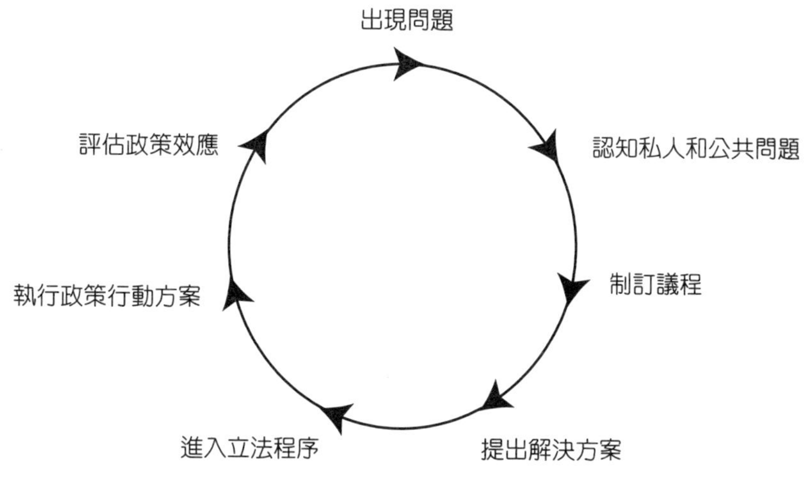

圖 2.2　政策週期

在本書理論模型中（詳見本書第三部分第 6 章），有以下修改：

- **問題的出現和認知**（emergence and perception of problem）的階段中，某種社會現狀導致公共需要、缺失和不滿。這些能夠直接辨認出來或者透過外部表現形式反映出來的現狀需要加以解決。更籠統地說，當社會現狀和人們期望的社會狀態之間存在差距時，便會存在問題。然而，許多問題並沒有相應的公共政策加以解決。一個問題是否能透過源自「社會〔再〕建構」（social [re]construction）的政治程序成為公共問題得到解決，與這個問題得到的媒體關注度有關（透過科學知識、資訊傳播和遊說活動等方式）。

- **議程設定**（agenda-setting）階段，政治行政行動者為應對來自社會團體或者公共部門本身的要求而採取相應的公共行為。也就是說，議程的制訂過程可以被看作一種公共行動者對出現的問題進行篩選機制。
- **政策規劃**（policy formulation）的階段中，首先公共行動者明確因果關係模型（這一模型的確定受到各社會行動者不同程度的影響）和制訂政治行政方案（PAP），也就是說，為了解決問題，對政策的目標、所採取的手段和實施程序進行選擇。因此，這個階段仍存在一種篩選機制。
- 政策**執行**（implementation）階段中，公共政策將應用於實際面對的具體情況。這個階段所需要做的工作遠比看上去的複雜。因此也有一些篩選機制存在。例如，不執行、選擇性應用等。
- 最終，政策**評估**（evaluation）階段，作為政策的構成因素，目標在於從目標群體的行為改變（政策影響）和問題解決（政策結果）方面評估政策的結果和作用。

「33」

將政府干預社會問題定義為一個動態的過程，而不是傳統意義上的靜態模型，可以幫助我們進一步檢視其中的「篩選」現象。例如，在政策發展的一開始，誤將政策受害群體視為受益群體（例如：建造一個穿越移民人群或社會底層居住區的高速公路、不考慮環境保護的因素而搭建高壓線）（Knoepfel, 1997a）。圖 2.3 揭示了在政策週期階段中不同的篩選機制：例如在政治行政議程上對問題認知的篩選，對提出的解決方法的篩選和調適，以及對政策執行篩選和最終的評估篩選。

這些建立在政策週期上的分析具有某些優勢，但仍存在一些不足。其優點包括下列因素：

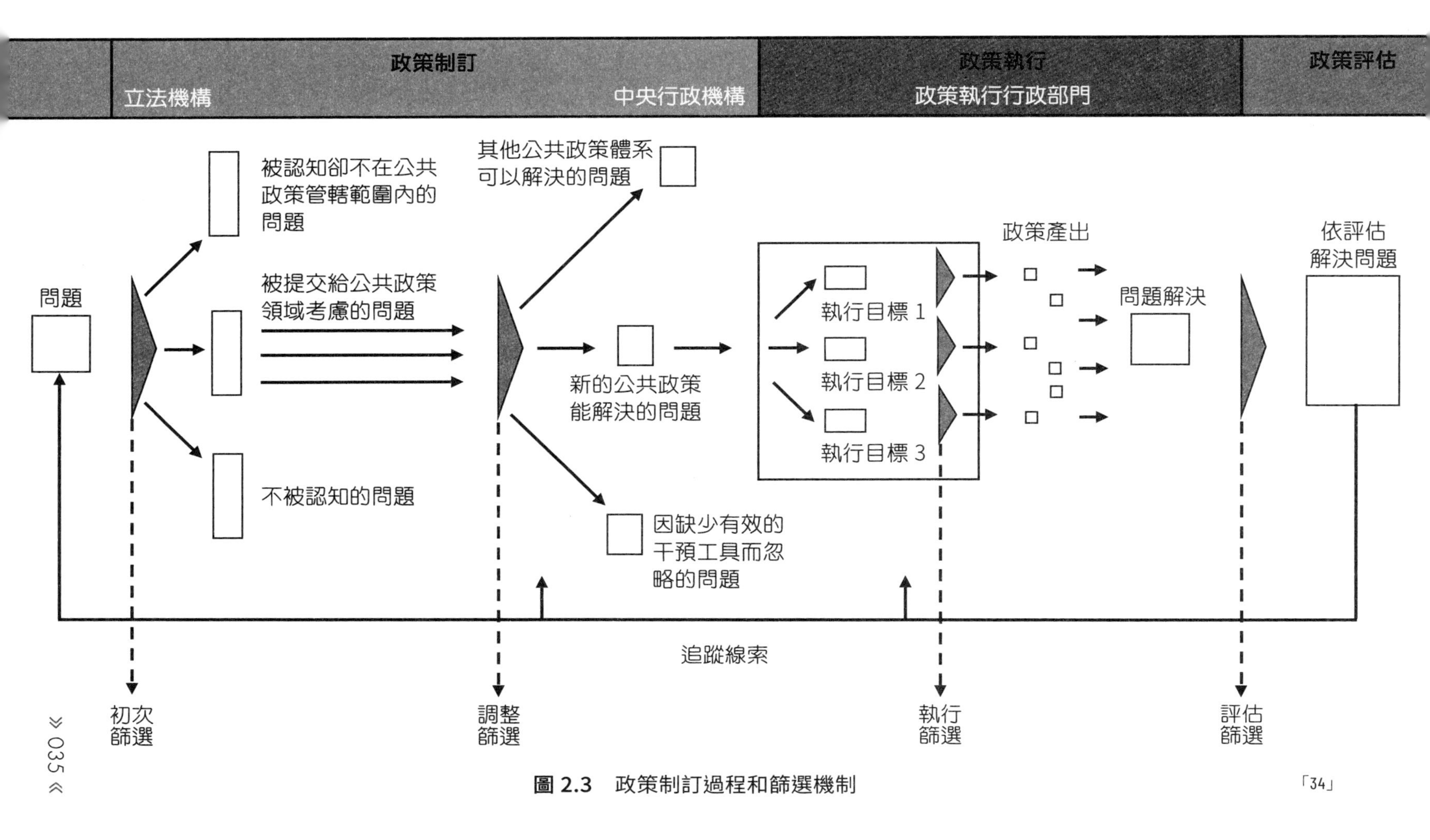

圖 2.3 政策制訂過程和篩選機制「34」

- 政策週期系統在整個過程中提供了一個可以追溯線索，例如在執行政策的過程中如果有一些反對意見的提出，那麼就可以質疑之前的（類似於，如果有強烈的反對聲音建造核電站的話，就該考慮是不是要重新制訂能源政策；如果有人站在擴建民用機場的對立面的話，就要對現有的航空運輸政策進行改革）。
- 若能先針對政策週期各階段的行動者加以區辨，那麼我們對行動者的分析就不會那麼複雜，也就更容易區辨行動者的集成（屬性或分類，例如：公或私，中央或地方），以及他們在各階段的變化（什麼階段進入或退出政策制訂的循環中）。

「35」

- 政策週期各階段所提出的問題、假設和部分理論能幫助我們在不同學科的基礎上（如社會學、法律、政治學、經濟學）分析各種因素，同時也創造出相關的子學科，例如：公共行動的形成（政策設計）、政策執行研究和政策評估。
- 這個政策週期體系使得政策分析與公共行為合理目標相結合。比如，目標、手段和結果之間的線性聯繫也表現在不同的管理策略中，如美國的計畫項目預算系統（Planning, Programming and Budgetingsystems, PPBS）。這使得人們能夠辨認出問題發現過程中的錯誤，或找到政策實施的不足。

這個啟發式的政策週期模型同時也被拿來和（私有）問題解決機制做比較。表 2.2 展示了它們的相似之處，這促使很多學者將公共行為看作是一個解決問題的合理計畫，但他們卻不一定會把公部門的特色納入考量。

然而，從一個更為分析的視角切入，「政策週期」模型的確有其限制（參考 Jenkins-Smith 和 Sabatier［1993, pp. 3-4］；Hill 和 Hupe［2006］）。

表 2.2 政策週期模型和解決問題機制的相同之處

階段	問題解決機制	政策週期模型
1	認知問題	制訂議程
2	提出解決方案	形成政策
3	選擇最佳方案	決策
4	實行解決方案	執行政策
5	監控結果	評估政策

資料來源：Howlett 和 Ramesh（2003, p. 13）

實際上：

「36」

- 這個方法是從政策發展的時間順序來描述的，因此它也許不能完全按照政策週期模型的每個階段進行。例如當某些緊急的特殊情況發生時，政策可能在完全計畫好之前就被實施了，這在法國致力於解決農業所導致的汙染問題上有實際例子可以參考（Larrue, 2000）；或者是在解決方案要被執行和評估之前，此類辦法已經與起初所產生的問題沒有了聯繫，就像瑞士制訂政治庇護政策一例（Frossard and Hagmann, 2000）和英國積極尋求反恐怖主義的政策。
- 這個方法並不能促進每個階段之間的邏輯聯繫和因果關係得到真正的發展，也就是說這個方法可能會促使政策分析人員編造一些現實中可能不存在的相關因素。
- 這個模型是從政策執行者自上而下的方式（top-down approach）來演示政策行為，特別強調國家行為，但這樣的分析方法卻忽略將一些社會其他階層的行動者和他們的資源考慮在內（自下而上的方式〔bottom up approach〕）。因此，實際是由單位電量價格的降低或者經濟不景氣而導致的用電量減少，卻被錯誤歸結於能源政策的結果。

同樣，一些已存在的解決方法卻在尋找新的問題。比如，某計畫要關閉的政府部門（如瑞士聯邦政府馬場）為了生存下來便會找到新的問題（如導致傳統賽馬比賽作為一項國家的非物質文化遺產而流失）。

- 這個方法無法脫離按照時間先後順序分析政策這種方式，也沒有考慮到同時進行幾種循環或政策週期不完全的情況。例如，想透過這種方法研究關於毒品限制的政策，那麼就必須將這個政策各個支柱政策分解：打擊毒品政策、毒品預防政策、救助政策（和愛滋病的治療有關）、醫療政策和藥物控制政策。

「37」 當把政策分析模型中的所有優點和缺點考慮進去的時候，本書發現這個政策分析方法還是很有價值的。這個基礎模型很具有啟發性和教育性，但是也要伴隨綜合性分析來繼續解讀政策。這個綜合性分析將在以後各章裡介紹（詳見本書第 3 章、第 4 章和第 5 章），包括對政策行動者及其所擁有的資源和法律法規的基礎框架。

3 CHAPTER 政策行動者

本書中，公共政策指的是不同的公私行動者之間不斷進行結構性交流而產生的一系列決定或活動。在政治方面認為是公共問題出現，認識和解決過程中，這些行動者以不同的方式參與其中。「39」

這一章主要探討與政策有關的，不同類型的行動者。之後各章將會分別研究不同行動者為爭取自身利益所能獲取的資源（第 4 章），和外部制度環境對這些行動者的個體行為和群體行為的影響（第 5 章）。這三章（公共行動者、資源和制度）是本書的研究重點，也是支撐本書公共政策分析模型的關鍵因素。

3.1 具有實證意義的行動者 (Empirical actors)

由於公共政策體現了不同公私行動者相互作用產生的各種結果，所以首先得明確「行動者」的確切概念。為了達到本書研究的目的，「行動者」一詞可以用來指代個人（例如某位部長、議員、特派記者等等）；一群人（例如某一政府部門的組成人員）；法人（例如私有企業、協會、貿易聯盟等等）；或是社會群體（例如農民、吸毒者、流浪者等等）[1]。

1　根據 Schneider 與 Ingram（1997）提出的例子，每個群體總是能構成一種社會群體或是政治組成。

然而，需要注意的是，從政策角度來看，一群人可以作為某一個政策行動者，因為他們之間存在廣泛共識，擁有共同的價值觀、利益取向，並且追求同樣的目標。在不同等級結構或民主過程中，都可以達成這樣的共識。

Talcott Parsons 在 1951 年提出的觀點啟發了本書中的「行動者」概念。以他的觀點看來，為了更好地解釋一種社會群體行為，需要關注最簡單的「單位行為」(unitact)。這種最基本的行為一般體現了至少一個行動者的目標，或是展現了以某些方式實現目標的行動者群的利益（可能會在將來引起政治層面的事務，成為需要被解決的特定公共問題的定向行動者目標群）(Bourricaud, 1977, p. 31)。因此，從這個案例來看，關於行動者的概念可以運用到單個個體、群體，或是由單個個體組成的群體甚至特定的組織。後面兩種行動者一定是以相同利益和共同目標來聯繫群體中的每個組成人員。就像 Olson 在他的書中提到的關於集體行為的邏輯關係：「如果沒有共同的利益，群體將不復存在。」(Olson, 1965)

個人、法人或是社會群體，都是由於他們在特定社會領域的特殊存在而被當作是符合分析理論的行動者：

> 某領域的個體之所以成為行動者，不是因為他瞭解或控制各種事件，或是因為其對自身利益和行動範圍的認識，也不是因為他認識到自身在歷史和社會變革中的地位或他是社會生產的行動者(Segrestin, 1985, p. 59) [2]。

---

2 當代英文已盡量避免以單一性別來指稱第三人稱單數（例如：通篇只使用他或者她）。但是，本書從法文原文翻譯成英文時，為避免影響法文引文之原意（因為在法文中每個名詞是陰性或者陽性是固定的），某些部分會依照法文原文而保留第三人稱單數之稱謂（他或者她）。

只要他們的行為能對建構特定社會領域做出貢獻，這些個體就自然擁有行動者的地位。這並不是一個自身意識或是自身識別的過程：它是一種既存事實的認定，換句話說，是一種研究的課題（Friedberg, 1993, p. 199）。

從這個方面來說，特定公共政策所指向的社會集體問題將牽涉不同的個體和社會群體，他們都能被當作是行動者，或者說是潛在的行動者，能在公共政策的「場域」（arena）上發揮其能動性。事實上，這些積極程度不同的行動者，其行為也會影響政府的干預如何部署與執行。

這種廣泛性的行動者概念要求政策分析者能夠考慮與某一公共問題相關的所有個人和社會群體。這種觀點的優勢在於考慮到了公私行動者不一定總是積極明顯地參與各個政策階段：他們的行為有時候是明顯直接，然而有時候卻很難直接辨認。下列過程是造成這個現象的原因之一：行動者首先對自身利益和動員資源之能力有自知之明，進而形成維護自身權利和利益的聯盟，並在最後決定採取行動或是遠離該決策圈。透過 Friedberg 提出的「經驗行動者」（empirical actors）概念，力圖避免在行動者的定義上人為區分所謂**代理者**（agent）（被公共行動而左右了自身行為，處在被動局面的行動者）和**真正行動者**（true actor）（依賴制度環境和社會環境而能自由積極行動的行動者）。

「41」

同樣，本書也反對對於**行動者**和**非行動者**（non-actor）進行區分。毋庸置疑，在一項公共政策下，不同個體或社會群體展示了不同程度的內部組織，對不同行動資源的控制和調配外部利益的不同能力。然而，本書認為任何與公共問題有關的個體和社會群體都應該被認定是一項政策的行動者，至少是潛在的行動者，無論其在國家干預政策過程中是否能夠有具體的行動和影響力。事實上，政策行動者缺乏主動性，不管是有意而為之，還是因為缺少資源，或是因為對某些問題的重要性缺乏認識，可以用來解釋為什麼某項政策而非其他政策最終會得以制訂和實施[3]。

也有些政策反對者在政策實施的最後階段才出現。他們透過同政策實施的負責行動者進行協商（例如：Padioleau 在 1982 年研究的林業工作者反對森林保護法的案例）或是透過法律途徑來伸張他們的權益（例如環境保護組織反對基礎建設政策的案例）。

如果政策分析者僅僅關注某一政策中最為活躍主動的行動者，而認為那些消極行動者是「非行動者」的話，他們可能會忽略一些因素，而這些因素對理解某一政策的制訂和實施至關重要。政策分析者在研究各行動者之間的博弈時，往往只關注最為活躍主動的行動者，而未充分考慮與某一公共問題相關的社會群體或政治行政行動者採取的消極態度會產生的各種影響。然而，在實例分析中，大多數的政策分析者傾向於關注一項政策中最為活躍的積極行動者，這當然是因為他們能夠更容易識別那些能夠獲取必要資源、不斷參與政策制訂、採納和實施各政策階段的個人，以及正式或非正式組織。

---

3 就像「不決策」（non-decision）也能被解釋成是一種政治力量的作用（根據 Bachratz 和 Baratz 在 1963 年和 1970 年的論文；參見 Wollmann〔1980, p. 34〕），這種被動的態度（不作為），也是在政策制訂實施過程中，行動者會採用的行為方式。在這個課題上有很多的討論，比如 Lukes 在 1974 年定義這種不作為經常出現在利益被完全鎮壓的情況下（參見 Hill〔2005, pp. 33-5〕的討論）。

「42」

3.2 有所意圖的行動者 (Intentional actors)

根據**行動者行為**（actantial）的可理解性（Berthelot, 1990, p. 76），我們承認個體行為存在**主觀意圖**（intentionality）。這通常發生在相互作用的社會環境（Crozier and Friedberg, 1977; Boudon, 1979）、歷史變遷過程中（Touraine, 1984）或是為了適應現實情況而產生。在每個案例中，任一行動者的行為從來就不能單純地歸納於他們所處的職位、扮演的角色或是其他固定的地位。換句話說，我們認為，任一行動者根據自身在公共問題中的處境不同，會展現出或強或弱的自由裁量權（discretion）和策略。沒有一個社會或政治領域是已經被完美建構和規範，個人行動者和集體行動者都會試圖尋找和探究「政治行政行動者安排」裡或是正式法律規章和社會規範當中的「不確定領域」(area of uncertainty)(Crozier 在 1963 年做出的解釋)，來融入自己的想法，保護自身利益。他們能夠在這樣的情況下保持自己一定程度上的自由，以及保有一定程度的資源（詳見第 4 章），這些都有利於他們發展出自己的策略和採取「目標導向的行為」(goal-oriented behavior)（Berthelot, 1990, p. 80）。

因此，本書不應該否認行動者所處的**外部制度環境**（institutional）和**社會環境**（social context）對他們決策和行動的影響。另一方面，本書相信這些制度上的因素並不能夠完全線性地決定公行動者和私行動者對政策的評估、選擇和行為（詳見第 5 章）。筆者不認為社會現象或是公共政策有其自身固有的性質和規範來決定個體行為。相反，本書認為公共政策應來源於政策行動者的（部分）自主行為。因此，本書採納了社會學家 Boudon 和 Bourricaud 提出的「個人主義」方法論原則（1990, pp. 301-9）。

不確定領域在突發事故中尤為明顯（如車諾比核事故等人為災害，或其他自然災害）。介入這種情況的行動者是沒有準備而且沒有退路的，只能依靠自身的努力做到最好。當這樣的事件發生時，可以看出不同的公共機關有不同的應對方式（Czada, 1991; Keller-Lengen et al., 1998; Schöneich and Busset-Henchoz, 1998），然而在同一組織中也會發現不同的應對方式（Müller et al., 1997）。

「43」 與新古典經濟學（neoclassical economics）所提倡的經濟人模型（homo economicus model）不同，這裡的行動者絕不僅僅只收到個人物質或非物質利益最大化的驅動。舉例來說，由於認知、情感或是文化等方面原因，個人和社會群體的**理性**（rationality）是**有限的**（limited）（Simon, 1957）。行動者行為絕對不僅僅是為了完成既定目標，基於認真選擇和充分認識最優行動過程基礎上的一種手段。行動者做出某種行為一方面總是出於滿足個人的需求（韋伯〔Max Weber〕提出的工具——目的理性〔means-end rationality 或 Zweckrationalität〕），另一方面是為了促進和保護集體利益的需要（價值理性〔value rationality 或 Wertrationalität〕）。在公共政策的範疇裡來解釋政策行動者的行為需要考慮到這兩方面的動機。

因此，例如公務員（civil servants）在代表失業者努力解決失業問題的同時，也進一步鞏固自身利益，從而確保了自身地位，因為如果讓私有公司為失業者提供再就業服務，這會對公共部門的生存構成威脅。同樣，教堂經常會作為一種社會服務的方式，給老人和無家可歸的人庇護，同時又能鞏固教堂在本地社區的地位和話語權（Gentile, 1995）。

各政策行動者即使不能夠預期和控制由於他們自身決議和行動所帶來的所有影響，尤其是不斷累積的個體行為造成的不利影響，卻仍然會重視自身決定和行動所產生的各種後果（Boudon, 1979）。從這個方面來說，各政策行動者是理性的。同時，需要對引起所有人類活動的種種目的和利益進行廣泛的解釋：政策行動者的動機是多種多樣的，因為他們的動機不僅依賴於其自身經驗或過去相關個人或群體的歷史教訓，還取決於為行動提供限制和機遇的特定時間內的特定情況。這就是所謂的**情境理性**（situated rationality）：政策分析者解釋個體活動和集體活動主要依賴這些人的思考邏輯和期望，同時需要考慮這些行動者的情感、直覺或是歷史遺留因素的作用（Friedberg, 1993, p. 211）。

簡單說來，政策行動者能夠透過以下三段話來描述（Crozier and Friedberg, 1977, pp. 55-6）： 「44」

- 政策行動者很少制訂清晰、準確而詳盡的目標。他們會根據意料之外的情況和同一個公共政策下其他行動者的行為來調節自己的目標，重新給自己定位。
- 儘管存在很多的不確定因素，政策行動者的行為通常有自己的邏輯性。政策分析者一直試圖要解釋這些行動者的行為邏輯。各政策行動者的行為從既定目標來看不一定是合理的，然而從特定情境下提供的限制和機遇來看，有時卻是非常合理的。根據對外部制度環境和其他行動者的策略的主觀估計，政策行動者會採取能夠適應政策規則的，同其他行動者行為匹配的行動。這也能解釋為什麼在有些情況下社會上會產生一些看似不合理的聯合或同盟，例如，對環境造成輕微汙染的某企業與環保組織聯合起來抗議另一家高汙染企業；又或者某地居民、自然保護組織和旅遊業在風力發電廠的問題上組成同盟（Carter, 2001, p. 281）。
- 政策行動者的「策略本能」（strategic instinct）（借用 Crozier 與 Friedberg〔1997〕使用的詞）通常包含相互補充的兩個方面。一方面，當行動者為了把握機會、提升自身地位或是贏得利益時，將會採取進攻型的姿態，即直接對政策的實質部分採取干預。另一方面，當政策行動者為維護或提高自由度，即增強其在之後時間按照自身方式行動的能力時，則會採取一些較為隱忍保守的方式，即對政策的制度部分進行間接的干預。從這一角度上來說，每個政策行動者都會權衡短期利益和長期投資的益處；這促進了他們參與政策的某個或多個階段。例如，在 1999 年春天，某右翼瑞士黨在試圖反對某環境保護政策時，並未直接要求放寬現行的環境保護法規（這是屬於實質層面的因素），而是攻訐、質疑環保團體監控法規執行的權利（這是屬於制度層面的因素）。這個黨派顯然已經清楚意識到他們在要求放寬環境保護法上是毫無勝算的。

「45」

3.3 行動者的類別

我們的政策行動者概念，幫助我們首先確定與定義行動者能夠介入的場域界限（詳見 3.3.1 節）。在政策場域的範圍內，各式行動者可以依照他們所具有的公共特性來加以區分，例如擁有政治權威（political authority）的**政治行政**（political-administrative）行動者（詳見 3.3.2 節）；另一類行動者具有「私人」性質，他們屬於**社會經濟**（socio-economic）或**社會文化**（socio-cultural）範圍（詳見 3.3.3 節）。然而公私行動者的概念使用時需認真考慮，在之後將會詳細解釋。私有行動者又被分為**目標群體**（target group）（這些行動者的行為在政治上被認為是某公共問題的直接或間接原因，或是他們能夠採取行動應對這一公共問題）；**最終受益人**（end beneficiaries）（這些行動者受到某一問題的不利影響，其處境能透過政策實施而得到提高）和**第三方群體**（third-party groups）（政策實施會對這一行動者造成間接的影響；受到正面影響的被稱作「受益方」，而受到負面影響則為「受損方」）。雖然政策並沒有直接鎖定「受益方」或「受損方」，但卻改變了這一行動者的境遇。

公共行政行動者、目標群體和政策最終受益人群構成了「基本三角模型」（triangle of actors）（詳見 3.4 節）。在實際情況中，政策的目標群體可能同時也是最終受益人（儘管有時政策行動者對其自身角色的判斷和**政治行政**行動者對其角色的判斷可能存在某些差異）。

3.3.1 政策場域（Policy arena）

我們試圖從解決公共領域的特定社會問題的角度來研究政策。我們在此會在政策**背景**（context）下對不同的政策行動者進行分析。在這種政策背景下，不同行動者間發生了關鍵性的相互作用。這個政策舞臺並不是完全中立的，它會對不同行動者的行為和公共干預方式產生影響。這種政策舞臺的決定因素之一是「國家邏輯」（the logic of the state）。傳統上來說，特別是自福利制國家出現以來，「公共事務」一向都由政治行政體系裡的公共行動者負責。但是憲政國家（constitutional state）和民主國家的原則，同樣要求其利益受到待解決的公共問題影響的私有行動者的參與。每個政策舞臺框架在不同程度上都符合以下三點：

「46」

- 結構性
- 明確界定性
- 公私行動者互動性

因此，在這樣的環境下，各種策略能夠得以發展。

透過這種方式，公私行動者共同制訂和管理政策，從而形成了一個高度複雜的互動網絡。這些相互作用在橫向協調（horizontal coordination）（例如，同一政府級別上不同行動者之間的相互協調）和縱向協調（vertical coordination）（例如，中央、區域和地方不同級別上的行動者之間的協調）都可能出現各種問題。儘管各行動者屬於不同的組織，並且在利益攸關的某些爭議問題上存在分歧，但他們之間會形成各種**互動領域**（areas of interaction）。這些互動領域的界限通常很難界定，尤其是當政策分析者的研究物件並非主要的政策行動者。這一問題在新政策出現的開始階段尤為明顯。在「治理」的各種分析中，這些觀點受到很多重視（Pierre, 2000; Richards and Smith, 2002）。

另一方面，在每個政策舞臺上都很容易能找到一群核心行動者。維護自身地位對於這些核心主來說及其關鍵，因此他們會控制甚至限制其他行動者進入到他們所操作的領域。這個「政策行動者社區」（policy community）（Richardson and Jordan, 1979）還經常會再細分成幾個不同的聯盟行動者（Sabarier 和 Jenkins-Smith〔1993〕的用詞是「倡議聯盟」〔advocacy coalitions〕）。這些聯盟在力圖維護自身利益和立場的同時，也會試圖將自己與政策領域以外的個人或集體分別開來。為此，政策行動者會在政策制訂和實施的過程中發展出，如：一套語言屬於「他「47」們的」政策，控制資訊流動的方式，或避免破壞「他們」的秩序，儘管在領域內，不同聯盟之間存在著各種分歧，但卻能維持一定程度的凝聚力。

因此，農業政策領域內存在大量不同種類的政策行動者，包括生產肉類和輔助產品（化肥、農藥）的國際公司，農民，食品加工以及分銷銷售公司。公共衛生政策領域不僅包括了醫生組織、醫院、公共衛生服務組織和保險公司，還聚集了各類製藥公司。環境政策領域包括造成環境汙染行業的各企業、環保行業企業（如生產抗汙染產品的企業）、環境保護組織和公共服務機構。

一般來說，政策領域在構造上不會發生太大的變化。某一聯盟可能從領域內的少數地位變為主導地位，或者中央和地區政策行動者之間權力關係發生變化。然而，政策領域內各行動者之間的相互關係很少會發生根本的改變。

政策領域行動者間發生變化的案例，可能還是與下列原因有關：

- **對公共問題的看法發生根本變化：**舉例來說，麻醉藥物的使用曾經只屬於法律問題。而如今作為一種醫療手段，麻醉藥物已被視為醫療健康問題。因此，醫生，甚至保險公司也參與到了政策領域。
- **某項目受到了一些行動者的強烈反對：**例如，在瑞士和法國的鐵路基建專案曾受到環保人士和生態學家們的強烈反對，於是交通部門只能把這些私人聯盟也納入到整個鐵路建設政策領域。
- **一些行動者離開政策領域：**在瑞士山村的農民認為官方農業政策致力於保護平原農民的利益遠遠高過他們，而他們更渴望這個政策能有一個重新的定位，所以他們從官方農業政策的舞臺退出，自己組成一個新的聯盟，以期更好抒發自己的意見和維護自己的權益。在法國，「小農民同盟」（the Confederation of Small Farmers）也表現出了一種相同的姿態。

3.3.2 公共行動者

「48」

所有公共政策都有一個共同點，那就是它們通常是由**公共行動者**（public actors）採取的一系列舉措所構成的。因此，為了和參與政策的私有行動者相對應，對公共行動者的各項特徵進行精確定義是非常重要的。這種定義也很必要，因為各行動者熟知的名字和稱號無法判斷他們的活動是什麼或他們是否具有公共能力。不僅如此，對於公共行動者的定義必須是在公共政策的基礎上，必須與「集體」（corporatist）（associative）或「私人」區分開來。需要注意的是，這種分析方法著眼於國家在社會中應該扮演的合理角色。也就是說，在定義公共行動者的時候，應該把所有政治行政體制下的行政行動者活動考慮在內。當然這是非常困難的。某些方法是可行的。

完全從公共行動者行為的法律性質角度來定義公共行動者，似乎意義不大。在很長一段時間裡，公共行為被看作是**行政措施**（administrative measures）的集成。根據瑞士聯邦政府行政法，行政措施指的是「公共機關在聯邦公共法律的基礎上，根據以下目標，在不同情況下所做出的各種決定：(a) 為了制訂、修改或是取消某些權利或義務；(b) 為了記錄某些權利和義務的存在、消失或所指涉之範圍；(c) 為了禁止那些不被許可的申請（舉凡：企圖制訂、修改、廢止或是記錄各種權利義務之申請）」[4]。

平民要求政府報告軍隊訓練的情況、稅收回饋或是許可證發放都是例子。由法律衍生的行政措施就需要受到法律的束縛。所以說，實踐中會有行政法庭來監督這些行政措施。然而，實踐中也往往發生公共行動者逃避司法監督的案例。國家不想受制於公法的意圖是非常明顯的：所以公共行動者有事也會根據**私法**（private law）行動，這樣就能規避一些行政行為應該遵守的原則（譬如嚴格按照法律辦事原則、平等對待原則、比例原則等等）（Manfrini, 1996）。國家和公部門的各種有關單位為了搭上公法框架外的「航班」，往往會成立國有公司或是公私合作公司（Société d'économie Mixte' SEM），與私人行動者合作。今天，在法國和瑞士，當然還有英國，越來越多組織依賴私法卻做著公共機構應該做的事。這些主要的組織都是在能源領域（Electricité de France [EDF], Energie de l'OuestSuise SA）、電信領域（France Télécom, SWISSCOM）、交通領域（Société Nationale des Chemins de Fer [SNCF], CFF'-SA）提供產品或服務給公眾和公司。在更地方性的層級，這些公司還會提供環境服務（廢物處理廠、水資源配置服務等等）和運輸服務（地方運輸公司、契約運輸公司等等），儘管他們都是透過與政府機構的合約來維繫彼此的關係，為公眾做公共服務的。

「49」

4 瑞士聯邦行政程序法第5條（1968年12月20日）（LPA, RS 172.02）。

在英國，要區分「公共行為」行動者和「私人行為」行動者更困難。因為現在一份新的關於公共行政法的構想正在醞釀，它的主旨是：「公法和私法不應該有根本上的區別。在這片土地上的法律，由議會決議，應用於所有政府部門、地方授權機構和其他政府分支，由法院維護它們的執行。」（Wade, 1982, p. 12）所以說，本書在這裡強調要在一項政策下區分公共行動者和私人行動者的不同特徵，在英國人看來，這種觀念都是被淡化了的。學者 Jordan 對這個課題做了進一步的研究（1994）。

求助於私法能讓國家和不同的公共行政機構成功避免受制於行政法和司法系統。然而，這些都不能成為他們否認自己具有**公共職權**（public authorities）的藉口。相反地，本書必須強調，「國家附屬」（para-state）政策依然是公共政策的一種，而做出這些行政行為的行動者依然是公共行動者。

需要指出的是，當國家或是政府授權機構企圖搭上與私行動者合作共同完成公共行為的「航班」的時候，這也會造成**政治控制**（political control）的問題：如果行政決議是受制於行政法的話，理論上來說，它也就受制於議會的爭論。另一方面，立法機制很難監管那些公共授權組織不按正常行政程序做出的行動。因此政治上監管的效用，也能作為一種不太恰當的標準來衡量一個行動者到底是公共行動者還是私人行動者，尤其在經濟自由化和公共服務私有化盛行的現今（特別是在電信服務行業、鐵路行業、天然氣和電力行業）。當然在這樣的情況下，制度環境也已經相應產生了諸多變化，就拿英國來說，他們現在也越來越擔心存在太多不受議會體系監管的政策，會為整個國家政治環境造成很多不確定因素。

「50」

從**政治行動者**（political actors）之間的權力鬥爭來看，公私行動者之間的分界線是他們制訂自己策略的一個很重要的因素。實際上，當面對國家尚未解決的社會問題時，政治行動者一方面可以提出採取一項新的公共政策（這種做法在某種程度上會造成政治上的成本），另一方面也可以提出採取「集體」政策或「私人」政策。

後面這種模式有許多政策的案例，最常見的是：

- 工資政策（集體合約）
- 公司自願遵守的某些生產標準（像是 ISO 標準等等）
- 為了監管某些可能涉及到逃稅和洗錢行為的資金來源，銀行所採用的資訊公開政策。

為了對公共行動者做一個完整的定義，本書將會借用 Easton 提出的「政治行政體系」(political-administrative system）觀點。根據他的理論，這個體系包括了一個國家所有的政治行政和法律機構。這些機構在法律給予的權力下透過各種權威決定塑造了社會各領域的結構。而這些決定則是按照治理內外部相互作用的程序規則的政治行政過程所形成的結果(Easton, 1965, p. 25)。

值得一提的是，關於政治行政體系以及構成這一體系基本成分的公共行動者這個定義的某些方面：

「51」

- 傳統觀點主張**公共行動者的主權**（sovereignty of public actors）：國家被看作是唯一擁有權力去限制其他處在下級體系中的行動者和公民的實體（Legitimate monopoly of power, Max Weber）。
- 在政治行政體系中存在的**行政組織**（administrative organisations）為國家體制形成了重要的中心引力（譬如，議會和政府之間的緊密關係）。
- **互動**（interaction）的概念指出在次級體系（sub-systems）之間存在相互關係（reciprocal relation）。他們把「社會上」(societal）的需求（輸入〔inputs〕）**轉化**（transforms）成了帶有限制性規定的國家行動（產出〔outputs〕）。

這種定義區分了公共體系**外部的**（external）相互協調作用（政治行政體系和它外部環境之間產生的互惠關係，例如，議會發票、決議的諮詢流程會對評判議員表現有影響）和**內部的**（internal）相互協調作用（對於服務本身的諮詢流程，例如在瑞士對於「環境影響研究」；在法國為了引起有關主管部門注意而為的事件等）。這些公共行動者之間的相互作用也依賴立法以及／或規章（regulations）的約束。

需要指出的是，有一些代表國家的特設私人行動者也會間接歸入這個政治行政體系中。在法國和瑞士，這些行動者一般被稱為**公共附屬**（para-public）（或**國家附屬**〔para-state〕）**的行政機關**（administrative bodies）。在法國和瑞士，這種現象都已經滲透在公共部門和私人部門的很多領域。儘管英國的法律體系和這兩國有所不同，但是也存在很多這樣的現象。這些公共附屬行政機關會以很多形式存在：

- **根據法律由公共行動者建立的，享有自治權的類公司組織**：在瑞士包括州際銀行、大學、瑞士廣播公司；在法國包括由公共行動者建立的有行政性質的實體（水資源公司、國家圖書館）、有科技文化性質的實體（大學）、以及有經濟性質的實體（提供公共服務並從中盈利：機場、「國家電力供給企業」〔EDF〕、「國家鐵路局」〔SNCF〕）。 「52」
- **半公共半私人組織**（semi-public and private organisation）：為了促進經濟發展而建立的本地合作企業或國家組織，例如瑞士的「放射性垃圾處理合作組織」（CEDRA）以及法國「州際和區際的合作發展企業」（Sociétés d' Équipement）。
- **私人組織**：牛奶生產的企業聯盟、養老基金、法國健康保險和社會安全性群組織，或者是其他一些根據《1901 法案》（Law of 1901），受政治行政行動者管轄而組建的法國企業聯盟或協會組織。在英國組建的職業聯盟也屬於這個範疇。

- **社會組織**：瑞士助老基金會（Pro Senectute）、瑞士發展合作協會（Helvetas）以及各種互助組織。

在英國，Jordan 在書中以「模糊政府」（government in the fog）來探討這個議題。他指出：「公共／私人個體的界定已過於模糊，而且涉及大規模的問題，使分類陷入疑惑。」（1994, p. 183）。我們以**政治行政安排**（political-administrative arrangement, PAA）（詳見第 8 章 8.2 節）的概念來定義公共行動者。政治行政安排是根據法律和其他制度規章，囊括一項政策在制訂和實施過程中牽涉的所有**公共行動者**，並且配置這些行動者在這項政策下各自擁有的行政職權和能力範圍。這個概念建立在承認公共責任的存在，和政府對這些公共行動者享有直接控制權的基礎上。所以這個組織架構不包括私人行動者。因此，它與法國學者所提出的「政策網絡」（policy network）概念不同（LeGalès and Thatcher, 1995），而這兩位法國學者的概念則是承襲自英國學者 Richardson 和 Jordan（1979）、Rhodes（1981），以及 Smith（1993）。然而，在這裡使用這個概念只是方便政策分析之用，沒有其他的目的（詳見第 8 章）。

為了能夠更加認識政府監管，對於公共行動者的研究通常還會檢視這些行動者在制度上隸屬於什麼**行政組織**。這些組織的目標和內部工作都顯示，他們的行動是與某一項政策實施相匹配的。公共行政體系中那些結構性和流程性的規定（舉例來說，瑞士聯邦辦公室和地方州際服務、法國不同行政官僚層級、由法律決定其運作模式的英國當地政府）都將保護個人行動者不至於產生完全脫離正常軌道的自治行為。民主和憲政國家都認可公共行動者是在政治行政體系中處於從屬地位的部門，對它們各自的「上級」（parent）組織負責。因此，當一項具體的政策推出時，公共行動者在行政脈絡下有的操作有可能是「不利的」（handicaped）。他們接著會掙脫上級政府控制，在正式組織之外建立新的政治與行政聯盟。

「53」

然而，為了掙脫制度框架過於限制性的約束，公共行動者也可能會創造新的組織結構或成立新的組織，從而能夠和參與政策的私人行動者進行更為緊密的合作。這些合作形式是多樣化的，如「政策網絡」或「公私夥伴關係」，這些概念在第 8 章會做詳盡的解釋。

3.3.3 受影響行動者

受影響行動者包括政策目標群體、最終受益人，以及受損或受益的第三方。

目標群體是指被要求改變自身行為的個人、法人或是社會組織。這些行為可能是造成某個亟待解決的社會集體問題的直接或間接原因，也可能被認為需要透過適當的補救措施才能加以解決。因此，目標群體的決定和行動可能會受制於國家干預政策。公共政策將會賦予他們權利或者對他們提出義務。假說的結論是，透過這些措施，目標群體改變自身的行為之後能夠使特定社會集體問題得到解決，或者至少能緩解現狀。造成社會集體問題的目標群體（例如汙染者、不安全食品的提供者、危險駕駛的司機）需要改變自身行為這一觀點是不言而喻的，然而，在判斷不屬於以上類型的目標群體時，仍然需要做出一些解釋。比如，學校或許並不認為其對文盲問題應該承擔責任，醫生也不會認為自身對公共健康問題應承擔責任。「54」儘管如此，這些行動者行為的改變在很大程度上能對問題的緩解產生積極的作用。

有鑒於政策的制訂與執行，意在改變包含公部門在內的行動者之行為，因此公部門的行動者，也應該被視為政策的目標群體之一。在一些理論著作中，縱向公共領導機構往往會在公共組織中尋求行為的改變，本書把這種現象叫作政府間關係調整，這種關係調整一直都存在爭議。另一方面，行政人員要求自治或是底層官員不執行指令，本書把這種現象稱為組織內部關係調整。很多案例中，當私人組織作為政策目標群體時，政治決議的過程會將公共組織、執行機構和員工都一起動員到這個決議過程中。這個現象越來越普遍。

最終受益人是指直接受到公共問題造成的負面影響的個人、法人和組織。一旦有效地實施某公共政策，這些行動者在經濟、社會、工作或是生活上的情況會得到明顯改善。根據相關政策的既定目標，最終受益人能在不同程度上，間接地，從目標群體的行為改變上獲益。在許多情況下，相對於目標群體而言，組成最終受益人的個體數量要大得多，但卻更難動員或組織他們。

最後，**第三方群體**是指當個人或法人組織雖然不是某一政策的目標群體，但他們認定該政策的實施會永久改變他們的處境。這種改變可以是正面的或負面的。前一種情況的群體可被稱為**受益第三方**（positively affected third parties），很多時候，這種影響都不是政策實施的本意。後一種情況的群體可被稱為**受損第三方**（negatively affected third parties）。這兩類群體根據自身利益的考慮會支持或反對某一項政策的實施，換句話說，他們很可能根據自己的情況而選擇與政策的最終受益人（當他們受到政策的正面影響時）或者目標群體（當他們受到政策的負面影響時）結盟。

「55」

這種把行動者分類的方式，可以進一步用以下的例子來說明：

- **環境政策**（environment policy）中的目標群體是需要減少排汙的汙染者（包括工業企業、農民、家庭和公共機構）；最終受益人是生活在環境汙染地區的群體（包括當地居民和動、植物）；受益第三方是研製低汙染科技的企業（環境友好企業）；受損第三方是無法繼續經營造成環境汙染等技術設備的公司，以及需要為環保產品付出更高價格的顧客。
- 根據歐洲國家的流行趨勢，**農業政策**（agricultural policy）中的目標群體是提供政府補貼農產品的農民；最終受益人是能夠在超市買到最廉價農產品的消費者。受益第三方是食品加工企業，而受損第三方是環境保護人士（他們看著環境被激進農作方式破壞）、不提供政府補貼農產品的小農民、以及從政策實施國進口農產品的國家遭受可能的**傾銷**（dumping）損害。

- **對抗失業的政策**（policy to combat unemployment），其目標群體是招聘單位；最終受益人是想要找到工作的失業者；受益第三方是代理尋找就業機會的仲介機構，例如獵頭公司；受損第三方是由於失業政策實施而遭受激烈職場競爭，並且工資縮水的正常員工。在這個政策中，本書還能看到一些既能作為目標群體又能作為最終受益人的行動者：他們被要求改變自身的行為 —— 透過培訓、參與尋找工作的活動 —— 但又最終能獲得一份渴望已久的工作，從政策中受益。

「56」

- **教育政策**（education policy）中的目標群體是學校、學院和大學（不論是公立或私立的）、家長和教育機構員工；最終受益人是能夠享受更高等級教育機會的人；受益第三方包括一些教育機構員工和家長；而受損第三方包括需要為此政策付出更高額費用卻沒有享受到切實利益提高的群體，也可能包括由於教育資源重新分配導致自身獲得的教育資源減少的人群（這種情況在 Stone 的《政策弔詭》〔*Policy paradox*, 2002, pp. 384-414〕中有類似案例的解釋）。

很明顯，定義不同種類的政策行動者並非易事。因為各政策行動者在政策的根本因果假說方面觀點不同，所以在準確定義某一政策的目標群體和受益人時常常會出現分歧。目標群體或受益人與第三方群體之間的界限可能很模糊，而後者往往不能清晰地看到自己在一項政策下是否獲得利益或是遭受損失。需要注意的是，正如公共選擇學家所提出的，政府往往試圖蓄意讓公眾無法瞭解誰將會為政策買單。

透過上面的討論發現，公、私行動者的界限往往並不明顯。目標群體和受益人的主要問題在於這些行動者可能是私人行動者。儘管如此，這些行動者透過其自身的職責，並且因為其不受政府的直接控制，所以他們依然能平等地參與政策領域的構成。

3.4 公共政策的「行動者三角模型」

不同的行動者一同構成了所謂的政策「基本三角形」。**政治行政機關**、**目標群體**和**最終受益人**組成了三角形的三個點。間接受影響行動者（包括受益第三方和受損第三方）分別靠近三角形的兩個底角（見圖 3.1）。

「57」

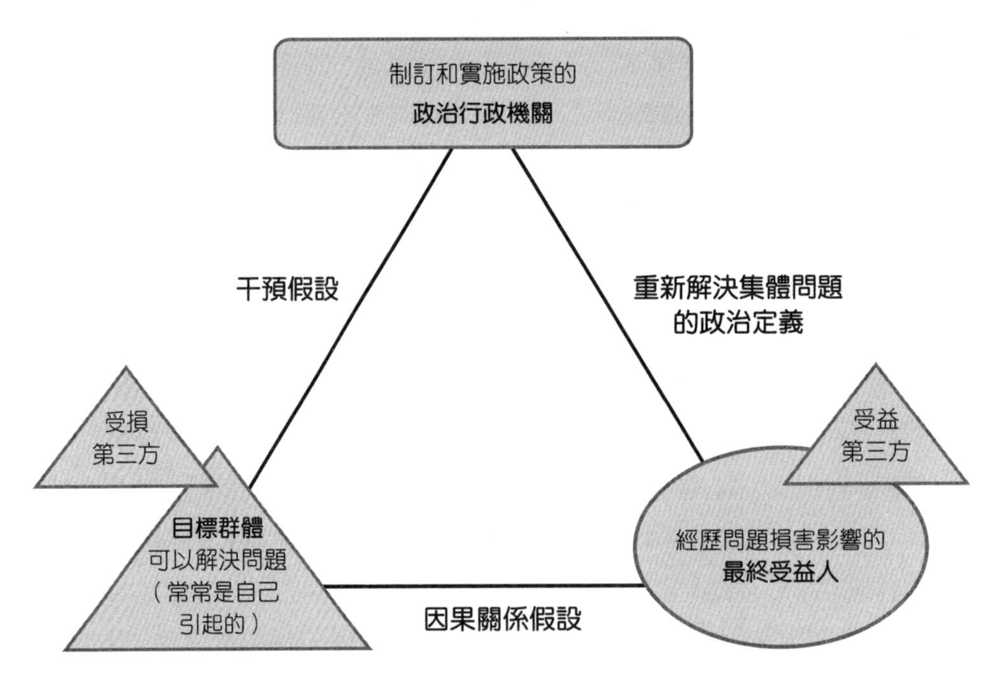

圖 3.1 政策行動者之間的「基本三角模型」

為了能夠用具體的例子來解釋這個三角形，政策分析者致力於尋找與待解決之集體問題直接或間接有關的「經驗行動者」以及政策倡議所奠基的假設。事實上，我們建議每個公共政策都用一致的、有條理的理論分析方法來解釋，「……因為那優先代表了一種措施的實施，一種行動者的行為，一種政策措施對社會的影響。」（Pettet, 1997, p. 292）本書形容這種理論分析法是「因果關係模型」(model of causality)(Knoepfel et al., 1998, pp. 74ff)或「社會變遷理論」(theory of social change)(Mény and Thoenig, 1989, pp. 140ff; Muller, 1985, 1995)。它提出了一種「因果關係假設」(causal hypothesis)和「干預假設」(intervention hypothesis),分析這些能進一步瞭解政策行動者之間的各種聯繫,以及他們受公共干預的影響是如何做出改變的。

因果關係假設是在政治層面上回答此類問題,即「誰造成了某公共問題」,「誰該負客觀責任」,以及「誰能做出改變從而解決這個公共問題」。因此,定義一項政策的因果關係假設就意味著在明確這項政策的**目標群體**和**最終受益人**。責任歸因仍由政治價值判斷和對問題的看法所決定。另外,無法確定干涉領域有效(客觀〔objective〕)運行的科學原理也會導致無法正確找到問題根源的目標群體。 「58」

舉例來說,造成失業現象的原因在經濟領域內仍存在著爭論;生態系統運行以及人為現象對生態系統的影響(臭氧產生、溫室效應、全球暖化)依然在科學界也存在著分歧;同樣,外部人士往往不太清楚海洛因非法交易和使用的複雜問題,以及吸毒者的行為和特徵。

因此,如果政治行政機關希望影響並改變某些公共問題,他們就需要理解社會變化的因素和影響,以及由此產生的公共問題。為了達到這樣的目的,國家經常直接依賴私人行動者,尤其是處在或接近公共問題源頭的目標群體所掌握或產生的資訊。這種國家依賴目標群體獲取訊息的關係會給某些目標群體製造機會,使他們能夠提供對自己有利的資訊,從而將責任推卸給其他社會群體。這就形成了一種競爭性的因果假說。例如,很長一段時間,用潑灑農藥的方式汙染地下水資源的農民都聲稱是工業生產和家庭用水導致了水資源的汙染問題,從而逃避遵守政府的各項規定。

一些效果不好,或造成不利影響的政策往往是由於因果假設錯誤或不完整。農業政策長時間以來採用的因果模型,都是以補貼對農民收入的影響為基礎，但是卻忽略了農產品過量生產和過度農耕對環境造成的負面影響。交通政策領域所採用的模型往往認為給司機提供更多的基礎建設，即建造更多的公路或高速公路就能夠解決交通擁堵問題，但是卻沒有考慮實際情況中，更多道路會導致私家車數量上升，最終還是會導致道路擁堵狀況出現。同樣，公共交通政策使用的因果模型最初也只是建立在更多的服務和更低廉的費用，就足以讓人們選擇公共交通工具而非私家車這一前提上。在愛滋病預防政策領域，愛滋病最初被認為只會影響同性戀者和吸毒者，直到後來才成為公共健康問題。

「59」

干預假設考慮的是一項政策要用何種方法才能緩解或有效解決集體問題。干預假設說明了政府行動的方式，而這些將會影響目標群體行為的積極性以及這些行為與政治目標的相容度。國家能夠透過強制性規定的方式來調整目標群體的行為（例如，透過強加義務、禁令、執行許可）；也能透過經濟鼓勵的方式來改變目標群體的行為；或是透過操縱資訊的方式來改變目標群體的行為（例如，透過倡議來引起人們對某項議題的重視、培訓專案）。國家干預的每種方法是否有效決定因素之一在於：這種方法是否能正確預測目標群體的行為改變。對私有行動者應對政府干預的能力的預先評估過程，取決於目標群體的社會結構（Schneider and Ingram, 1993）。在預防毒品沉迷政策中，公私行動者採取的手段截然不同，這取決於行動者是將吸毒者看作是行為偏差者、罪犯，傾向用司法系統和法律干預處理這個問題，還是把吸毒者看作是需要藥物救濟和社會救助的病人。因此，如果國家希望自己對於目標群體行為之調整具有某種程度的可預測性，國家應該先行預測目標群體對於國家介入的可能反應。

為了確保前述之可預測性，公共機關會與相關各方進行協商和談判，並且（或者）在政策的實施中採用多方參與的方式。這種策略的目的在於是國家干預政策合法化，並且被目標群體、最終受益人和受影響第三方所接受，這也形成了某些「共同產出」的政策。從政策執行階段看，一項政策的多個任務會由國家附屬機構或是私人組織來代理執行：比如法國的牛奶配額管理、瑞士的銀行資金來源監管、法國對無家者在心理和物質上的救濟措施、英國對醫生管理的監督。「60」

一項公共政策是建立在一個不確定、不完善的因果關係模型（因果關係假設和干預假設）基礎上的，這有待批判，但是本書想強調的是，即使是一項並不為解決特定社會集體問題而推出的公共政策（例如：為了展示國家力量、為了競選〔electoral competition〕等），這項政策的運作方式還是會對公共行動者和私人行動者的行為產生新的一套約束條件，最終對社會變革造成潛在的影響。

此外，因為每項公共政策都會定義三類政策牽連的私人行動者，在實質意義上或象徵意義改變他們，透過增加目標群體的成本支出（改變他們的行為模式），或是給最終受益人特權（改善他們的個人處境）。透過重新調整個體和社會群體的處境，政策分析者終能回答政治家們從以前就提出的問題：「誰獲得了什麼？什麼時候？透過什麼方式？」（Lasswell, 1936）。現在這果子越來越大了，這問題已經不再像從前那麼簡單，本書應該再加一句「從誰那裡獲得？」。

迄今為止，本書首先討論了一項公共政策是致力於解決特定社會集體問題，由此，會對社會變革產生影響。為了這樣的目的，公共行動者必須從政治的觀點出發，定義可能是直接造成特定社會集體問題的目標群體。當公共行動者規劃好這個因果關係假設之後，他們需要在政治上提出政策干預假設 —— 一些提案或是方法能鼓勵目標群體調整他們的行為。因此，一項政策的因果關係模型能最終建立一套規範來引導社會生活、私人行動者的行動。最終，效用只能在政策執行階段和政策評估階段來衡量。

以上所有討論，都是當某一社會問題在政治上被承認是一種公共問題才能成立的。只有在這種情況下，國家干預措施才是必要的（詳見第 7 章關於在政治上如何定義一個公共問題）。「61」

3.5 實用建議

在運用「基本三角模型」、根據因果關係模型解釋行動者間關係，以及在定義公共問題的時候總會出現很多複雜的問題。這些問題會在以下各節進行探討。首先第一個問題是關於如何對公共問題進行定義，如何陳述因果關係假設和干預假設[5]（3.5.1 節）；第二個問題是有關雙重角色，在一項政策中，有些行動者可能會在「基本三角形模型」裡同時扮演多個身分（3.5.2 節）。接下來的原則都是從一項對瑞士環境政策實際分析的案例中總結出來的（Knoepfel et al., 2010: 40ff., 242f）。

3.5.1 如何闡述公共問題定義、因果關係假設和干預假設

法律規章或其他規範性文件都沒有對什麼是公共問題做明確定義。公共問題的定義一般出現在政府和行政機構對議會或社會經濟利益群體所作的解釋性報告中。這些報告借助實際數據說明相關立法的必要性：在瑞士這些報告包括下議院急件（bundesrätliche Botschaften）、說明性報告（erläuternde Berichte）等；在德國包括立法提案陳述、說明性備註等（Gesetzesvorblatt）；在英國也會以各種形式存在。在立法過程中的議會部長級陳述（尤其在二讀辯論中）也包含了這樣的資訊。立法過後，可能提供政策實施機構各種指導，特別當這些機構是各地方政府。

「62」

5 雖然「因果關係假設」這樣的用字可能會造成讀者誤解，但為了讓本書的法文、西班牙文、英文版本用字一致，在本書中我們還是保留「因果關係假設」的概念。事實上，「因果關係假設」與「干預假設」都是基於因果關係之推定（如果……那麼……）而導出的假設。基於此，在有關環境政策分析的這本教科書中（Knoepfel et al. 2010, 33 ff.），我們把「因果關係假設」置換為「針對原因提出的假設」。

在研究中很多學者會把公共問題的定義與政策目標混淆。後者是由立法條款規定而來的（法律的目的在於「更多地干預失業人群以期讓他們重新回到勞動力市場」、「更好地保護生態系統的正常循環」等等。其他對於政策目標的陳述還有：「這部立法的宗旨是為了能提供最起碼一萬個社會住宅房源。」）以上這些陳述都是用來說明政策目標（說明失業人群重新找工作）或立法措施的目標價值（建立一萬個社會住宅）。如果這些立法都能很好地被落實，將有利於實現政策目標。通常情況下，政策目標都是根據一個界定好的公共問題來制訂的。所以說，在以上三個例子中，正確的公共問題定義應該是社會上存在潛在的對生態系統的威脅導致政治上對重建生態系統的重視、社會上存在潛在的可能導致社會動盪不安定的因素（譬如失業和住房短缺）導致政治上對失業群體和住房困難群體的救助。因此，本書建議用以下方法來定義一項公共問題：「在特定社會領域存在的，可能會損害相關群體利益的，不能在政治上被容忍的社會威脅。」

在闡述因果模型中的兩個假說有時也會出現一些困難，因此本書也提出了一種標準方法。關於「因果關係假設」，它包含了在廣泛政治辯論中由大多數相關政治行政行動者提出的，唯一被認定為是特定公共問題禍源，需要改變他們自身行為對解決問題做出貢獻的群體。簡而言之，因果關係假設是用來定義目標群體的。因此，筆者建議用以下規範陳述：「如果政治行政行動者 x、y、z 想要改善國家某一領域 r 中政策受益人群利益惡化的處境，他們就需要約束目標群體 a、b、c，致力於調整和改變他們可能會造成……的行為。」

「干預假設」包括了有關各種干預模式的假定。這種干預將會引起目標群體做出所期望的行為改變。因為這裡提出的仍然是一種似乎正確，但卻未受到實踐證明的假說，所以本書建議使用下面的闡述方式：「如果政治行政行動者想要推動目標群體 a、b、c 改變他們自身會造成……的行為，他們就必須運用強制性規定、命令，提供經濟鼓勵，組織資訊戰役等等。」

3.5.2 多重身分

將社會中的各種行動者分配至「基本三角模型」中相對應的不同群體，是具有分析和策略意義的。從分析角度來看，這種不同政策群體的分類能夠形成關於支持和阻礙某些政策的不同行動者的假說，從而解釋某些政策領域裡公共行為的變化和保留。積極參與這些公共政策實施過程的政府和行政行動者能夠更精確地定位政策最終受益人（尤其是不太容易被發現的受益第三方），以及政策反對者（尤其是政策制訂者容易忽略的受損第三方）。透過做出政策調整可以相應擴大或縮小這些群體。

把特定群體放到三角形模型中某一位置，其實並不是那麼容易。實踐中，往往會出現某一群體在一項政策中有雙重身分，甚至多重身分的局面。最簡單的政策通常是能夠清楚定義兩個互相對立的群體，一方為始作俑者，一方為受害者（環境保護政策、職業保護政策、消費者權益保護政策等等）。

但是在其他的案例中就不那麼容易簡單區分這些群體了。這種情況出現在一些特別的社會福利政策中，社會福利救助的那些群體往往同時被認定為最終受益人和目標群體，出於兩個理由考慮：一方面，作為僱員，他們受到了社會福利制度的救助；另一方面，作為失業個體，他們也迫切地被要求提升個人對社會的貢獻。在社會福利政策中，第二個主要的目標群體是社會生產者，當然同時他們也有資格成為政策的受益人。這種雙重身分是由於社會福利機制也被看作是一種社會保險系統。為達政策控管而使用此三角分析模型（例如在實施特定社會福利政策的例子），觀察被政策排除在外的、因政策而受損的第三方和其他行動者（他們通常也會是反對社會改革的人）也是有意義的。這是因為欲制訂成功、可行的政策執行策略，上述這些群體的聲音應該被主事者納入考量。

「64」

雙重身分的問題還出現在與國家公共行動者有聯繫的政策中。因為國家公共行動者享有一定的自治權（學校、博物館、大學）或者是在新公共管理體制下（NPM）被授權行使某些行為，所以研究人員很難把他們放在目標群體的位置去定義。這種想法是徒勞的，因為公共政策的實質性內容仍舊會牽涉到對社會行動者（學生、家長、對文化感興趣的人）行為的調整和對公共行動者行為的微調（往往體現在行政體系重組政策中）。每一個公共政策都可能需要公共機構職員改變其行為，不論他們是受垂直管理（例如：正式員工）還是契約管理（例如：約聘僱或勞務外包）。當然，公共行動者和私人行動者的契約關係本身並不會讓他們當然地成為政策目標群體。

同樣的情況還會應用在調整中央政府和中央政府授權機構關係身上。例如瑞士聯邦政府和各州政府之間的關係。從政策分析的角度出發，把中央政府、州政府、行政區級政府和當地政府分支作為政策目標群體是毫無意義的。這些行動者依然是政治行政安排（PAA）中的一個單位。國家公共組織（國家房屋建設公司、國家鐵路公司、電力公司等）只有在以私人行動者性質（國家還是主要的控股人）示人時才能被當作是真正的目標群體。在這種情況下，本書往往會關注國家管理者和私人操作者之間的關係。在筆者看來，有一種例外情況存在，當國家管理者並沒有公共職權去授權某個社會組織為某些行為，而只是作為這個社會組織的股東之一時，它就能被當作是目標群體（例如土地開發、基建、房屋）(Knoepfel, 2006; Knoepfel et al., 2009: 133ff)。所以說，實踐中很有必要區分一個公共機構究竟是作為政治行政體系中的政策制訂公行動者，還是僅僅作為社會組織的一個擁有者。後者往往和其他私行動者性質雷同，能夠被當作是公共政策的目標群體。

「65」

4 CHAPTER 政策資源

「67」本章將會闡述在政策週期各階段中，公私行動者為實現自身利益、體現價值取向所使用的各種資源。在傳統的政策分析中，資源普遍被認為是政治行政方案制訂（political-administrative programmes, PAPs）中的具體因素，或是行動者解決集體問題所採取的行動方式。

現實中，一項政策並非憑空誕生。從一開始，可獲取的資源便對政策中間及最終的結果有至關重要的影響。在起草第一輪干預計畫之前，無論是公務員、政客還是私行動者，都會面對某項公共行為的「生產條款」（conditions of production）；他們猶如置身於「建設工地」（building site），用必要且有限的資源來設計「建造」（construction）公共政策。

政策分析者過去一直認為政策資源只包括法律（法規與法制基礎）、金錢和人力資源。然而，近幾年來，組織社會學、人力資源和資訊系統領域的行政學科的學者所做的研究表明，資訊、組織、公共基礎建設、時間和共識也應該屬於政策行動者所運用的各種資源。除此之外，政治學者也強調了政治支持和政治權力作為各行動者可調動資源的重要性。

政策行動者可獲得的不同資源，以及這些資源的生產、管理、開發、結合、替代和交換都能夠對政策過程、結果和成效產生重大影響。在「新公共管理模型」諸多變項之中，政策行動者對可支配資源的分配和「管理」被視為行政機構所做出的選擇。此方法將諸如組織、共識、時間等重要資源視為行政機構唯一的責任並旨在限制議會的影響力。由此而產生的決議包含政治因素，因此可能會破壞民主（Knoepfel, 1996, 1997b）。

「68」正如本章之闡述，我們認為這種關於政策資源作用以及其如何影響政策實施和效果品質的觀點過於狹隘。

如此詳細地定義政策行動者三方中各行動者政策資源組合的目的在於，估量政策行動者的相對影響力的同時，實證追蹤政策行動者間資源的交換。事實上，在政策博弈中，擁有多種且高品質資源的行動者勢必比缺少這些資源的行動者更有實力。透過概念提出來分析資源是為了解答在不計其數的政策領域內都會出現的關於權力和無權力、統治與服從政治科學中的這一長久問題。由此，許多實證研究的重點便在探討弱勢行動者透過利用制度規則來巧妙地運用其有限的資源能夠在多大程度上成功實現其價值、利益和觀點（詳見第 5 章）。

4.1 資源的不同種類

不同資源在各政策中所占的比重不同。政策行動者間會交換可支配的資源，或者透過調配資源來實現自身目標。這種資源的交換正是行動者間互動的本質。事實上，在交換的過程中資源的狀態也會明顯改變：在政策過程中所有相關行動者都能使用某種私有資訊時，那這種私有資訊便成了公共資訊。僅賦予部分行動者而排除其他行動者的上訴權，限制了那些被排除在外的行動者利用法律資源的能力。

因此，有必要詳細分析不同類行動者可獲得哪些資源、在獲取和利用這些資源上要做何調整（排他性還是非排他性）、資源數量（競爭性消耗還是非競爭性消耗），而這些都由政策中的制度規則所決定。在這種情況下，政策分析者需要知道某種資源構成了公共還是私有商品，以及某種特定資源的公私屬性是如何隨時間而發生變化的。

關於不同行動者所能支配的資源的文獻有很多。在政治學者和組織社會學家看來，資源主要由約束和合法性構成（Bernoux, 1985, p. 161）；對經濟學家而言，資源代表的是產品、自然或人造資本，以及組織；對律師而言，資源表現為干預權、參與權和決定權。

本書中的資源概念是專門針對公共政策分析而言：因此，提出了公私行動者在政策形成和執行過程中可能生產或調用的十種資源。這些資源類型是受不同分類方法啟發，特別是 Crozier 和 Friedberg（1977）以及 Klok（1995）、Dente（1995）和 Padioleau（1982）所提出的分類方法。

儘管有時所有行動者都能獲得這些資源，但在政策週期的不同階段，不同行動者所能獲得的資源數量是不同的。譬如，一般說來政治行政行動者更易獲得法律資源，但是，行政程序法或者司法機構、法律組織賦予私行動者上訴權，對於私行動者而言，這同樣是具有法律屬性的行動資源。

圖 4.1 展現了政策行動者可支配的各種資源，當然不排除還未被發現、分類的其他種類資源存在的可能性。本書不會鉅細靡遺地描述這十種資源以及它們在公共政策中的效用，但會重點強調這些（通常稀有）資源的某些方面。

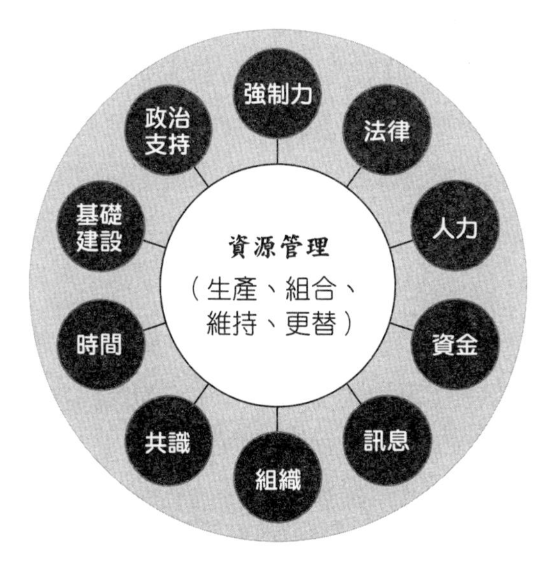

圖 4.1　各類公共政策資源概況

4.1.1 法律或「法律」(legal) 資源

法律資源與其他種類資源的不同在於，公共行動者是其主要，但並非唯一支配者。對於所有公共行為而言，法律被視為證實合法化的**最卓越** (par excellence) 資源 (Bernoux, 1985, p. 161)。它所提供的「法律法制依據」(legal and regulatory bases) 是公共行動者的重要資源，若缺少了這種資源，行政措施會遭受質疑，甚至被行政法庭判為無效。

從政策資源總體來看，法律資源處於突出位置，這是因為它為政治行政方案制訂 (PAP) 提供了規範的存在理由，定義了政策目標和目標群體等內容，並且規定了對其他資源的選擇 (涉及組織、程序或財政撥款)。

立法、行政機構共同採用的法律法規明確了不同行動者所獲得的法律「70」資源。在民主政權下，立法機構參與了資源產生的過程。然而，多數情況下，議會決定局限於對財力和權力做出分配。然而，透過對這兩種資源的分配，立法機構同樣 (至少是部分) 決定了公共政策中的公私主體所獲得的其他政策資源。

儘管成文法的客觀化程度相對較高，但它仍然需要創造和管理。如同其他資源一樣，法律資源會喪失其「價值」：若過於集約地利用或濫用，那該資源就不能為公共政策服務了。若法規過於形式化或僵化，那法律意識會被削弱，這會使那些法律所指向的群體，甚至是負責貫徹法律的行政部門產生質疑。因此，法律失去了合法性。這曾是 (或者有時仍舊是) 前「71」東方集團國家的例子，政府對不同公共領域的干預過於強勢，使得法律沒有得到應有的尊重。

普遍說來，為了保留法律規範性的屬性，避免徹底的貶抑，就有透過行政或法律實踐來聲明和重申法律的必要性 (Moor, 1997)。法律資源既包括客觀規律 (Gesetz) 也包括主觀權利 (Recht; Dente, 2009)。客觀規律扮演著雙重角色：將其他政策中的大部分資源配置給政策行動者，並且決定了行動者間的分配規則；同樣，規範地設計每一個政策產品的實質和制度性內容。但依照 Recht 的想法，法律也賦予政策行動者得以作為的主觀權利。法律為國家行為（為法治民主國家的公共行為所需）創造了所謂的法律依據，加強了公共行動者運用政策資源的能力，同時也給予私行動者特殊的權利（比如，訴訟權、行政程序參與權等）。從主觀權利的角度來審視，法律資源主要是受到制度規則之影響（詳見第 5 章）。

4.1.2 人事或「人力」（human）資源

人力資源在質量和數量上都會有所不同，其取決於招聘和人員培訓服務。Crozier 和 Friedberg（1977）將其列為組織樹立中可支配的四大資源之一[1]。因此，這是傳統意義上人力資源管理的目標（詳見 Emery 與 Gonin［1999, p. 13］）。

各政策行動者在實行政策干預領域裡的專業術語的基礎上，發展出了一套針對其行為的語言。因此，從事政策工作的人員應該具有優秀的溝通能力，和（不斷提高）的專業知識。

為避免人力資源管理太拘泥於技術層面，就要確保無論是公或私行動者，都不能夠被系統地排除在這些新語言的發展和運用過程之外。從這一點來說，有種觀點認為，組織由來自於行政、經濟、專業及科學機構的代表共同參與的課程是十分必要的，尤其是當政策牽涉到了很多技術問題時（比如，空間規劃、環境、能源、交通、醫療、毒品等方面的問題）。「72」

在很多國家，由於政策管理中必需的資質與人才培訓之間息息相關，所以行政機構開展了各種專門的培訓專案來培養人才。在法國，行政機構與人才培訓之間的關係發展得很成熟，這是因為高等院校的存在為此提供了條件。諸如應用科技大學（Ecole polytechnique et sesécoles d'application）、

1 被這些學者列入的其餘三大資源分別是：控制與環境的關係、溝通和組織規則運用。本書也將這些資源歸入類型學之中，只是表達方式可能不同。

國立路橋大學（Ecole nationale des ponts et chaussées）、礦業學院（Ecoles des mines）、農村工程，水利和林業學校（Ecole du génie rural des eaux et forêts）等科技類院校；國立行政學院（Ecole nationale d'administration）、法官學校（Ecole de la magistrature）等行政或法律院校，為公共政策的制訂和實行培養公務員。而這些院校的培訓專案大都是由行政機構在職人員教授的，因此學生就能接收到現行政策中所運用的語言和理念。再者，對在職公務員的進修培訓通常是由這些高校或是部門下設機構（比如執行機構的職業培訓中心）來組織實行的。

瑞士聯邦的模式是，由大學和研究所辦學：比如瑞士聯邦理工大學文憑課程的開辦正反映了國家政策專業化的需求（如，食品化學、工程、環境科學、林業、農業等碩士文憑課程），並且受到瑞士聯邦專業教育科技局的資質認可（如，自然保護專家資格是由瑞士自然環境保護中心頒授的，該中心是由「瑞士自然科學學術協會」〔Swiss Academy of the National Sciences〕創立。另外還有涉及醫療、通信，以及社會政策的資格證書）。

儘管英國各公共機關也很重視人員培訓，但課程設計缺少系統性。這似乎在一定程度上受這種觀點的影響，即「管理」是適用於公共以及私人組織的通用技能。地方政府和衛生部門的官員們一直被鼓勵參加 MBA 的課程，而這些課程中只有部分專門針對公共領域。與此同時，在中央政府的層面上，公務員的培訓常常由「國家政府學院」（National School of Government），即之前的「政策學習管理中心」、「公共服務學院」負責。這類培訓並不提供專項資質認可。

「73」

某些法國社會學研究（Padioleau, 1982; Thoenig, 1985; Vlassopoulou, 1999）強調，社會職業「團體」（corps）的存在，在公共政策領域產生的負面影響。這些負面影響包括疏離；技術化防禦導致透明度和民主控制的缺失；以及裙帶關係與「**旋轉門**」（法文為 pantouflage，資深公務員從公部門轉向私部門）的風險。而在瑞士，公務員較少有公私部門轉換的歷練，因而有專業「蒙蔽」（blinkering）的風險。在英國，這種專業之間的疏離同樣存在，但是公共部門高級職位的招聘已嘗試面向公眾。

如何定義某一政策管理所需的資質是行政部門普遍關心的問題，而這通常是由政策相關機構的人力資源部門負責。人力資源部則普遍希望具體問題具體分析，而不是一概由負責整個行政機構的中央人力部門，根據統一制度政策批准後再執行。在法國，國家各部門諸如當地政府會聘用「契約制約聘僱人員」（contractors），這些人員的職業背景和專業知識符合此部門所負責的政策要求，而不是聘用固定崗位的長期職員。

在個別案例中，招聘標準在該政策的政治行政方案制訂中有詳細定義：比如與醫療相關的政策中，某些職位便要求醫學畢業生。在英國，這種做法由來已久，尤其在教育、醫療領域以及與科學專業知識相關的管理活動中。有趣的是，對職業彈性的注重已不僅限於政府專業性職位，而是延伸到了普通崗位。

需要注意的是，私行動者通常會在短期內評估試行條例、政府計畫和評估報告，其所扮演的角色越來越重要。所以，即使是在區域範圍內中型組織的高層人員中，也要保證有專業管理人員負責即時跟進相關公共政策。而這些專家或政策準實踐者通常都是從公共服務部門招募的。 「74」

提到資源交換，也就是當公共部門缺少擁有合適資質的人才時，可以透過從行政機構外部聘用特殊技能的人才來彌補：行政機構通常從私有或公共諮詢公司獲得相應資質的人員，這被稱作「外包」（outsourcing）。這種做法越來越普遍，尤其是在行政部門決定縮減人員的情況下（例如瑞士議會**中止**〔personalstopp〕或暫停招聘的決議），這或多或少會影響人力資源的獲得以及整套公共政策可提供的服務。英國政署的發展（最初發展於 1980 年代的「續階計畫」〔Next Steps〕）也有類似的影響。實踐中，政署之間也因公務實踐與人員招聘及晉升之間的聯繫程度而不盡相同。事實上，英國政府組織的分類問題歸結於究竟應該將公務規模作為劃分標準，還是更深層建立在問責制上來考慮，這是艱難且模棱兩可的（Jordan, 1994; Drewry, 2002）。

4.1.3 資金或「財力」（financial）資源

金融資源顯然是所有考慮到的資源中最顯而易見的一類。不僅是分配型政策，管制型政策和本構型政策也會涉及財力資源的募集和分配問題。公共政策得以有效實行，離不開財力支持來保證薪資支付、住房、辦公室、資訊技術設施和必要的分析工具。很多政府機構，從中央、區域到地方，都採用「外包」的形式，也就是從外部私人諮詢公司或實驗室採購工作、諮詢意見、專業技能以及其他服務。一些政策中包含不同種類的財務激勵來促使私人個體或公共機構接受政策所指向的行為。這種做法在去中心化的聯邦體制下較為普遍：瑞士邦聯預算中 60% 的資金來源是執行貫徹聯邦政策後，透過財政支付或補償金的方式而得到的補貼。這種做法在法國這樣一個集權國家也越來越普遍，公共機構間透過契約化（即國家和地區之間簽訂契約，如：國家—地方契約、市政契約〔contrat de plan Etat Région, Contrat de Ville〕）（Gaudin, 1996）來執行這一做法。英國在這一問題上的具體做法是，中央政府統籌地方政府所需資源（地方政府四分之三的收入由中央稅收直接分配，或者由受中央政府領導的地方稅收來分配），當然中央對於政策的支配是要符合法律規定的。同樣，對蘇格蘭實行有限的財政分權，即授予最小的額外徵稅權。

「75」

因此，對擁有財力資源的公共政策（有時甚至是私人政策的）行動者的規定被視作重要的政治舉措，往往需要立法者定期具體的參與。

依照我們的方法，政策的政治行政方案制訂（PAP）中規定了公共行動者的財政條款由議會決定，但總的說來，政策與財政預算決議之間的聯繫不大，相較於瑞士和法國，在英國這種聯繫更薄弱。預算種類只是部分影響政策及其具體提供服務，這是因為它是根據開支模式不同而分類的（開支的屬性不同），而並非根據某一特定政策來按職能分類。另外，在很多情況下，負責處理薪資、設備、專門技術及補貼的所有行政機構都採用同種分類方式。因此，傳統的預算過程並不能精確控制不同政策的籌資。實行年預算的預算過程（儘管希望嘗試發展多年財政計畫的想法越來越多）、難以改變財會類別的困境使得本質改變不可能出現（儘管嘗試採用分析會計模式），而且對於合併不同預算類別資源的說明也微乎其微。這種呆板的會計系統之前就被公共財政專家所詬病，而如今，新公共管理主義的支持者則認為財政服務的委託管理或契約化可以取而代之，針對需實行多年的政策，方便其根據臨時的狀況有針對性地做出財政方案。轉而採用成本核算制度（即根據行政產品所需成本來核算）很大程度上改變了公共行政組織的工作方式（根據行政產品類別來架構），也改變了國家財政政策。實際上，成本核算制度也省去了國會議員對預提費用，這一管理經濟、財政和預算政策至關重要因素的監控，尤其是在經濟蕭條和金融危機時期，是議會所關注的工作重心。另外，值得注意的是，在很多情況下，相較於國家資源的使用目的（或者說政策目標），議會更有興趣知道國家資源（尤其是資金）是以何方式運用的。比如，依據 1972 年關於保護水質防止汙染的立法所建造的瑞士水治理工廠，以及由瑞士邦聯所補貼的國家及各州道路建設專案，都因其在優化水質和路網拓寬問題上的貢獻，助推了區域經濟。在法國，議會就因欠缺適當性而未能控制公共支出，也證明了在此領域的改革面臨很多困難（Miguard, 2000）。「76」

總而言之，貨幣是最容易量化並且交換或替代其他資源的資源。但是，資金是代表政策行動者現實政治力量最必要的資源之一，而往往又是分配最不均衡的一種資源。

4.1.4 資訊或「認知」(cognitive) 資源

知識是公私行動者政策干預能力形成的基礎之一。「認知」資源包羅了有關技術、社會、經濟和涉及待解決集體問題的政治資料所需要的資訊(Padioleau, 1982)。這種「原物料」(raw material) 包含了政策各階層(公共問題的政治定義、政治行政方案制訂、政策執行和效應評估)高水準管理所不可缺少的要素。

知識是做出決議的根基。但是知識作為在大多數決議中稀缺的存在,又難以生產和維持。在如今的一些政策中,有一種對政策的「監控」(monitoring) 是持續追蹤目標問題的演化過程,尤其是環境政策、醫療「77」政策和社會經濟政策。某些政策本身就具備了高品質的技術機制,為其順利執行提供所需的資訊資源(諸如農業研究所、部長級預測服務)。

這類資源的生產、再生產和傳播需要輔以資訊系統的供給與管理,但因為資訊系統日趨成熟複雜,對使用者能力之要求也日漸提高。這樣又與所有公私行動者應平等享有資訊可及性的理念相左(這樣的理念部分源於使用者之於資訊的權利)。根據對執行過程的研究,為保證政策有效執行,所有行動者平等獲得資訊資源是先決條件(Kissling-Näf, 1997; Kissling-Näf and Knoepfel, 1998)。

公共政策中公私行動者間知識的分配倚仗於國家根據立法和市場所資助的服務(如,支付服務),是不合適的。然而,如今所有公開資料都有「市場」或「準市場」出現(比如財產清冊、資料、競選結果、公費研究項目的成果等)。而且,在國家、地區或地方的服務機構之間會發現資訊保留的現象,這不僅是受策略意圖的驅使(基於某一檔案可能獲得之優勢),也受到了財政因素的影響(「使用者向我們付費,購買我們資料生產的服務」)。在應用成本核算原則以及分配預算資金的過程中,這種趨勢會越發凸顯。

一般說來，統計資料的產生、處理和發布是特殊職能部門的職責（如，瑞士聯邦統計局、州和地方統計局；法國國家資料經濟研究所；英國國家統計局）。這是出於對科學品質以及這些機構及其服務獨立性的需求。隨著資訊資源在各種政策（諸如醫療、就業、空間規劃、能源、交通、環境政策等）日常運作過程中的重要性越發凸顯，負責特定政策的公共行動者也因此要負責管理政策相關資料。這也就迫使行動者去適應調整官方統計服務與特定公共政策統計之間的關係，進而產生特定的服務機構（法國環境研究所〔IFEN〕就是一個例子，專門負責研究環境領域的資料統計，和負責農業領域資料統計的法國農業部資料查詢統計研究中心），或是在公共部門間達成特殊協定來共用資料資源。「78」

關於政策可獲得認知資源（cognitive resources）的層級問題，就要參考公共決議中專業知識所扮演的角色（Callon and Rip, 1991; Latour, 1991; Theys, 1991; Barker and Peters, 1993）。若在政策環境中包含了許多不確定因素，那麼資訊的控制越發重要，但同時也具爭議性。例如在法國對放射性落塵的監控就是極具爭議，促使環境保護組織建立起自己的監控機制協同相應的國家機構來共同監控。類似的還有，對特定食品的致癌性的研究相當昂貴，但結果往往模棱兩可（飲用水與植物含有硝酸鹽的案例：Knoepfel and Zimmermann, 1987, p. 81）。同樣的問題也存在於氣候變化所帶來的環境問題，雖然在此方面做了大量的研究，但結果仍然存在很大的不確定性。

在世界範圍內也有一些搜集統計資料的組織（尤其是經合組織、世界銀行和與聯合國相關的各類組織），而在歐洲，歐盟成員國的相關資料的搜集由歐盟統計局來負責。而在國際層面上的資料搜集對各國事務的影響，諸如市場管制和環境汙染，以及在歐盟層面上各國經濟政策（某種程度上社會政策）的協作，即便受到各國資料搜集的影響，仍然會為政策提供重要資源。

4.1.5 組織或「互動」（interactive）資源

這類資源較難定義。它部分呼應了 Crozier 和 Friedberg（1977）提出將「組織規則的運用」視為一種資源的理論。

組織作為一種資源需要建立在以下條件之上：個體的存在，個體所屬行政組織或社會結構的品質以及不同政策行動者之間存在關係網。從政策行動者的角度來看，組織資源也包括政治行政安排（PAA）的內部架構，其代表了行動者組織行動者間互動的能力，還包括在政策行為過程中不斷更新並且分享的集體價值（「學習型組織」，參見 Levitt 與 March [1988]）。

「79」

從政策分析角度出發，本書把運用公共政策來完成特定職能的行動者（通常是由多個個體組成的團體）看作是廣義上公共組織的基本元素。這些行動者存在於一個或多個行政組織之中（如公共事業、政府部門、下放機構〔devolved services〕、中央部會〔central ministries〕），甚至在行政機構之外的組織。組織資源因個體行動者性質的不同以及行動者之間關係網絡品質的差異而不盡相同，每一類組織都可以以不同的方式來說明政策的成功。合適的組織能夠提升服務的品質，或節省其他的資源（比如人力和時間），又或者為資源的獲得大開方便之門（如共識和資訊資源）。因此，本書認為組織資源有別於「人力資源」；後者可以是就個體而言擁有很高的品質，但因未能合理組織而使得所提供的服務品質平平，並且代價昂貴。因此互動資源需要有別於「人力資源」，需要有創新、跟蹤和調整的策略。

每一個政策都可能擁有獨一無二的組織形式。受政策行動者支配的「互動資源」（interactive resource）是提供高品質服務的主要因素。除此之外，公共部門的大規模變動（如新部門的產生、合併、裁撤以及重新分配政策所屬部門）通常都沒有議會的參與。因此，最近的瑞士聯邦行政組織法授予聯邦委員會（瑞士政府）極大的組織許可權，即授權其創造、修改聯邦部門及其職責。而在英國當內閣改組時，部門組織架構安排如何改變或多或少是首相的意願所決定的。

公共行動者所處的組織單位通常分多個層次級（在瑞士分為：聯邦「局」、理事會、核心部門和其他部門；在法國分為：部門、中央行政機構、部門、辦事處；在英國劃分的方式有多種）。實證研究表明，層級劃分越明顯，越容易阻礙在層級最低一層官員在與行政部門合作夥伴（「客戶」）的直接接觸中的責任意識的發展。而且，這也會導致文檔處理的斷層與分離，不利於行政服務的一致性。總的來說，這種嚴格的官僚層級結構阻礙了對政策設計和執行的一致性的系統橫向監控。

「80」

現在，兩級制或最多三級制的行政層級制度增加了真正處理文檔的人員的責任，漸漸取代了之前多級制、與立法歷史相關的沉降邏輯。而且，主旨的建構也將服務的種類不同和政策不同目標群體考慮在內，以此來避免部門之間的重複作業。因此，基層單位將有能力整合多方面的團隊組織，以便產出一致的終極產品。經驗表明，即便是「通才」也需要掌握相對先進的特殊才能，這種組織資源的變化需要教育和培訓才能達到（Baitsch et al., 1996）。

如今英國政府最關心的一個問題，就是什麼樣的組織形式能夠使得相關政策實施中的協作安排更加便利。但是被認可的最優方案是否存在至今仍是個疑問。結果表明，不斷更改組織形式會使其偏離而喪失作為組織資源的價值（例如在國家醫療服務中，應對頻繁的組織變遷降低了政策貫徹執行的效率。對於這些問題的討論請參考 Newman［2001］、Pollitt［2003］）。

4.1.6 共識和「信任」（confidence）資源

共識是每一個行動者可能支配和可能無法支配的資源，缺少了共識會引發矛盾和阻礙。這種基於信任的資源彌補了多數民主投票機制（詳見「政治支持」）所缺少的次級正當性，它還能平衡且加強國家在實行具

「81」體公共干預過程中的民主正當性（Knoepfel, 1977, p. 222）。這類資源通常在政策執行過程中在行動者間廣泛交換，共識在與空間相關的基礎建設的發展和執行政策（如涉及國道、高壓電纜、核廢料）中尤為重要（Terribilini, 1999; Wälti, 1999; Knoepfel et al., 2001）。

政治行政行動者與最終受益人、目標群體之間就生產形態、實施措施的內容（產出）而產生的（相對的）共識成為了所有政策的基礎性資源。由於政策目標群體和最終受益人的實力不斷強大，即便相關法律獲得極大的政治支持，行政部門也幾乎沒有能力公開、堅決地執行某一政策來對抗其中任何一方。行政部門如欲合理且有效地執行其政策，則必須要達成至少是最低限度的共識。

正如上文所述，對於公共行動者而言，共識有別於基於立法中的政治支持而來的正當性，亦有別於被視為根基（參見本書 4.1.9 節）的民主多數制。事實上，透過投票過程產生的民主正當性僅僅定義了參與政策執行過程的行動者所運用的目標和規則，也沒有（詳細地）規定正式措施的產生模式和具體內容。

傳統的行政程序中不包含對相關當事人（團體）特定參與權的相關規定；行政程序的一般規則只是保證了合法權利被行政部門侵犯者的聽證權。在多數情況下，這唯獨影響了某些在行政實踐中被賦予對公共行動有基本監督權的目標群體。在 1980 年代，這種參與權[2] 也擴及最終受益人（尤其是在空間規劃、主要基建規劃、環保、社會政策消費者保護等領域；Knoepfel 等人於 1999 年的案例中，就包含軍事設施及建設的案例）。這種做法的存在理由在於最高權力（首要正當性）與其直接接受者

2 Pierre Moor 並不支持這樣的論點。他認為並不是憲政國家主動要求或期待這樣的參與，而是因為憲政國家與其相關的制度設計既有的缺陷，輔以民主、社會運動的推波助瀾，而創造出一種透過參與過程來彌補前述缺陷的預設或想像（參考 Moor〔1994, pp. 300ff〕）。

(目標群體)，**以及**間接接受者(最終受益人)對公共行為雙重合法化的必要性的認可。達成最低限度的共識是為了避免事實上的阻礙(比如占有場地、街道上的公開打鬥，漠視行政指令等)以及行政法院堆積如山的上訴案件。

「82」

共識是能夠幫助積蓄其他資源的重要資源(尤其是法律、資金和時間)，因此值得特別關注。現今的行政實踐和社會科學在資訊、諮詢、參與、協商和調解的名義之下提供了諸多策略(Hoffmann-Riem, 1989; Hoffmann-Riem and Schmidt-Assmann, 1990; Weidner, 1993, 1997)。諸如這些社會技術的「公共行銷」程序是靠創新和保存共識來推動的。

所以，這是一種既珍貴又脆弱的資源。自 1970 年代以來對參與方式的研究表明，「共識文化」需要一定程度的時間一致性、行動者獲得的平等性、衝突管制的組織性、對政治行政實踐的容納性 —— 對各類多數比率的管理 —— 以及保證參與行動者間意見充分交換，以避免架構與個別案例的聯繫過分緊密(Weidner, 1993)。

關於強化共識資源而採取的具體措施的最新實例，便是瑞士在能源政策領域(核廢料、水力發電和高壓電)(Knoepfel et al., 1997)建立了「調解組織」。法國也同樣建立了特殊的機制，例如依據 1995 年法律而成立的國家公共辯論委員會，該委員會負責就可能產生爭議的專案開展先期的前置性討論，同樣還有所謂的「比安科」委員會(Bianco)來執行國內交通法中的主道和鐵路基建專案。在英國較為普遍的是諮詢，考慮到政府就私有電力和英國國民健康保險制度(NHS)要向公眾徵求意見，同時回應中央政府要求，地方政府便廣泛地開展諮詢。而且就可能出現潛在爭議的計畫性項目，長期存在的法定諮詢機制能為之服務 —— 比如新設道路和機場、建造核工廠。

4.1.7 時間或「時間的」（temporal）資源

一些學者並未將時間本身視為一種資源。但是，根據我們的經驗研究，對政策生命週期的實證分析表明，時間具備「波動性」（volatility），「83」尤其是在規劃性政策和環保政策領域，我們也將其視為政策資源種類之一。

人們經常聽到建構政策需要「花時間」。的確，有關公共政策溝通過程的教與學，所需要花費的時間越來越多。需要注意的是，在政治行政環境中所說的時間資源通常是消極含義（「缺少時間」）。毋庸置疑，所有的政策都需要時間資源。事實上，本書發現政策行動者都有一個清晰的時間預算計畫。因此，截止日期的設定通常為符合環保政策和廢物處理政策實行（法國法律規定一週工作三十五小時，不同公司類別有不同的申請截止日期）中的規定。事實上，在合規問題上所具爭議的因素不是時間需求本身，而越來越多的是在進行必要的重組措施中所應分配的時間資源。意外的是，儘管幾乎在所有政府和議會報告中「缺少時間資源」都被提到，但這個問題無論是在政治層面還是學術層面都極少被提及。另外，時間也是實行新政策過程中衝突的焦點（比如暫時約定的期限、危機狀況、受時間制約的協調）。

政策行動者見時間資源的分配通常是不平等的。公共行動者因其職能優勢，相較志願工作性質的社會團體代表而言擁有更多可支配的時間，而且通常保守計算所有資源，這也使得公共行動者比缺少時間的其他行動者表現得更好。或許透過放寬對私行動者的時間限制、時間資源在各行動者間合理分配，就能避免這種不平衡的存在。

最後，政策過程中的同步性問題也涉及了行動者的利益。如果公私行動者表明只有當其他行動者首先作為、同時作為或隨後作為時自己才行動的話，那麼就能利用時間資源獲利。

4.1.8 基礎建設或「財產」(property) 資源

所謂的基礎建設資源，是指各行動者能自由支配的所有有形商品或財產，公共行動者包括財產所有者或是使用權者（例如藉由租賃合同）。公共領域的商品很多樣化：從道路到河流，從國有森林到歷史遺跡等古老建築，或是諸如行政大樓、文化中心等新式建築。所有的政策都多多少少得益於公共商品的分配：條件欠缺的可能只有獲得建築場所，以便服務於政策的發展和實行；條件優渥的可能獲得大面積土地資源，例如國家森林。某些政策本身就帶有增加商品配置的明顯目的。例如城鎮規劃政策就是負責物業財產保護，房屋政策關注的是社會住宅的建設。「84」

該資源有兩大「優勢」。其一，這關係到公共行動者直接管理服務的能力，或更直接地在國有或共有商品涉及的案例中施加約束的能力。也就是說若政策執行者要向公眾關閉環境易受破壞的區域，如果該區域國有而非私有，那麼政策更容易實行。在戰後和 1980 年代初期的法國和英國，大型企業國有化政策正反映了國家想要直接控制大型企業（例如鐵路、汽油和電力供給公司）的初衷。而 1980 年代後期的自由化和私有化浪潮又引發了對該策略部署的再考量。

在過去的三十或四十年裡，這種邏輯在共產主義國家被推向了極致，即便是今天，仍有一些國家保留。例如，烏克蘭的環保政策制約土地使用者，這離不開多數土地是國有或共有的現實。

其二，基礎建設資源為政治行政系統的行動者提供了溝通的平臺。行政財產包括政府所需要的實體設備，用政策分析的語言來描述，是為了在國家和公民社會之間產生執行措施所需要的設備。而設備的性質很大程度上取決於管理組織資源和認知資源的行動者如何使用該設備。正如行政大樓的建造是為了方便行政機構個體與目標群體和政策最終受益人之間進行大量溝通。為方便現代行政機構順利溝通，行政設備也種類繁多，包括紙張、表格、電腦軟體和硬體，藝術品、植物，甚至是餐飲用具和安全設「85」

施、消防、善後處理服務等。根據他們的官方用途，這些設施至少都能為公共行動者和社會之間的交流提供便利。

然而，基礎建設或者「財產資源」並不僅限於設備材料。行政大樓也是政策與現實世界相連接的物理化表現。國家與公民在大樓裡進行溝通交流。因此，所有外部的溝通輔助設施，無論是個人的（郵政和電信系統，即電話、郵箱、電子郵箱、傳真）還是集體的（會議室、接待室、電視網路）都屬於基礎建設資源的範疇。而行政大樓所配備的設備裝置越來越複雜緊密，政策行動者也越來越注重對其管理。這是由於，越來越多的政策需要有說服力的儀器，而且很多正式的行政措施必須有解釋性的通信加以輔佐。

因時間和地域的不同，基礎建設資源獲得的情況和通信便利的程度也會不同。在出現危機或者災難時期，儘管擁有資訊資源（根據氣象預報調動直升機），但缺少該資源會引發整個政策的問題（例如，因缺少電信資源，在災區就無法提供如發布疏散指令的緊急救援服務）。同樣地，如果在某一時刻或特定地點需要組織協商來排除異議，若缺少會議室或軟體程序，那就極可能影響具爭議性基礎建設政策的成功與否（例如，如果沒有合適的會議室來接收成千上萬關於道路建設項目的反對意見，如若沒有快速的軟體在這樣一個調解環境下來繪出可能的道路模型，政策很難繼續）。若在地區（districts）／省（prvoinces）／鄰里（neighbourhoods）沒有設置中央行政組織的代表機構，或是與實況不相稱的地區網絡（inappropriate territorial network），都會導致公民與行政組織產生距離，從而使得公共政策和現實世界產生破壞協商的實體隔閡。

「86」

以上所有的例子都表明了公共政策行動者可支配的基礎建設資源所扮演的關鍵角色。這在現代行政現實中也被廣泛認可。如今，某些公共行政機構有時會建立特定的職能部門，例如集權或分權的資訊技術服務、新聞發布、政府出版署、行政大樓建造和國家特殊電信服務，以此來創造、管理和使用此資源。

如今，基礎建設管理導致了工會與公共服務部門、中央部委和下派機構之間的爭論。事實上，工會反對私有化基建資源中個別成分的提議（譬如，清潔服務、食堂、辦公室設備、資訊技術服務），而在另一方面，管理部門反對在部長級秘書處的層面上集中管理資源（資訊技術部負責整個公共行政部門的資訊技術事宜；新聞中心集中化）。最後需要強調的是，和其他大多數公共資源不同的是，基礎建設很少成為研究或教學的課題。「通信、公共行銷」部門也一直未發展起來，這點非常遺憾，因為該資源確實為其他資源的構架和發展做出重要貢獻（比如，共識資源、時間、組織和資訊資源），而且現在也被歸入私有化措施之中，其效果還不明朗。

4.1.9 政治支援或「多數決」（majority）資源

根據民主國家的規則，若要創造或變更政策的內容，則法律規定需要議會多數議員（或公民，在瑞士也可能是州）批准後方能實施。這便保證了首要合法性（有別於社會群體讚許政府服務而有的次級合法性；參見4.1.6節）。這種法律依據的產生表明在某一特定時間政策涉及的所有行動者都享有多數政治支持。再者，也正是在這種法律依據的支持之下，某一特定政策涉及的公共行動者如有需要可以向少數社會團體主張意見。然而，任何觀察者或公共政策行動者要確認的是，儘管議會順利通過了某項法律來支持政策實行，但也可能出現因議會的另一輪投票，而使其喪失原有的多數支持。法律的合法化成立和事實上的生效之間會產生時間滯差。

「87」

「政治支持」資源關乎首要合法性的第二個方面，在任何時候都是議會或公眾的多數決定了相關政策是否可被接受。這樣顯然會引發這種極具爭議的情況，即普遍證明自身在政策執行階段缺少共識資源。而缺少這種資源的原因通常可以預見。

因此，一項政策可能會在其服務和專案被反復驗證後，因為得不到多數支持而擱置。這可能是由於：

- 消極影響（例如，瑞士各州以截然不同的方式適用瑞士外國人財產取得聯邦法）（Delley et al., 1982）；
- 與政策目的相左的效果（喪失政策一致性，比如農業過度生產）；
- 因政策干預的領域發生價值和習慣的變化從而導致執行力不足（例如，處罰吸食所謂的「軟性」毒品、墮胎、同居或消極安樂死）。

個別案例會因公共辯論（尤其是透過媒體）的因素而喪失「政治支持」資源，也可能是因為議會以質問的形式介入或申請改變被高度政治化的政策。因此，在行動者之間出現這個問題：如何生產和再生產政治支持這一資源。有許多資源被發展以彌補這一損失：例如，建立評估程序（以「再建立」一致性），提升資訊透明度，調動或修改某種象徵性價值以召集新的支持者，忽略少數的反對意見。

「88」

利用多數人所接受的象徵性價值，以生產和再生產政治支持資源是一種普遍的形式：例如，透過把農業視作「在危急時刻為國家提供糧食」，而被視為對國防的貢獻，然後又因有助於出口市場，而使收支平衡（法國），或是被視為農村管理（在英國是重要的論據，因農業衰退而缺少其他論據），這些能重新建立農業政策的政治支持資源。

反復強調象徵性價值有助於穩固政治多數對某一特定公共政策的支持。值得一提的是，可以在不修改相關政策的前提下，用嶄新的象徵性價值取代已經僵死的價值。因此，政策的象徵通意會成為「政治支持」資源再生產不可或缺的方式。

獲得「政治支持」資源的同時也能節省其他資源，反之，可能會導致其他資源的消耗增加甚至濫用。獲得廣泛政治支持的政策行動者甚至可以暫時在缺少共識資源（例如 1970 年代法國的核能源政策）、法律資源（英國安全政策，尤其在 911 事件和 2005 年倫敦爆炸事件後）、時間資源（耗時的快速干預短路程序）或是資訊資源（當多數意見通過便不再尋求集體問題存在的原因）的情況下管理政策的發展。

所有的例子都體現了「政治支持」作為一種資源的根源重要性。這在制訂公共政策的第一階段尤其重要，此階段是針對所需解決的公共問題和引發該問題的原因進行（再）定義的階段。在很多情況下，能被政治多數認可的某些象徵已經隱晦地傳達了政策因果假說，因此不需要具體的理由再解釋。也就是說，不需要證明生態友好，也不需要證明加強國防保護就是為全社會謀福祉，因為生態和國防都是為公民多數所接受的共同價值。

4.1.10 強制力或「暴力」（violent）資源

「89」

正如資金可以作為一種資源，不難理解強制力也可以是合法的約束。這甚至是獨裁政權下最基本的要素。

許多公共政策不動用這類被視為極端的資源，但往往其中一些政策需要建立在這種強制力之上，尤其是安全或國防政策。公共行動者實際控制個人或目標群體使其轉變行為的能力不容低估：這種公共機構的強制力往往比法律規定來得還兇猛，用實際控制或是透過合法武力的強制命令，以應對目標群體或最終受益人的反抗行為，即便他們是因法律而產生合法的制約並且是透過人力來完成，但該資源還是能從概念上與其他資源分開。

但實質強制力很少單獨作為一種可被利用的資源，通常是為了換取共識。在某些政策之中，不得不以武力作威脅以便於政策的順利執行，尤其是具備法律義務的時候。對於目標群體和最終受益人來說，武力是能充分表達異議（如，街頭暴力示威）或是阻止財產資源受其他行動者控制（如，公司辦公場所前的罷工糾察隊員）的資源。

管理「武力制約」（constraint by force）這一資源是一個高度敏感的話題。要使用這一資源通常需要多數的政治支援，若缺少政治支持，可能會造成在很長的一段時間裡喪失共識資源的危險。而且在某些情況下，訴諸武力也需要媒體的廣泛報導才能產生預期的效果：例如道路安全問題，幾乎不可能在所有時段和所有地點對違規者實行實質的強制控制。另一方面，在法國，因交通意外死亡頻發而在節假日調動警力加強控制，若輔以專門面向司機的媒體廣泛宣傳報導，那麼就能達到事半功倍的效果。

「90」

4.2 資源管理

4.2.1 資源可持續管理的原則

公共管理部門對於公共政策的分析和管理，主要是指運營和管理以上所述的各種資源。每一種資源都有其獨有的法則來控制其生產、再生產和運用。現今，理論知識發展得較為成熟的領域包括人才（所謂的「人力資源管理」）、資金（「公共財政」）、組織（「組織社會學」、「組織學習」）以及資訊（「資訊系統管理」）領域。

同樣，儘管至今都沒有真正的「法律管理」（law management）部門出現，但這一道理也在某種程度上適用於法律資源的管理（「法律程序」－立法技術〔jurisprudence-legislative techniques〕）。對各種爭端的合理管理需要建立在共識和「社會工程」（social engineering）管理之上，但現今還處在早期的醞釀階段。事實上，儘管法律程序一直在改進之中，但在政治行政程序方面仍然不夠成熟（比如，「調解」〔mediation〕和「參與式評估」〔participative evaluation〕）。有關時間作為一種後勤資源的管理，這方面由於缺少具體成果，因此也沒有真正的「學科」（discipline）出現。我們認為，所有政策分析領域的研究者和實踐者必須熟悉如何可持續管理和生產所有國家行為涉及的資源。

根據永續發展理論，這一發源於環境政策領域隨後普及到其他領域的理論，所有的稀缺資源，無論是共有還是私有的，自然還是人造的，必須從長遠角度考慮並且穩健地使用。接受並具體實踐這一觀點對於整個公共部門來說十分重要，尤其是現在對公共資源的管理仍然是粗放式並且非可持續的。

雖說企業或行政單位濫用時間資源能加速生產節奏，但這樣就有時間反思了嗎？當人們逐漸相信現在真實被接受的資訊在未來可能是虛假且被禁止的，難道我們就真的能持續管理法律資源了嗎？資訊生產不斷擴大化但越來越缺少目標，難道這就是理想化的可持續管理嗎？招募越來越多的公共部門人才卻不提供足夠的培訓，難道這不是濫用人力資源？沒有經過深思熟慮地運用共識資源所導致的結果很可能是，在公民的眼中，所有行為都是沒有意義和合法性的。

「91」

4.2.2 從資源管理到政策管理

公共資源管理必須首先建立在特定資源的知識、技術和規則之上。例如，如果要管理公共財政，就需要掌握和練習成本核算和預算管理的技能；人力資源管理不能缺少關於人才心理動機的相關知識。

但是，這種觀點是片面的，會產生以下兩種風險：

- 首先，將每種資源抽離其背景，會導致其脫離政策的終極目標，不能為實現政策而服務。一種能使各資源分開的方法很可能會使得這些資源從政策產品中剝離，從而失去政策管理中的公共屬性。問題是，如果公共資源的生產、再生產和運用要以終極產品品質的要求為導向，那麼就要服從民主社會的民主約束和社會約束（諸如資訊透明、政治責任、公平公正），這與私人政策或企業政策的資源管理是不同的。

- 其次，讓各種取徑、做法彼此疏離、不連貫的資源管理方式，很可能會引發政策的內部濫用。這會導致為了使用資源而使用，而不是為政「92」策的目標考慮：行動者專注於如何向客戶提供對其有利的資源，而不是考慮如何利用好這些資源為政策的目標服務。這麼做的結果可能是，比如，建造高速公路的唯一目的是促進地區建設，但影響研究的方向卻是生態經濟；或，為求達到經濟政策的目的而建立軍隊，而並非是出於國防政策考慮。實質性政策（財政、經濟政策例外）本身的目的不是簡單的資源配置，其首要目的是如何將資源配置到各行動者手中。

根據政策執行研究的顯示，政策資源可部分被替代。這樣的情況通常出現在，當政策行動者之間在沒有法律依據的情況下達成了協定，因此法律作為一種資源就被共識替代了。或是，反對派主張其上訴權（法律資源），可以阻礙決議程序的進度，為換取對專案的更改（時間資源）、財政補償（資金資源）或實物福利（產權、基礎建設）。

正因如此，這為公共政策的現實管理提供了依據。透過制訂策略、智慧且經濟地整合公共資源來獲得能夠解決集體問題的政策產品。如此一來，公共行動者就應當思索如何可持續管理上述各種資源。這的確關係到所謂的「政策管理」，而且因為立法的（部分）約束，導致資源的獲取是受限制的。因此沒有資源取之不盡的奇跡：即使是最出色的管理者，也無法任意地複製這些資源。然而，經驗表明，即便資源在最開始的時候被平均分配，一些行動者能完全地實現既定目標而另一些則無法實行其政策。而且，有時候這種區別的產生多多少少是出於如何巧妙地組合慣常的資源「93」和「敏感的」資源，通常是指被廣泛認可和理解的時間資源、共識資源和組織資源。這種管理方法預先假定，監控並且詳細分析所涉集體問題的發展態勢、評估政治行政行為的結果和效果、整合開發可獲得資源的策略能力並且能夠可持續地管理每一種資源。

現階段本書想要強調的是，這裡所呈現的資源的概念是本書能夠清楚區別政策行動者資源、政策過程中的行為方式（或機制，或稱為「政策工具」）[3] 以及政策產生的措施（或「產出」）：

- **資源**指的是公私行動者為了實現特定性為而利用的原材料的集合。
- **行為方式**是指，基於某種干預模式（例如強制性、激勵性、說服性、契約化或自反性的模式）組合使用政策資源所得的具體成果。干預工具是基於政策的策略目標和時間優先或空間優先而來的。干預方式的選擇（通常在政治行政方案制訂中詳述）會導致某種資源優先於其他資源被行動者使用。例如，在強制性干預模式下，法律資源優先；激勵模式下，資金優先；而說服性模式下，認知和溝通資源優先。但是公共干預模式並不能完全決定具體行為中被使用的資源組合比例和用量。因此，對於強制性模式而言，或許財產資源會或多或少被廣泛利用。同樣，對於其他模式來說，所使用資源的不同組合會決定干預模式有效與否。
- **公共政策所產生的執行措施（產出）**指的是，行政機構和公民社會互動過程中利用資源所產生的物質或非物質的成果。應用到個案中，具體是指行政終極產品中所包括的可清晰識別的資源（比如，以直接支付形式給付農民的資金；申請規劃許可時「實用」（applied）且可「反復」（repeated）利用的法律或是國家發布的公共衛生警告）。

3　關於本單元中所討論的「政策工具」，源自「政府工具」（tools of government）（Hood, 1986），也就是「政策手段」（policy instruments），這一概念的有限使用（Howlett, 1991; Howlett and Ramesh, 2003, Ch. 4）。此用法與本書 8.1.1 節中關於「營運要素」工具選擇的討論一致。

「94」同樣，行政行為產物，通常「包含」（contains）極具辨識度的資源和行政行為生產過程中出現的其他資源，最常見的便是可接受性（比如，共識資源）和合法性（比如，政治支持）。

5 CHAPTER 制度規則

第 2 章簡要解釋了為什麼本書認為有必要對政策行動者之間互動外的各種制度規則進行分析。而在本章中，首先將會探討社會學科的研究者如何挖掘這些制度規則對個人行為和公共政策的影響，之後將會介紹「新制度主義」的各個學派對制度的不同定義，以及解釋制度變遷（institutional change）的各種假說。當本書回顧了這些文獻之後，將在實踐中運用這些概念去分析每一個相對具體的公共政策。 「95」

5.1 制度規則分析

5.1.1 從制度主義到新制度主義

當代政治科學的顯學基本上是關於制度及其角色的三種範式。這些範式能幫助我們更好理解制度對行動者之行為與對公共政策的影響。「傳統制度主義」認為這些民主社會規則很大程度上確定了個人或者集體的決定。**政治人**（homo politicus）「制訂政策」，但總是在憲政體制的脈絡之下，且根據正式法規。政治學家在該學說中描述了議會、政府和其他行政部門，還有政黨和利益團體的結構與行事程序，但是這類「傳統制度主義」目前的發展有以下傾向：從法律與組織架構的角度來辨認與集體決策有關的（非正式）規則（Duverger, 1968, pp. 7-8; Chevallier, 1981, pp. 3-63）。

「行為主義模式」與之前所提到的傳統主義範例有根本不同。它提出的假說是：個人在社會中所扮演的角色、個人價值，以及那些不成文的規定都會影響他們的政治選擇。更極端地來說，制度被定義成一個「空殼」(Shepsle, 1989, p. 133)。理性選擇模式透過應用新古典經濟學(neo-classical economics）的理論和方法，解釋政治行為中的理性選擇（例如公共選擇理論和賽局理論）。根據這些方法，就能將政治領域看成是一個市場，集體的決定代表各種個人決策的集合。**經濟人**（homo oeconomicus）使政治決策的目的瞄準了個人利益最大化，無論是物質層面還是非物質層面。在這個學派中，制度的安排並不能左右個人偏好，但是卻會引導他們或者會在集體選擇和個人行為這樣的兩難局勢中尋求新的平衡點（例如「搭便車」〔free-riding〕、「囚徒困境」〔the prisoner's dilemma〕和「公共悲劇」〔the tragedy of the commons〕）。這個理論被大量運用於實踐中，例如政黨的選舉策略（Downs, 1957）、政府預算和政府聲譽的最大化（Niskanen, 1971）、利益集體的產生（Olson, 1965），和政治決策（Buchanan and Tullock, 1962）。

「96」

從 1980 年代起，有一種新的研究趨勢是讓公共理性選擇學派和對公共制度的分析結合起來。這樣重新定位會使得整個政治學理論的知識得到進一步的發展。一方面，對於支持理性選擇主義的學者來說，這樣的結合更加穩定了制度規則在社會中所扮演的角色，例如在議會決議中（Shepsle, 1979; Riker, 1980）[1]；另一方面，支持傳統主義的學者也

1 這位「公共選擇」理論的作者面臨一個矛盾：北美議會所做的決定具有一點的穩定性，然而，根據理性選擇理論來說，要贏得議會穩定的大多數投票是相當困難的。這個悖論中如果將程序規則和議會的委員會考慮在內的話就能解決了。

更好觀察了個人在社會制度中與政府之間的互動（Moe, 1980; Walker, 1983）[2]。

因此，「新制度主義」很好地詮釋了行動者和制度之間的相互影響。制度學家認為這些被正式或者非正式規範所左右的政治行為，必須符合這些制度所要表達的價值取向或者期望，同時也要根據決策和行為來調整這些制度規則。為了更好地說明這個雙重因果關係，政治學家同時也分析了個人行為和制度結構的相互影響。

5.1.2 制度性規則的定義（也就是制度）[3]

接下來我們可以來區分「新制度主義」中的三個學派，分別是社會學派、經濟學派和歷史學派，而不用再談既定的理論取徑（Koelble, 1995; Hall and Taylor, 1996; Lowndes, 1996; Norgaard, 1996）（具體分析詳見表 5.1）。

---

2 傳統的制度主義的出現是與現實相違背的。因為無論是正式或者非正式的法律法規都不能解釋類似於「搭便車」這樣的現象，但是它們卻可以解釋某些事物的本質性內容（例如，私人的對抗公共的、物質的對抗價值論的），同樣地，機會主義的計算結果就是現有制度和社會成員的行為的解釋變項。

3 為避免讀者在「制度」與「組織」這兩個詞之間產生誤會，我們更傾向於使用「制度規則」一詞。在本書當中，「制度」一詞基本上亦可視為「制度規則」之同義詞。

「97」

表 5.1 新制度學派的總覽

學派	社會學派（文化方法）	歷史學派（結構方法）	經濟學派（計算方法）
主要學者	March 與 Olsen（1989）；Powell 與 Di Maggio（1991）；Scott 與 Meyer（1994）	Evans 等人（1985）；Steinmoet 等人（1992）；Weaver 與 Rockman（1993）	Williamson（1985）；Ostrom（1990）；North（1990）
對制度的分析性定義	制度是一種文化價值、社會準則、一種標誌、慣例、習俗等。當行動者為組織中的成員分配任務時，他們會受到這種認知的限制，這樣也確保這些制度所存在的社會合理性。	制度被定義成是一種正式或者非正式的程序，慣例和法律標準，它們形成了政治體系的結構，並體現了行動者是怎樣運用這些制度進入到決策階段的。	制度是為了穩定個人努力和確保集體行為的可預測性，而在這兩者互動時所建立的自願性合同或者安排。
制度的認知形態	從宏觀角度來講，制度是一個獨立變項，影響著個人的行為。	從中性的角度來說，制度既是一個獨立的變項，也是一個從屬的變項。它和個人行為之間是相互影響的。	從微觀的角度來說，制度是一個從屬的變項，個人行為很大程度上決定了制度的形成。
制度的創造	制度是固有的，源於個人、團體和組織。	制度的產生是偶然事件，是在現有的體制下進一步發展而形成的。	制度是具有功能性的，建立它是為了滿足某些利益團體的要求。
制度變遷	在制度變遷的時代，制度會影響行動者採取另外一個新的框架模式。	一些制度是起穩定作用的，另外一些制度卻是給改革提供機會的。	制度變遷主要是根據行動者利益的變換重新調整社會平衡，同時也要減少先前制度所帶來的負面影響。
優勢	強調於組織社會學和社會態度，以及角色。	多種決策邏輯的結合，並且將社會結構考慮在內。	概念清晰，並且是一個具有聯繫性、推斷性的正式理論。
劣勢	模糊社會標準和政治制度之間的關係。	僅僅是一種歸納方法，但在理論上不具有穩定性，過多地強調了結構決定論（structural determinism）。	對於制度改革缺少解釋能力，在「公共選擇」模型中忽略了其固有屬性，太過機能主義（functionalism）。

這些都是從某個特定的方面來定義制度的，因此也會根據它們對個人行為和公共決策的影響提出不同的假說。「98」

- **制度作為社會的規範：**根據**文化**方法，社會學派不僅僅將制度定義成組織內部正式的規則和程序，同時也定義成社會的價值體系、標準、認知形態和行為準則。制度之於文化是非常必須的，能給組織內部的成員提供一個有意義的框架體系，並引導個人行為向其所宣導的目標前進。因此制度不僅定義了社會行動者的角色，同時也不斷修正組織的合理性和合法性。
- **制度作為自願的合同準則：**與之前理論相反，經濟學派採取的是**計算**方法。制度是人與人之間自願遵守合同的安排。這些制度可以有效減少集體決策的不確定性和不可靠性，包括源於不正確消息和行動者有限的認知能力。如果缺少這種制度框架，那麼為了減少這種一直存在的不確定性，將支付更多代價。因此，每個人都能自由商議相互之間要遵守的約定，或者接受社會約定俗成的習慣。在這裡，制度的存在就是為了能預測行動者的行動以及集體決策的結果。
- **制度作為政府的結構：**歷史學派將**結構**方法運行到自己的理論中。他們把其應用於憲法規範、政治行政程序，以及管理各個行動者之間互動的非正式規則。在民主體制下，制度代表著各個社會團體的權力關係，同時也給某些社會團體提供了進入決策或者執行階段的優先權。即使這些制度本身不能決定行動者的參與程度以及政府行為的最後成果，但是的確是提供了選擇其他行為或者改正先前行為的可能性。事實上，「新制度主義」中的歷史學派代表的是一種中庸思想，介於社會學派所使用的文化方法（適當性邏輯〔logic of appropriateness〕）和經濟學派所用的計算方法（後果邏輯〔logic of consequentiality〕）之間。其代表著個人的價值取向和偏好，同時個人也會策略性地使用這些制度來滿足個人利益。「99」

除了強調「新制度主義」中三種理想學派的不同之處，我們也注意到它們至少有三個共同點。

首先，所有的研究分析都指出制度既是一種成文的、明確的、具有法律依據的規範，**也**是非成文的、不夠明確的，但是被大多數成員所認同的習慣。這兩種類型的制度都要考慮，因為有時候這些非正式規範的影響力可以代替正式的規則，影響力甚至比後者更穩定、更像神話一樣地受到尊崇而不受質疑（Knight, 1992, p. 17; North, 1990, p. 4）。一個國會議員可能會根據自己的個人價值或宗教信仰，來決定自己該站在哪個政黨的戰營（例如對墮胎）。行政機關偶然也會在規則之外允許一些特例，這些特例都是由於文化背景不同而產生的（例如，相同的瑞士聯邦法條，其執法在瑞士德語區可能就比在法語區嚴格；或者法國法律在科西嘉島的執法與法國本土也可能會有不同）。因此，政策分析者必須同時考慮這兩個特性，並且觀察這種成文的或者非成文的規定對政治行為的影響，和這兩種規定之間存在的穩定性和矛盾性。

其次，根據「新制度主義」歷史學派的實證研究，制度規則建立了某些可以促進或限制個人或集體政治參與的結構與程序（例如，在瑞士的決策過程中，公民有創制權〔initiative〕和複決權〔referendum〕；在行政程序中被賦予聽政權，以及讓母語是少數語言之族群可以在公部門充分表達其意見），以及改善了某些政治結構來增強公共政策的效能（例如，與聯邦政府共同執行中的不平等性，以及為了避免上訴而採取妥協的辦法）。此外，制度規則也定義了不同社會團體的權力關係。例如，在行政和立法機構中，女性代表偏少；某些行政行動者和利益團體之間的侍從關係；在集體協議的過程中徵詢員工的意見。即使這些制度規則具有相當高程度的穩定性，他們並非完全不可動搖的。社會的發展（例如，認可環保組織的上訴權、賦予女性和外國人選舉權）以及對一些制度功效的反復質疑（例如，諮詢程序的改革、憲法賦予民主權利的重新定義、改革政府或者是議會）會促使制度改革。如果我們暫時不談影響制度規則穩定與轉變的各種

「100」

因素，任何的政策分析必然會涉及制度在其生命週期中每個階段的表現，也會涉及選擇某個制度代替之前制度的原因（Brandl［1987］；Weimer［1995］；Goodin［1996］等人所提及的「制度設計」）。

最後，學界逐漸凝聚以下共識：有必要把政治行為詮釋為具有策略性**且**受到社會規範所引導。從廣義的角度來說，每個行動者的理性思考範圍都是有限的，他們會受限於自身認知層面的有限理性（bounded rationality）和制度層面的制約理性（bound rationality）。因此，換一句話說，每個人在其合理性範圍內都會透過自己的行為來營造各個社會身分，並且希望能贏得其他利益團體或組織對其身分的肯定。就像 Norgaard（1996）所提出的「合理理性」概念（reasonable rationality），政治行動者會根據自身考慮有意地做出一些反射其意願的行為。同時他們也會根據社會制度來形成策略行為。因此，理解社會制度與個人行為之間的相互影響是非常重要的。對於每個具體的例子，都應該從兩方面來考量 —— 從制度導致行為轉變（策略行為）的角度，判斷制度是否透過知識和資訊的傳播來影響個人行為；以及／或是從社會連結、社會化的角度，解釋服膺社會規範之動機對於個人行為的影響。這兩種機制都非常重要，因為不僅能解釋個人行為和決定，還能解釋制度的變革。例如，Lowndes（1996, p. 195）就說到，制度變遷可能會引起這些具有策略性的行為，同時這些受到社會準則規範的行為也會加強制度的影響力。

在分析政策時，（至少）這三種共同點必須牢記於心。因為區別成文或是非成文制度、靜止或是動態的制度機制、策略行為或是被制度所引導的行為之間的不同之處還是很重要的。根據對這三個共同點的分析，本書也形成了多個假說。其中一個就是制度的改革是因為成文制度和非成文制度之間存在巨大差異，另外一個就是不同的正式制度會為行動者提供明確的方向來實行策略性行為，但是社會習俗卻做不到這一點（例如，選舉是採取公開方式還是祕密方式，是取決於政黨所採取的官方路線）。

「101」

5.1.3 制度變遷

究竟制度是如何起源，以及隨著時間如何發展的呢？很多理論都嘗試解釋制度的出現、穩定到改變。本書也從「新制度主義」中列出四個主要的理論依據（見表 5.1）。

1. **機會主義的計算及制度遺產**。首先，學者們透過公共選擇理性理論解釋了制度的產生是源於個人為了將他們與政府之間的互動更具有可預測性而實施的有意行為。因此，行動者創造出制度並認為它們是「一種事前交易，而此次交易的目的是為了加強社會中各個行動者的互相合作以及加強相互協定的效力。……而這個先前的制度選擇被大多數人認為在事後可能會產生不利因素」（Shepsle, 1989, p. 139）。這些制度如果是服務於某種目的，那麼只要它為相關利益個人或者團體所帶來的好處大於那些與它相對立的制度，它將會一直存在下去。但如果情況不再是這樣的話，那麼現有的制度就會被遺棄，代替它的是更有效率的制度。例如，在瑞士，臨時的議會委員會傾向於改革成永久性質的委員會，因為這樣才能在立法過程獲得更多的影響力，同時也能得到更好的訊息（Lüthi, 1997）。總的來說，制度改革就是因為從長期的角度觀察，發現現存的制度會帶來負面效果，而這些從短期利益中不容易被預測到。出於對公共政策效率的考慮以及修正不利因素的影響，行動者會進入制度改革的過程。而這個改革是否成功，取決於相關利益團體是否聯合起來運用其資源。

   這種對制度改革的唯意志論解釋倒是和達爾文的制度主義論調相同。但是其中的路徑依賴理論（path dependence）曾受到 North（1990）質疑。如果沒有交易成本（或者說如果信息完全對等），那麼行動者之間的互動就是直接的，並且不需要制度來規範。同樣地，也就是說，如果制度改革不會提高任何成本，那麼這樣的改革也會被

「102」

立即執行。除非現有的制度出現明顯的機能障礙，否則這些制度及其穩定性都應該被認可。所以說，制度如果發生變化也就表示提出制度改革的先驅者能接受此次改變所需要付出的代價。每位改革者都要準備好為打破社會傳統（例如，對「神聖不可侵犯」〔sacrosanct〕權利的改革）所支付的高昂代價，以及從長遠角度出發，承擔新制度的負面影響所帶來的損失（例如，新的投票測量制度來統計利益團體的公投結果）。根據 North 的理論，制度的發展變化是一個漫長的過程。制度的改革可能是源於某些行動者對於快捷有效的制度系統的追求，或者是源於對於最有效率的制度的模仿。最有效的制度並不是自然取代了那些效率並不高的制度；這個過程展露出的是一種「螺旋上升的進化論」（shaky-handed evolutionism）（Dockès, 1997）。

對於這兩個解釋制度變化的經濟方法，它們都是將制度的創造和改革歸於制度創始人或者是個人和集體的行為。但是此學派的學者也確定了隨著制度的不斷產生，行動者原先的意圖會與之後他們所期待的長期結果有所差別。因此基於此事實，其他的理論學派代表認為結構的動態變化比起個人行為的變化更能說明制度改革的緣由。

2. **社會需求和結構壁壘**。在第二種理論趨勢中，制度改革是因為在某種既定的歷史時間點上，不同制度之間的不一致性（例如，德國在 1991 年的聯邦主義和社會主義思想抵觸），或是某一制度與社會上實際存在的制度不連貫（例如，某些社會團體不需要其政治代表）。這段時間間隔是由於政治結構和社會結構並不是按照同一速度發展。因此，穩定的或保守的制度規則並不能完全回應社會的需求。這種不對等性同時也涉及集體行為及其成員所實施結果的有效性和合法性。制度改革從歷史的發展過程來講就是一個分叉點。對制度的創造和改革，其實就是在長期社會平衡和短期制度危機之間相互交替的結果（Krasner, 1984）。

「103」

這類方法解釋制度改革主要是為了對應某些社會團體對（新的）需求的不滿。但是，這類學派也強調了為什麼某些制度不願意改變的兩個原因。首先是因為某些制度已經決定了最終的改革應該採取哪種方式（例如，將公民投票作為一種義務來進行對直接民主主義的改革）。第二點，某些制度中所包含的強大社會關係限制了某些社會團體進入決策領域，同時也剝奪了他們參與制度改革的機會。因此，此類學派的論據就說明了為什麼社會需求和制度反映中會存在不一致性，並且可能無法很快解決這種不一致性。

March 和 Olsen（1989, p. 168）也強調，制度改革是一種適應和學習的過程。基於每個制度改革都會創造出某種影響力，期待更多的制度改變也是合情合理的。對之前制度替代論的解釋並沒有制度改變論這麼流行。這個假說並被事實所佐證，那就是某些特定的制度總能在某些領域找到與此相關的其他制度。因此，制度的改革已經不單單是改善制度規則的效率，而是確保某些制度的產生是與其他制度所表達中心思想相一致的（例如，在直接民主的權利和議會系統的選舉規則之間進行取捨）（Linder, 1994, p. 133）。

3. **外部壓力和內部調和**。第三種假說認為制度的改變是源於政治系統的**外部刺激**（external shocks）（就像歐盟的組建對瑞士的影響），以及／或是源於外部環境的發展（例如，全球經濟一體化）。但是這種方法對外部環境刺激的定義是模糊的，因為這往往要取決於該類分析進入到哪個階段。事實上，單個制度體系和全球性制度體系對於外部環境的解釋是不同的。因此，從廣義上來說，當本書重新定義集體問題時，也有必要將面對該問題的國家及其國情考慮在內。但是這種相互關聯的變項有時候已經被現有的制度所傳達了，因為這些制度從政治的角度來定義和解決問題。而且，他們也沒有指出這樣的制度改革

「104」

是線性的過程，因此在分析此類因素的時候，還是需要前兩個理論依據所支持。

制度改革在確保「新制度主義」的連貫性中是起決定性作用的，同時也避免了制度規則被解釋成一種外來的變項（注意，「新制度主義」的學者並不贊同對於公共選擇理論的支持者，因為那些支持者已經把個體的喜好定義好了）。所以說，從經驗分析理論的角度出發，制度設計應該基於變化因素而設計或者測試某一假說，例如，功能的頻繁性、改革的程度和範圍（據 Kiser 和 Ostrom 的理論來講，考慮到集體選擇的憲法性法律法規和涉及公共政策的實踐性決策，這兩者之間是有區別的）。與其將目標定在建立一個對普適性變化通用的解釋，還不如致力於區分不同的制度改革類型、解釋哪些制度本身為制度改革建造了壁壘，以及哪些外部影響因素改變了制度改革。

4. **意識形態典範轉移**（ideological paradigm shift）。一直注重文化的社會學認為制度的影響同樣也表現在其思想主旨上。這就導致了思想範例的改變是不斷發生的。因此，Hall 作為一個「政治家、官員、社會利益的發言人，以及能隨時開展一場政治演講的政策專家……」(Hall, 1993, p. 289)，認為政策的改變就是起源於這種思想範例的改變。他列出了 Keynesian 的經濟理論和貨幣理論作為一系列的範例（Hall, 1986）。Taylor-Gooby 和他的同事（2004）同樣也關注到了私有化出現在社會政策領域。但是在借鑒思想和範本之時，這些理論學家都會質疑哪些轉變可以被獨立地用作解釋某些事件的發生。Surel 就認為還是有必要將外來的影響列入分析範圍內。對他而言，「經濟局勢的轉變，或者是其他危機在分析過程中也很重要」(Surel, 2000, p. 503)。如果確有其事的話，那麼思想範例的改變不僅會涉及內部調整還有隨之而來的外部刺激（就如第三個論點所提到的那

「105」

樣）。然而，由於經濟形勢的變化及隨之而來的危機，Keynesian 關於公共規範的理論遭到質疑，或者說是否有一個持續的思想形態的改變，直至本書可以用來解釋現在所發生的一切？所以，本書很難測試這個假說；因為制度改革面臨這樣一個問題，那就是只有在事情發生之後才能證實制度是否發揮其真正功能。

本書認為制度規則會影響行動者的表現和政策的實質內容。同時，雖然制度規則很難解釋現實中的某些問題，但是本書仍然認為制度框架並不是固定的，而是隨著時代變化而發展。因此將公共行為的實質結果考慮在內也非常必要，因為這往往是某些抨擊普通法律法規言論的起源（例如，「消除制度政策」〔institution-killing policies〕）（Knoepfel, 2000）。在實質政策和制度性政策中的聯繫相當複雜，而且多數都需要行動者協調（Knoepfel and Varone, 2009: 101f）。

5.2 現有的制度規則概念

我們在這一章將提及已經運轉的制度規則概念，以佐證經驗主義的研究。為了做到這點，本書提出了兩種方法：首先，根據法律和行政科學，第一個方法是建立在體制規範的等級制度上；第二個方法是依據新制度經濟理論，致力於研究行動者相互交涉或者是出於自願模式下制訂的不同制度規則來達到管理他們之間互動的目的。所以在結合了這兩個方法之後，本書認為制度規則是一把雙刃劍，有時會限制行動者，但有時也會為政策行動者提供機會。所以說，如果的確有制度規則直接限制了行動者的操作，那麼就一定會出現其他的制度規則來為進入決策過程、影響政策發展和執行政策提供可能性。

5.2.1 制度規範的等級制度：構成原則的具體行為

「106」

當本書接受這樣的標語「把國家帶回來」（Evans et al., 1985），所謂「國家中心」（state-centred）的理論認為那些立法的、司法的和行政的組織是比較**自主行動者**（autonomous actors），他們在此過程中追求各自的目標。而**繼承**（inherited）下來的結構，被認為是一種比較穩定的規則，可以很好地調解各種社會利益（Skocpol, 1985, p. 28; Wier and Skocpol, 1985, pp. 117-119）。建立在此方法上的實踐性工作研究將會引導學者去評估哪種成文的制度規則（例如，議會或者總統制的規則、選舉體系、政府的形態）或局限或擴大國家對政治的分析和應用（請留意 Weaver 和 Rockman 的著作［1993］）[4]。

當我們把國家視為一個依據其自身權利而採取行動的行動者，且把制度視為其行動之槓桿，那麼這樣的視角其實已駁斥了多元理論（該理論將國家視為戮力滿足所有社會需求的「服務窗口」），同時也反駁了新馬克思主義（該學派把國家視為「可武斷控制社會的國家」，且認為公共政策僅僅是國家為了再製社會階層分化之工具，並藉此圖利國家自己所偏好之團體）（參見第 1 章）。相反地，這樣的視角肯認了政治行政體系在社會問題的定義和相關問題的解決上面都有至關重要的角色。

決策結果和集體行為並不是完全由各個或者是外界環境（例如，自然環境或者是經濟背景）所決定的。國家並不是完全被動地對外界刺激做出反應，也不是消極地滿足各種社會需求，更不是在調節各個利益團體時所被動持有的中立態度。本書仍然相信，公共行動者意圖不斷建構各個私行動者的利益關係，以及透過其公共政策來影響社會發展。如果要真正理解

---

4 當然，這裡還有很多比較性的文獻，他們主要探索的是制度體系對政治參與的影響，強調了其對聯邦主義和投票方式的效果，例如到底是採取多數決（majoritarian）還是共識決（consensus）（見 Lijphart〔1999〕；Lane 和 Ersson〔2000〕）。

公共政策，那麼單是從集體問題及其組織程度和利益來定義私行動者是不夠的；本書更需要從細節上來瞭解公行動者的決定權以及規範這些決定權的規則（Majone, 1996）。

當這個「由上至下」的方法被採納時，政策分析者就能很好地定義制度規則在政治體系的三個階層中的角色了（詳見圖 5.1）。

「107」

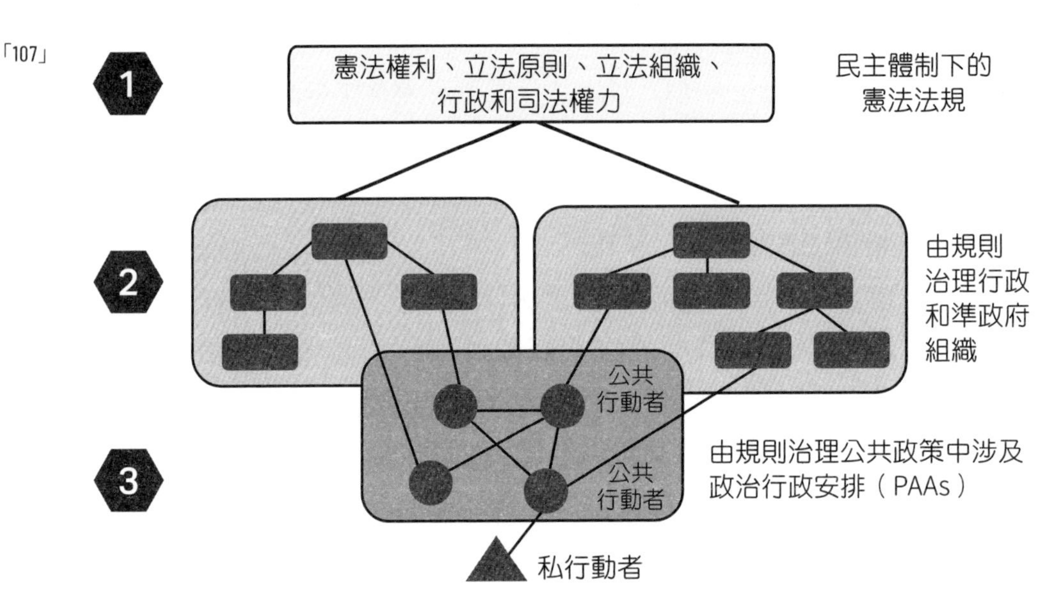

圖 5.1　制度規範的等級制度

1. **制度規則框架**是由一些基本公共政策規則組成的。具體來說，包含由憲法所規定的基本功能（類似，直接民主機制、聯邦體系、具有憲法的國家政府），人身自由以及立法、行政、司法組織（例如，議會的組成、行政機關的職責、各個政府階層的政權、法院的執法能力）。在憲法層面上的制度規則也是為了解決各方利益之時，提供一個民主的裁判機制。這些制度規則會被應用到各個公共政策中。

2. 在第二個階層中，**制度規則是對行政組織進行支配**，並且使「政府功能」更具體化（Germann, 1996），也就是說制度規則是政府「在社會領域」執行其行為時的工具和資源。無論是根據立法還是根據實際經驗所建立的公行動者（行政部門及其分支機構）都握有制度規則所提供給他們的行政資源，這使得行動者在政策的形成和執行方面都有不可或缺的貢獻。政府部門的等級體系和國有企業的法人資格都是具體的實例。因此，政策分析家必須在政策執行過程中既要研究準公共組織又要鑽研主要政府機構（Germann, 1987）。這些正式的制度規則是由一組規則所治理（後者之發展符合**組織和程序邏輯**）。這些行政組織和國有企業的成員都會按照其在政治階層中的能力執行任務，並且恪守行政法規使得這項政府干預措施比較有規則以及可預見性。 「108」
3. **政治行政安排**（PAAs）是根據某一具體的公共政策而設立由某些特定公行動者負責及執行公共政策。這些制度規則是建立在**行為邏輯**上的，並且是行政行動者框架設定的依據。它能有效促使公共行動者之間達成一致，並且為解決一個實質問題共同行動。因此，行政機構其實就是一個充滿制度規則的地方（從第二層到第三層），而且依據這些制度規則可以促使公行動者共同管理政策中出現的問題。

根據以上制度規則的等級劃分，本書可以得出以下結論：由上層行動者覺得的制度規則對於下層行動者來說就是一種（積極或者消極的）限制。因此，政府行政行動者的框架設定不能由單一的政府部門制訂；這樣可能會引起解決方案的不連貫性、組織間的相互合作不到位，以及各行政部門成員的自由裁量權相互衝突。憲法性法律規範和某一特殊政策的制度規則之間的聯繫是取決於政府行政行動者間框架的設定，也是定義中央政府和地方政府之間關係的規範制度（例如，瑞士的「聯邦制」政府，1982-1987 年在法國流行的地方分權以及管理英國地方分權的法律）。中央政府和地方政府之間的聯繫也取決於對特定政策的法律要求和特殊行政程序（例如，規劃許可）。

此外，還有一個對制度規則的解讀，那就是：越是在較高層的制度規則決策越是容易得到比較廣泛的應用，而且越能間接聯繫到政策中的實質性內容，以及越來越少的改動性。從穩定的角度來說，制度規則是對公行動者的限制。事實上，這就是將歷史過程中的積累和沉澱階段都應用到其中。最後，這些新制訂的制度規則必須和以前存在的制度規則相一致。

「109」

5.2.2 介於制度政策與制度規則之間的摩擦

作為實體性公共政策的一部分，制度性規制管理著政府行政行動者的框架設定，同時隨著發展也組成了政策中的客體部分，那就是制度規則（就像圖 5.1 所示，有憲法規範以及規範行政機構的法律法規）。事實上，**制度性政策**（institutional policies）是一種確保國家正常進行活動的決定。這種政策不僅考慮到政府和行政機構，同時也關心議會和法律。這也是根據憲法性規範所得出的附加決議，例如立法和行政的聯邦體系、憲法性政府和民主（Salisbury, 1986, p. 120; Quermonne, 1985; Mény and Thoenig, 1989, p. 363; Germann, 1996）。制度性政策就是為了配合國家行使職責提供條件。當然，領導實質性公共政策也是其中一個重要功能。

因此這些制度性政策在管理具體實質性政策時有可用性。任何政策都不能忽視對國家行為的相關性約束條約，特別是一些監管政策（例如，清晰的法律背景、目標群體的聽證權）。因此，例如在瑞士，如果一項聯邦政策取代了地方政府對某些法律的應用，那麼很明顯，它是不符合聯邦政府的行政原則和地方政府的獨立主權。同樣，在法國，地方政府都應該遵照根據自身屬性所制訂的規範，例如後續監控中央政府的公共服務。在英國，地方政府在同一個法律的框架下活動並實施某些特定的公共政策。

在有爭議的情況下，例如一般的制度規則與某一特定的公共政策相抵觸，則需要透過立法程序來修正與憲法所揭櫫的制度規則有違反的地方。「110」

回顧近期的一些政策，例如控制非法性藥物政策、空間管理政策，和一些具有國際影響力的政策，本書發現大部分涉及其中的行動者都會需要一個與日常規範所不同的特殊性程序制度，以便更好地實施那些政策。這就是滿足對於新的行政工具、新的資源和（公和私）行動者的需求，包括制訂公正的規範來確保公共機構的職能，也有行政法規管轄的一些政府行為。所以在越來越多的實質性公共政策中，都會出現這些成文或者是非成文的規定。

舉一個具體實例。在瑞士的反毒品政策中，很多城市都史無前例地加入這項瑞士政策中。這項政策在地方階層和中央階層之間架起了緊密的聯繫，從而形成了公行動者和私行動者相互合作的態勢，取代了之前優先考慮公行動者之間的合作模式。這樣新鮮的嘗試同樣能在法國的社會政策中找到影子，它在中央政府、地方政府和行政部門之間形成新的夥伴關係(特別是市政契約或國家—地方契約)；然而，這樣嶄新的合作關係並不總是能得到有限的預算支援。同樣地，在遇到新興科技所帶來的不確定因素時，政策中涉及規範這些高科技技術（像基因技術、危險廢棄物處理）的制度規則有時不能與普通憲法中規定的法律基礎相一致（因此有時會成立臨時的倫理委員會)。在英國，中央政府可以輕易改變行政行動者框架的設定（Dunleavy［1995］提出所謂「快捷西方政府」〔the fastest government in the West〕)，這樣子地方政府和中央政府之間的矛盾也會減少。但是一些律師也會擔心公民權利的保護是不是也會因這種不可預知的行政靈活性而遭到侵犯（詳見 Jowell 和 Oliver［2002］)。因此需要訂出更多的制度規則來保障公民的各種權益。

這樣改變可以說是無止境的。事實上，一般制度性規則和針對某一特定實質性政策規範之間的摩擦日益激烈。在一些負責制度性政策的行政「111」

服務中，例如法律、財經或者個人服務，以及在一些實質政策涉及的行政行動者中，這一現象很明顯。因此會出現以下情況也不足為奇：實質性政策獲得勝利，從而就變成了「扼殺制度的政策」(institution-killing policy)。在這樣的情況下，實質性政策的內部機制會抵觸某些制度規則或者一些經過修改的制度性政策，例如關於預算、法律或者是組織，所以新政策中的制度安排會給這個國家的制度體系帶來一種限制：例如，對於法國蓄水池經營商的稅收制度條款（《水汙染法》，1964）是與憲法中議會規定的稅收標準相左；因此，是水處理委員會（Water Basin Committees）取代國家級議會，並結合汙染的程度和用水量來決定稅收的匯率。這種憲法上和特定政策中制度規則的不一致存在一段時間了。

當然也可能出現相反的狀況。就是和實質性政策相關的行動者沒有成功施加他們的影響力，所以就變成了要遵守一般的制度規則，並且承受可能帶來的一些損失或者是完全放棄政策。如果用上面的比喻說法，這樣的制度規則就變成了「扼殺政策的制度」(policy-killing institution)。

隨著實質性政策發展、執行和評估階段，它會不斷在行動者和制度規則中累積資本，因此隨著時間的流逝，它是很難改變的。這些特殊的制度規則在初期階段是很容易改變的，就像組織中的公行動者和私行動者一樣，但到後期就會變得比較有組織性和結構性，所以就不太容易接受外部試圖對其做出的改變。結果就變成了在執行這些特定的制度性政策時，有越來越多的普通性制度規則即使在以前是提供機會和限制給有關的行動者，現在也淪為了待商議的課題之一。

其實以前這些一般的制度規則的改變是由於制度性政策的一些目的而導致的。例如，更好地治理國家，改善半直接民主制（semi-direct democracy）或是代議民主制（representative democracy）體系，使得政府之間的合作或者競爭更健康，以及促進人民代表制度更有效率、行政體系更簡潔明瞭。但是，現今的情況發生了巨大改變。至少，現在所做

「112」

出的改革都是為了調整在實質性政策中公行動者和私行動者之間在行政執行層面的關係，例如為公民提供社會服務、行政決策，以及和政策受益人或是政策目標群體之間的合同。

這樣的改革可能起源於政策的參與制度、公私行動者間的合作模式、其他涉及公民社會的活動、對少數群體利益的尊重，以及根據次要權益分配的公共權力。這些導致改革的不同起源，也再次證成了次級正當性在政策執行之重要性（詳見本書 4.1.6 節）。但是從實際情況出發，無論這個實質性政策的法律基礎是多麼穩固，如果沒有次級正當性，執行實質性政策依然是很困難。

基於上述理由，即使整個國家的制度規則在不斷修改中，但要避免某些實質性政策中的制度規則和國家整體之間的摩擦，幾乎是不可能的。

然而，問題是：每項實質性政策在多大程度上，根據其對於次級正當性的特殊需求，可以被允許多少的權力來鍛造其自身的制度資本。

5.2.3 制度規則的類型：從行動者到制度安排

有些制度規則是透過「由下而上」的方法對公共政策產生影響的。政策分析家認為行動者應該為解決集體問題而詳細審查這些公共政策。然後他們認為應該考慮怎樣的協調制度規則來解決目標群體的問題。這些規則比較含蓄，而且大多時候都存在於政策週期的初期階段。例如，當因果模型認為失業是因為沒有受到高等教育而導致的，那麼在政治行政安排時應把專業的培訓專案加入制度規則中。

所以，問題不在於我們是否應該考量所有的制度規則及這些制度規則彼此之間的等級體系。相反地，重點應該是：區分公私行動者具體可使用的正式與非正式規則 —— 透過這些規則，公私行動者得以主張其利益、管理其互動模式，並且最終確保公共政策之效能。這些規則在文獻裡就被總結成「制度安排」：

「113」

在分析制度安排的機構時，政策分析家一般會研究參加者的資格，他們手上的籌碼和資源，以及他們是如何相互聯繫而最終導致結果的產生。更有甚者還會進一步調查行動者可以採取哪些活動，這些活動會帶來什麼資訊並且是怎樣影響結果的，以及怎樣根據行動結果來規定賞罰制度。最後這些分析家會預計這些行動可能會帶來的後果，並且給出相應的刺激條件來加速政策的影響力（Ostrom et al., 1993, p. 127）。

因此，隨著制度規則不斷發展以及被行動者應用，它產生了一系列重複的活動（如果可以預期）並對現有的，甚至潛在的行動者產生影響（Ostrom, 1990, pp. 53ff）。這些「使用中的規則」也印證了這樣一個動態機制，那就是這些制度規則發展的歷程和現有或者是過去的情形密不可分。舉一個具體的實例，當管理自然資源時（例如，水資源、森林資源以及牧場資源），Ostrom 就認為行動者自願協商或自覺遵守的制度規則都是為了可持續利用這些有限的資源[5]。

---

5 (1) 有關範圍的規則：該規則定義了與某案例有關的領域之邊界，亦即公共政策所欲解決的集體問題之範圍。

(2) 有關邊界的規則：該規則定義了誰是行動者，以及在什麼情況下行動者有權利參與制訂解決集體問題的方案。

(3) 有關位置的規則：該規則會針對特定行動者指派特定的角色與位置。

(4) 有關強制執行的規則：該規則描述了被允許的位階及相應之行動，也就是這些活動及其行動者的等級階層。

(5) 有關資訊的規則：該規則定義了獲得資訊的管道以及行動者所使用的語言。

(6) 有關決策的規則：該規則決定了個別意見在決策過程中如何分配比重。

(7) 有關撥付挪用的規則：該規則規定了如何根據行動者的活動和位階，將解決集體問題所衍生的利益和成本進行分配。

本書認為如果能將 Ostrom（參見註釋 5）首先提出的為管理自然資源而設立制度規則簡化，並應用於其他任何的公共政策，這對於本書來說將會受益無窮。因此本書根據公共政策，提出了三類制度規則分類：

1. 獲得政策資源的規則（詳見第 4 章關於法律、金錢、時間和資訊的描述，以及第 8 章關於政治行政方案制訂〔PAP〕）。
2. 定義公私行動者的能力及其互動的規則（詳見第 8 章 8.2 節中，關於政治行政安排〔PAA〕的部分）。
3. 明確個人行為的規則（詳見第 9 章 9.5 節中，關於公共政策執行的部分）[6]。「114」

6 Hill 和 Hupe 在 Ostrom 的研究基礎上發展了一套類似的方法，分為「建構治理」（constitutive goverance）、「制度管理」（institutional goverance）、「操縱管理」（operational goverance）（(Hill and Hupe, 2006; Hupe and Hill, 2006）。

分析模型

第三部分將會詳細展示本書中分析模型的邏輯，以及各種變項和假設。本書的分析方法要從實質性（substantive）（公共問題應該如何解決），和制度性（institutional）（哪些行動者要涉及其中？需要哪些社會資源以及應該應用怎麼樣的制度規則？）這兩方面來探討。「117」

這一部分首先將會展示某一對比研究方法的框架，從而促進對實際政策的分析（第 6 章）。接下來將會根據政策的四個不同階段對各種依變項（或社會現象）進行定義：議程設定（agendasetting）（第 7 章）、計畫（programming）（第 8 章）、執行（implementation）（第 9 章）和評估（evaluation）（第 10 章）。

本書將會透過各種類型的政策行動者、不同政策資源，以及決定政策資源使用和交換的制度規則，解釋和分析出現在政策不同階段的六種政策產品：

1. 公共問題的政治定義（PD）。
2. 政治行政方案制訂（PAP）。
3. 政治行政安排（PAAs）。
4. 政策行動方案（APs）。
5. 正式的執行行動（產出）。
6. 對目標群體行為改變（即對政策影響）和對問題解決效果（即對最終受益人產生的效果）做出的評定報告。

這六種政策產品在上述各章中會從實質性（substantive）和制度性（institutional）這兩方面分別進行。

第三部分最後一章（第 11 章）提出了關於這些政策產品、公私行動者博弈、所調動的政策資源，以及與政策有關的（一般或者特殊）制度規則之間可能存在的關係的種種假設。最後，第 12 章則對本書概括總結。

CHAPTER

分析模型

6.1 政策週期及其產品

「119」

根據本書第二部分中提出的政策分析中的關鍵因素，公共政策可以被解讀成**公與私行動者**間相互作用產生的一系列決定或活動。公私行動者間的行為受到了各自擁有的**資源**、**一般的制度規則**（涉及整個政治體系運作的規則）以及**特殊的制度規則**（政府干預政策中所涉及領域的法規）的影響。

採取這種研究取徑，讓我們將分析的變項區分如下：

- 不同的政策產品的範圍和內容（無論是實質性的還是制度性的）組成了依變項，也就是需要解釋的社會現象。

  同時，
- 行動者之集成（屬性分類）及其行為構成了自變項，這是能夠解釋前述依變項的社會現象。這些自變項會受到自身可調動的資源和一般的制度脈絡直接影響。

為了能使這種多元分析方法可以被廣泛應用到實踐中，首先應該瞭解公共行為的實質性和制度性結果的本質。為了更好運作這些依變項，需要運用政策週期的概念（本書第 2 章 2.4 節）。因此，一個政策過程將會被分成以下四個階段：(1) 將待解決的問題提到政府議程中；(2) 制訂公共干預的法律法規；(3) 藉由政策行動方案（APs）和正式行動（產出）來執行政治行政方案制訂（PAP）；(4) 評估政策效應（影響和結果）。

「120」

圖 6.1 呈現了公共政策作為這些不同階段的函數所包含的六種產品。

第一階段：議程設定

產品 1：公共問題的政治定義（PD）

第四階段：政策評估

產品 6：公共政策效應的評估報告（EE）

第二階段：政策方案設定

產品 2：政治行政方案制訂（PAP）

產品 3：政治行政安排（PAA）

第三階段：政策執行

產品 4：政策行動方案（APs）

產品 5：執行行動（產出）

圖 6.1　政策階段與政策產品（假設 1）

因此，政策分析者需要根據以下特徵找出所有政策中的這些政策產品：

- 公共問題的政治定義（PD）不僅包括政治上的干預決定，同時也包括公共問題的界限劃分，公共行動者所認為導致公共問題產生的可能原因以及所設想的公共干預行動。
- 政治行政方案制訂（PAP）包括由中央政府或者是其他公共行動者所採取的，實施相關政策所必須的法律法規。
- 政治行政安排（PAAs）明確了各公共行動者在執行政治行政方案制訂時的能力、職責和可以運用的資源。
- 政策行動方案根據地理條件、社會環境以及時間緊迫性來確立在政策執行中的優先任務。
- 執行行動（產出）涵蓋了執行措施中所有的活動和行政決定。

- 公共政策效應的評估報告是為了說明政策目標群體可能發生的行為改變（即影響），以及政策對最終受益人產生的效果（結果），同時從科學或政治的角度來理解某種程度上已經執行的政策的意義、效力及效率。「121」

所有的這些政策產品都源於某個決策過程。在決策過程中，各政策行動者運用不同資源不斷進行相互作用。而無數的一般性制度規則和政治干涉領域的特定規則對這些決策過程進行管理。

在各決策過程中，公私行動者都會建立一系列制度安排，這些制度安排的建立始於問題的政治定義和議程設定階段，並在政治行政方案制訂，實施和評估的過程中得到不斷的發展。這些制度安排在政策執行階段尤為重要。正因為如此，政治行政安排本身作為一種產品在有意無意中會產生一系列特別的或實用性決定。所以說一般的規則執行規範只出現於限定的次國家級別。也就是說，他們在每個領域都有巨大的差別。不僅如此，公共行動者一般將這些制度安排視作策略方案，從而產生對新的政策實質性內容的定義。

我們這裡所堅稱的一點，就是所有的六個政策產品都是從兩方面進行分析的，那就是實質性內容（如何解決該問題？）和制度性內容（根據哪些制度規則可以確定哪些行動者可以進入這個領域，哪些資源將會在下一個階段繼續做出貢獻以幫助解決問題？）。直到今日，這種政策中的雙重性在政治層面上或多或少都得到肯定；但是在其他的政策產品中就很容易被忽視（特別是議程設定、行動方案以及政策產出，甚至是評估結果）。

同時，需要強調的是該雙重性也在純制度性政策產品中有跡可循，那就是為政策執行做準備的政治行政安排。事實上，就像前面描述的那樣，決策過程中的主要問題在於任命有能力實施政策相關措施的政治行政機關。根據定義，這個階段所涉及的問題偏向制度問題。「122」但是，也不應該忽視這個政策產品中的實質性內容，因為政治決策者通常都會提名一個公共機構來執行任務，同時毫無疑問地希望能朝著某個給定的方向執行政策。例如，在英國，制訂兒童保護各項政策需要努力確保各部門的政策協調，因此需要負責教育、衛生健康、法律秩序，甚至是財政等工作的部門參與。經管如此，帶頭部門的任命從過去的衛生健康部門到現在的教育部門，將會對政策實施的內容方面產生一系列影響。

制度規則（不論是一般的，還是在某一政策產品中特有的），政策行動者及其所擁有的資源（自變項）和六種政策產品（依變項）之間的因果關係會根據政策週期的四個階段分別進行分析。但是，本書的分析模型目的在於從認識某一社會問題到透過公共干預解決社會問題，對政策進行完整的描述、理解和解釋（詳見圖 6.1）：因此，我們假定，**政治循環中某一階段（例如，政策方案設定）的實質性和制度性結果會直接影響接下來的階段（如政策執行階段）的內容**（假設 1）。

這個假設似乎只是一個基本常識。事實上，這一假設其實表明了公共行為即使不是線性的，也是有規則可循的。因此，只要某一政策目的在於滿意地解決某一社會問題，其來源即是（至少有目的的來源於）一系列相互協調，有目標的決定和行為。為了確保公共行為一定程度的可持續性和可預見性，政策某階段的政治行政活動將會限制接下來階段各活動的範圍。除此之外，假設 1 也明確表示有結構性的因素也與政治行政活動的惰性密不可分（例如，修改法律上的困難以及改變行政組織架構上的難度），以及程序上的因素同樣也影響著這個民主政治的應用準則（例如，在行政法上採用很多原則，例如合法性、法不溯及既往）。

「123」

也就是說，假設 1 提出政策某一階段中的實質性和制度性結果都會受到前面階段所做的決定和活動的影響。

6.2 政策行動者間的博弈對政策實質性和制度性內容的影響

然而，上述假設只是本書理論模型的組成部分之一。因此，我們也認為，**在政策週期的每一個階段，參與其中的政策行動者可以利用行之有效的制度規則和尚未被運用的資源來影響該階段的政策內容**（假設 2）。政策行動者會試著調整、修改甚至推翻在先前階段中已經被具體定義、決定和提議的事項。

在政策過程的每一個階段，政策行動者都有可能進入或退出政策領域，並且之前屬於少數派的行動者也可能憑藉一己之力，或者是藉由聯合其他行動者，透過運用（新）制度規則、重新整合資源來最終實現其利益、政治理想和權利。這會給政策帶來巨大改變（見圖 6.2）。

需要注意的是，行動者間的博弈也會影響到上述中的兩大利害關鍵點，即政策的實質方面和制度方面。尤其是在議程設定和政策方案設定階段，行動者都盡力獲取一個關鍵位置，為的就是在政策的具體執行和評估階段中能夠建立利己的規則並且獲取充足的資源。以農業政策為例：在政策形成和執行階段，行政機構內的農業遊說團體及其代表會在政策的每個階段力求他們所獲得的機制是為其利益服務的（例如農業補貼、監管條例）。

「124」

假設 2 說明的是，公共行為不是線性的，也不是完全由個體或集體行為所決定的。一直存在的各種誤差和不確定領域，提供政策行動者進行評估和操縱的機會。考慮到社會及國家機能不斷分化所帶來的社會複雜性以及所涉行動者間達成政治妥協存在的制度性難題，政策方案制訂中很難顧及到執行過程中所有的實踐細節或利害關係。因此，在政治行政方案制訂中沒有預計到或者未解決的矛盾，在政策執行階段有時會以不同的形式再次出現。公共措施執行和政策效應評估的研究常常表明，所有政策的執行本質上都是一個社會政治進程，其過程和實質性、制度性結果通常都是很難預見的。

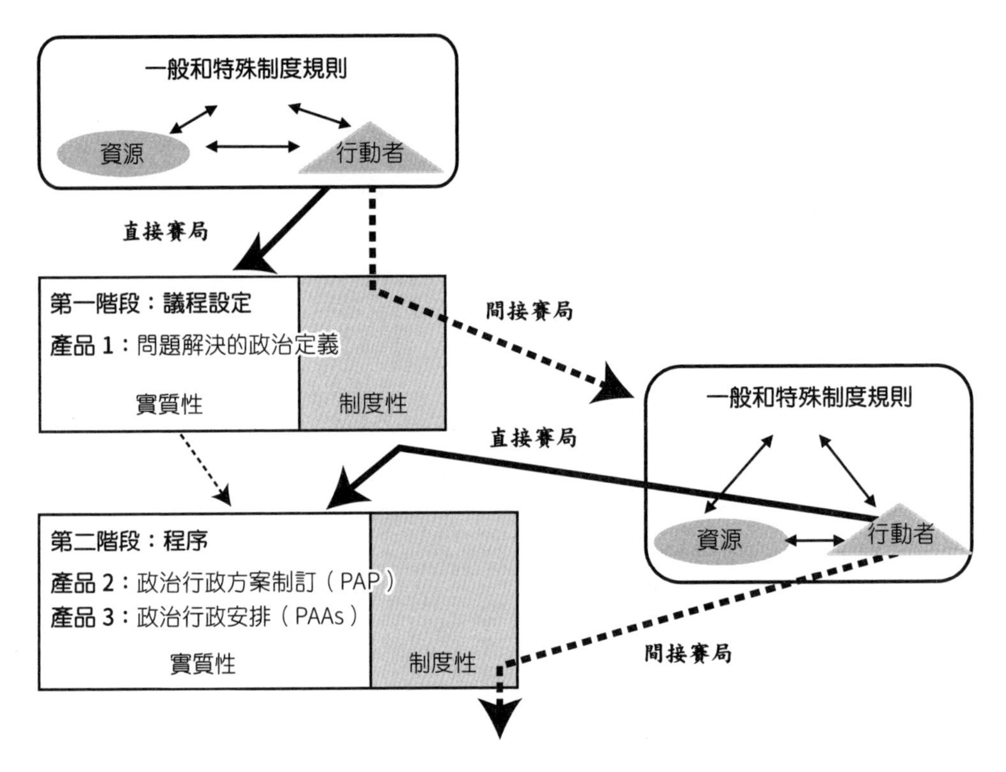

圖 6.2　在公共政策前兩個階段中，對三方行動者的直接或間接影響（假設 2）

換句話說，假設 2 表明，某政策階段的實質性和制度性結果不僅會受到前一階段各種決定所影響（假設 1），還會受到當前此階段的各種變化所影響，舉凡：制度框架、政策資源、行動者之集成（屬性分類）和行為之變化。

6.3 綜合理論模型

本書理論模型所根據的兩個假設源於理論思考，並且經實證研究證明有效。適用於政策週期各階段之間存在的所有聯繫。

在最初定義有待解決的集體問題時就已經包含了「因果聯繫」(Stone, 1989)，這種「因果聯繫」明確了誰該對某一公共問題負責或者能夠採取行動解決這種問題，從而影響了政策方案中解決方案類型的選擇。然而，在國家干預行為中被定義為目標群體的社會行動者（尤其是當他們的行為被政治定義為公共問題的原因時）在政策方案設定階段很少會坐以待斃，相反，他們會積極地將造成問題的原因歸責於另一社會團體，或者至少推卸部分責任（犧牲對稱〔symmetry of sacrifices〕），以避免過於調整自身行為。

這樣的行為不勝枚舉，尤其是在環境問題上，工業企業、農民、司機甚至是地方公共機構等汙染者總會試圖提示人們有其他汙染者的存在並強調他們的責任。當某些部門被認為毫無成效時，也會發生同樣的情況。例如，衛生部門可能會將某一醫療衛生問題歸責於衛生部門能力範圍之外的一些因素，例如是社會保障或是收入維持問題。

對政策實質和制度的雙重性認識，促使政策分析者探究政策各階段中不同公共政策產品之間的直接和間接聯繫，以及政策產品與公私行動者間互動本質間的關係。事實上，實質性決定或行為能加強或減弱制度性決定。兩者的一致性對政策過程下一階段所產生的（制度性或實質性的）結果有決定性的影響。因此，新行動者的參與（例如環境學家參與到農業政策之中）或者是修改制度規則（例如，賦予最終受益人和政策第三方上訴權）會對某項法規的實施產生一系列影響。

圖 6.3 展示了綜合理論模型，結合了圖 6.1 和圖 6.2 的元素。該模型能就以下問題按照時間順序對政策各階段（議程設定、政策方案設定、政策執行、政策評估）進行分析：

「126」

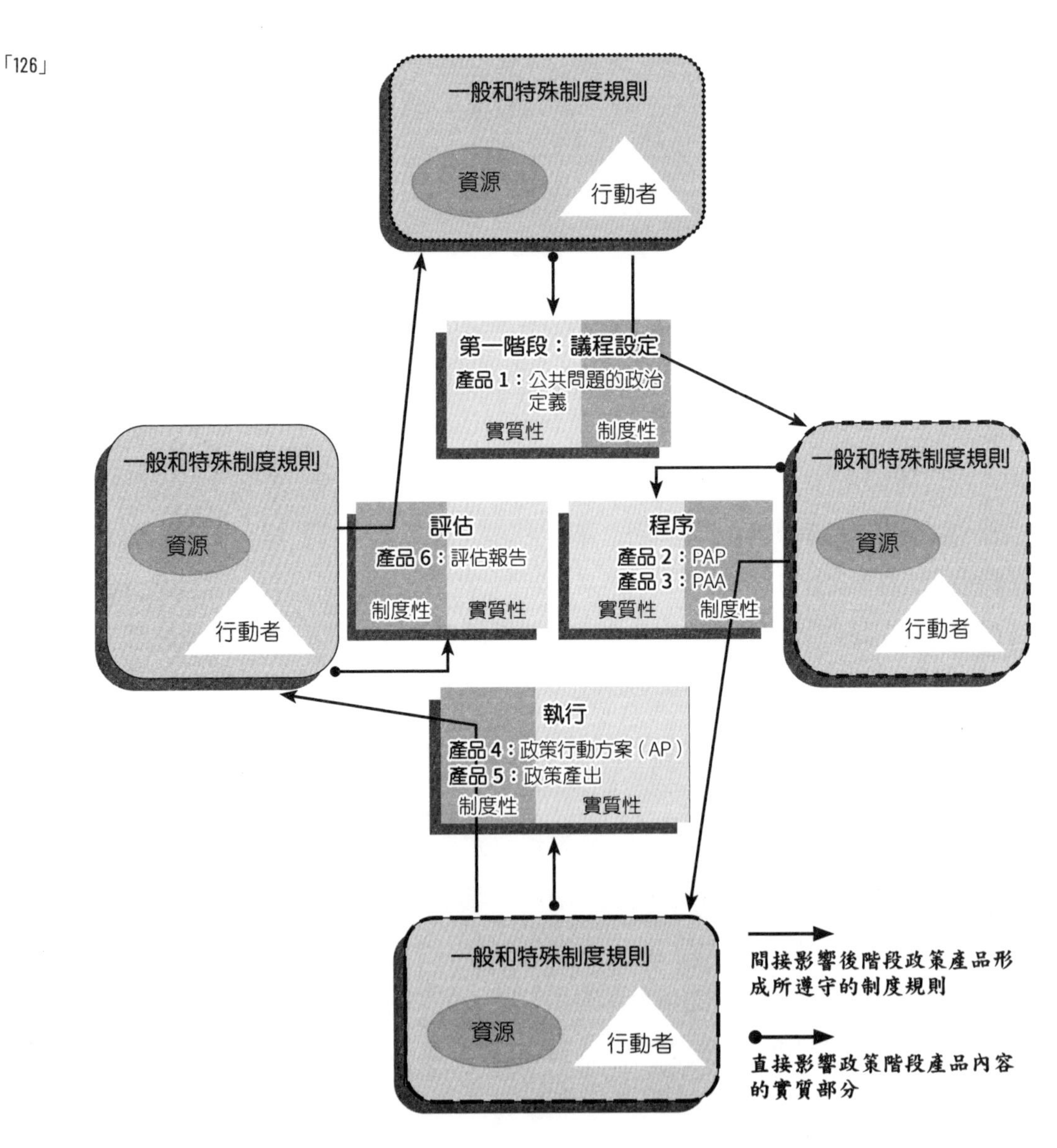

圖 6.3　公共政策分析的理論模型

- **公共政策中「實質性內容」的具體化**：當公共政策試圖解決某一集體問題，其行為和決策都直接指向最終的政策結果。因此，政策分析者必須在政策不同階段從現實角度具體化公共行為中的真實內容。比如，在政策方案制訂過程中，當所建立的目標被納入政府工作議程時，該目標必須是從政治上被定義為有待解決的問題。同樣，對於執行措施效果的評估也應該基於該措施是否對政策初始階段所明確的公共問題的解決有實質性作用。這種實質的一貫性是公共政策產生效力的必要條件。現實中，這個條件未必能被滿足。例如，隨著政策的不斷推進，公共問題的定義會發生改變；或者評估標準並非是政治行政方案制訂裡的目標。

「127」

- **「政策領域」的鞏固**（見本書第 3 章 3.3.1 節）：隨著新興集體問題的出現，如果行動者得以發揮的政策場域的界限模糊並且極具滲透性，那麼隨著時間推移而進化的政策將能使行動者的類型和數量，以及其間互動的頻率和品質逐漸穩定下來。基於和國家干預有關的基本三角模型（國家、目標群體、最終受益人），政策觀察者在分析政策的關係面向時，應當能確認該政策場域的初始狀態及後續如何進入鞏固狀態（即使有關如何界定何謂初始與鞏固狀態的見解有所不同）(Clivaz, 1998, 2001)，其中也包括政策第三方群體（被正面影響的第三方和被負面影響的第三方）。
- **「制度資本」(institutional capital) 的構成**：制度規則會影響政策行動者的策略，這是因為它們能夠限制和提供各種行動的可能性，也能穩定與其他政策夥伴所作決策和行為之間的關係。從這個角度來看，他們是個體行為、行動者間互動行為和所產生實質性結果的穩定因素。政策分析者透過關注公共行為的制度性方面，能夠認識到「制度資本」的組成部分不僅包括憲政以及治理政治行政體系中各組織機構的法規，也包括具體公共政策中所描述的成文或非成文的規則（見本書第 5 章 5.2 節）。

「128」

- **所有「資源種類」的利用**：無論是公行動者還是私行動者都訴諸於多種（組合型）資源來實現其利益。在本書第 4 章中所提到的十種資源在政策的不同階段效用大小不同（例如，公共問題定義階段中的資訊資源、政策方案設定階段中的法律資源和執行階段中的溝通資源）。資源的效用大小也取決於行動者的性質（例如，政治行政當局的法律特權資源、私行動者部分控制的「共識」資源）。然而，幾乎很難具體預測哪一個行動者會動用何種資源，出於何種策略考慮並能取得何種程度的勝利。回答哪些資源會最終被利用、整合和替代的問題需要結合具體實例進行分析。透過本書的分析方法，分析者能夠觀察到隨著政策過程的不斷推進，有效調動的資源種類不斷增多，政策行動者之間進行資源交換（例如，以財政補貼交換共識），甚至某些資源的狀態可能會發生改變（例如，私有資訊公共化）。最後，實證研究表明在某些特定情況之下，同類政策行動者可能會出現整合不同資源的情況。

總而言之，本書中的分析模型採納了「政策週期」概念中諸多啟發式的優點（見本書第 2 章 2.4 節）。這一分析模型有助於將公共政策看成一個動態的過程，並且能夠明確和分析政策週期每一階段中的利益關係，和一定數量的政策行動者。雖然藉由基於政策四個不同階段對研究問題、變項和假設進行劃分能簡化實例分析，但此研究模型仍然避免這類循序研究政策的方法所帶來的局限性。這種循序的方法是參照政治行政活動的時間順序進行的，有時過於拘泥於法律或是奉行由上至下的公共行為方針，而忽略了外部事件或集體學習過程（collective learning process）(Jenkins-Smith and Sabatier, 1993, pp. 3-4)。本書中的分析模型也可以用來解釋某一政策階段中並不完全依賴先前政策階段內容的實質性和制度性結果，所以這也拓寬了政策分析的視野。

因此，在進行實證研究時，建議分析者採用雙管齊下的解釋方式。首先，分析某一政策階段的實質性和制度性結果可以透過分析這一政策之前階段的一系列決定和行為（假設 1）。

其次，並且最重要的是，如果兩個相繼政策階段的範圍和內容有根本性的差別，那麼就有必要解釋這種在實例中政策階段缺少連續性的現象：也就是哪些（新）行動者用哪些（新組合的）資源來干預政策，又與其他行動者在哪些（新）制度規則下，有哪些（新）互動產生（假設 2）。

需要強調的是，雖然公共政策週期四個階段中的六項政策產品的內容各異，但他們卻有類似的結構特徵，擁有實質性和制度性的雙重性，在相關章節中的編排也是一致的：

1. 對於公共政策週期中某一特定階段的政策產品的**一般定義**（待解釋的變項）。
2. 實證研究中所要求的從不同維度，實質性和制度性角度，來分析政策產品的**操作化**（需要從實證角度觀察的維度）。
3. 總結性描述產生政策產品的**決策過程**（何種行動者參與、運用哪些資源以及遵守哪些制度規則）。

最後，需要再次強調的是，這種研究方式有利於真正的比較性研究。這裡提到的分析維度能夠清楚地比較行動者、所運用的資源、適用的制度和政策產品，而且其比較物件不僅限於同一政策不同階段（歷時分析），也包括了不同國家之間或同一國家內不同政治行政屬性的部門之間的決策進程（共時分析）。

政治議程設定

根據第 2 章的定義，公共政策是由不同行動者為了解決一個在政治層面上被認為是「公共」性質的問題，而做出的一系列決議和行動。所以，首先應該瞭解「公共問題」的確切概念。「131」

本章將探討**社會**問題是如何被發現，之後轉變成具有主導性**公共**問題的一系列過程，同時會分析政治**議程設定**中的各種特徵。根據本書分析模型，公共問題的政治定義是在研究具體事例中國家干預的政策週期過程中的第一個政策產品。

事實上，相比政策方案制訂，執行和評估等其他政策階段的研究，對公共問題的政治定義和再定義過程的研究至少在數量上是落後的。顯然，正確定義某項政策需要解決的公共問題是極其重要的，如果沒有考慮到這點，政策分析以及對政策實施的研究一定出現問題。

> 我們知道公共問題的政治定義階段是接下來的政策設計執行過程的框架和基礎，所以如果沒有很好地評估一個問題，錯誤定義了一個問題，那麼接下來的政策操作過程將會變得非常艱難，處在一片黑暗之中（DeLeon, 1994, p. 89）。

就像 Anderson（1978, p. 20）和其他學者的觀點一樣，一項政策的發展不能簡單解釋成是根據特定問題本身的既有特徵而制訂的解決方案。它也包括對公共問題的定義和建構，這是一個政治設定的過程，既會影響或決定一項政策牽連的行動者，包括政治行政安排（PAA）中牽涉的公共機關、目標群體、政策最終受益人和政策影響第三方；也會影響或決定所實施的公共行動的實際性質，即政治行政方案制訂（PAP）所選擇的干預模式。

根據以上的觀點，本章首先將會介紹建設性地分析公共問題的必要性（詳見 7.1 節）；之後，根據第 6 章闡釋的分析框架將會從總體上定義並運用「公共問題」這一概念（詳見 7.2 節）。最後，透過相關政策行動者的不同策略，其所使用的各種資源和第一階段的制度規則來明確議程設定的各個過程（詳見 7.3 節）。

「132」

7.1 公共問題的社會建構

為了分析公共領域相關問題，並在此基礎上使公共干預合理化，我們必須採取「建構主義」的取徑。實際上，我們可以合理地認定並非客觀事實構成問題本身（Cobb and Elder, 1983, p. 172; Dery, 1984, p. xi）。一個問題，從社會及政治層面來定義，說明了問題本身就是一種集體建構。並且，這樣的集體建構牽涉到行動者對該問題的看法與描述、行動者自己的利益、價值觀（以上這些也都與下列的二元事實相關聯：個人行動者同時也是其所屬群體中的一員）。因此，所有的社會現實都應該被理解成基於特定時空背景的歷史建構。如果我們聚焦在某一問題，該問題之建構端賴以下兩種人的屬性分類：受到該問題牽連的人、必須改變行為來解決該問題的人。

重要的是，讀者應充分理解我們並沒有要否認構成某社會問題的客觀條件（例如：不斷增長的、對氣候穩定造成威脅的二氧化碳排放量；不斷增長的失業人群，其物質條件無法確保，心理狀況欠佳；城市地區暴力事件頻仍；邊境地區難民大量湧入）。相反地，我們想要強調的是：即使這些既存事實在某些情況下是構成社會問題的根本，卻仍然只是構成問題的諸多面向的其中一環。因此，政策分析者需要做的是：區辨集體建構過程中的行動者及其觀點，是這三個因素決定了客觀條件如何被覺知、被認定是有問題的（所以需要公共干預）。

採用建構主義之取徑檢視社會問題和公共政策，需要注意至少三點：公共行動的再建構與詮釋（參閱 Vlassopoulou〔1999, pp. 13–17〕），以及政策產品。

「133」

1. **「理性主義」分析方法的局限**：根據本書所知道的「定義分析法」（definitionalapproach）（Spector and Kitsuse, 1987），本書認為**公共政策**不等同精確的**行為制訂方案**。然而，這種比較在北美的研究傳統中比較常見。行為方案制訂假定了一個清晰的公共行為目標。如果有必要，他們的目標將會根據外部的情況制訂（舉例來說，根據需要被解決的問題的客觀標準），政治上的挑戰只在於選擇合適的手段在實踐中完成這些具象的目標。這種制訂公共政策的理性主義視野，促進了計畫項目預算系統，以及其他希望透過科學計畫設計政策流程的方法論的發展。這種理性主義方法說明，一旦定義需要被解決的問題和公共行為的政策目標，就不會再隨意改變。毫無疑問，這種行為方案能確定立法者和政策執行者的意圖 —— 讓政策分析者能有形地觸摸到。然而，行為方案並不能被解釋為脫離政策之外的獨立存在，他們亦是社會問題、社會現狀的一個產物。總而言之，如果政策分析者一直拘泥於對立法方案的評估（PAP—— 詳見第 8 章 8.1 節），就不能好好回答國家究竟面臨了什麼樣的問題，以及為什麼一項政策致力於解決此問題而非彼問題。

   舉例來說，政府不允許在午夜之後開啟公共照明工具的禁令可能是為了防止夜晚的空襲（在戰爭國），減少能源排放的措施可能說明地球氣候存在某種威脅。

2. **時間順序分析方法的局限**：運用固定的、嚴格的線性順序模式來分析一項政策（議程設定→方案→執行→評估）說明把公共問題的政治定義過程看作是在政策發展過程中單獨隔絕的一個階段。如果所有公共政策首先是植基於對一特定問題的集體肯認與主題化（議題化），那麼後續的政策制訂、執行和評估也是基於一開始對問題的定義而漸次展開的。這也是最初對公共問題之定義的具體化、再定義和修正（Plein, 1994）。問題的建構是一個持續的、非線性的、開放的過程。透過對政策週期歷時性的學習，在政策週期的每一個階段分析者都要回答與最初定義出來的問題一脈相承的政策內容、牽連行動者和制度環境是什麼。或者相反地，指出參與政治再決議過程的有關行動者（那些可能在最初公共干預決議過程中被排除在外的行動者）。本書在這部分運用順序分析方法分析公共政策，是基於其某些具有啟發性的優點 —— 它不考慮再定義這種持續性的過程，一方面能模糊公共行動潛在的挑戰，另一方面也能成為一種解釋因素突出整個過程中政策實質內容和制度的變化（例如，由於對最初目標完全顛倒的解釋或對新事實的認識）。實際上，對需要解決的問題重新定義，應該被當作一種政策的變化來看待。

「134」

大氣汙染防護政策就是這種動態變化最好的實例（Weale, 1992）。在 1950 年代，這項政策只是致力於解決由家庭和工業公司在城市地區排放的汙染物。由於發現強制性建設的高煙囪排放的酸性汙染物能夠長距離漂流，這項政策的目標變為針對所有來源的大氣排放物，不論位置是在城市或鄉村。這個原則最終被新發展的政策措施所取代，新措施要求在所有家庭或工業煙囪上都加裝過濾網。到 1980 年代，相同的政策經歷了第二次重大變革，因為溫室氣體的影響導致由汽車廢氣排放的汙染物也被認定為此項政策的目標群體（以前這些汽車都被排除在環境政策干預的範圍之外）。

3. **部門分析方法的局限**：最後有一種方法僅僅考慮方案制訂和背後的政治行政架構，用一種部門分析框架來解釋公共政策。如果某個公共行政機構管理整個政策方案制訂和執行的過程，那麼國家干預的某個公共問題就是由這一特殊部門擔起責任的。通常根據行政職能分配的傳統和習慣預先確定責任分配。如果只是透過行政行動者的組織聯盟來確定政策制訂和執行的責任分配，政策分析者就會忽略對集體問題再定義過程的批判性解釋。實際上，一個社會問題往往牽涉不僅僅一個行政部門來進行干預（舉例來說，大氣汙染可能造成公共健康問題，同時還會造成其他環境保護問題、運輸問題、石油能源生產消耗問題等等）。更有甚者，如果一個問題的定義被解釋成一種演變的過程，那麼政治行政安排中對於相應政策的管理責任分配隨著時間推移，會從一個部門轉移到另一個部門。不考慮這些機制上的變化會造成對集體問題解釋的局限性，僅僅看到它的一個方面。因此，也會導致對公共政策演變過程的把握不到位，以及造成不同公共行動者之間協調的問題（注意在一項政策內部的協調和幾項政策之間的協調）。

「135」

7.2 第一個政策產品——公共問題的政治定義

在闡述了「建構主義」方法的必要性之後，現在需要來定義和運用「公共問題」這一概念，從而知道首個政策產品的分析重建。

7.2.1 公共問題：定義因素

學者 Gusfield 曾對「社會問題」和「公共問題」做出了明確的區分，認為不是所有的社會問題都一定是公共問題，如存在某種政治爭議的問

「136」

題。因此，當社會問題出現在公民社會後，在某一新的政治行政領域內受到討論時，其便成為了公共問題。從這種程度上來說，公共問題本質上是帶有政治色彩的。換句話說，一個問題是不是公共問題在於它是不是已經被提上政治舞臺。在定義問題的階段，公共行動者（譬如行政機關、政府、議會）意識到需要有一個可行的國家方案來解決既定問題。

更具體地來說，Garraud（1990, p. 20）定義以下三種參考條件來確定一個問題是否公共問題：⑴ 源自特定社會群體的要求；⑵ 具有爭議性或引起公共爭論；⑶ 組織性的社會群體和政治機關之間在此問題上存在矛盾。

在嚴格的時間順序模型的基礎上，一個問題是從社會領域轉到公共領域的這種觀點會促使人們將公共政策行動者定義為議程設定的組織者。儘管這種觀點有一定道理，因為其指出了公共行動者的積極作用。然而，必須指出的是，一個問題演變成公共問題的過程並不是直線型的，也不是必然的。

一方面，就像 Vassopoulou（1999, pp. 19-20）所說的，「一個公共問題可能包括了是舊的社會關注和新的政治構造」。公共問題構成的特殊性在於，它是由特定公共授權機構定義並負責解決，而不是由於社會問題自身性質關係讓公共機構負責解決。

另一方面，一些社會問題從未被當作公共問題而受到公共干預。與民主多元觀點相反，並不是每個行動者都能參與決策領域來提出某個社會問題。Bachrach 和 Baratz 強調（1970, p. 6），某些特殊的社會力量能夠讓社會問題遠離政治舞臺。稱之為「無決策」（non-decision），這些機制上的漏洞強迫社會行動者尋求其他方式來解決社會問題，或是透過自身努力來尋求解決方法（透過使用集體政策或私人政策）：

> 透過「無決策」手段，社會中對現有福利和特權分配進行改變的各種要求，還未被發表就已經被阻止，或者一直被掩蓋，甚至在進入

相關決策領域之前就已經被扼殺（Bachrach and Baratz, 1970, p. 44）。

我們建議所有經驗主義分析者，學習一個私人困境是如何被理解進而演變成社會範疇的問題，並提上政治舞臺。除此之外，這種分析是為了在定義過程中指出可能的陷阱（也就是各種形式的非決策〔non-decision〕）（參見圖 7.1）。「137」

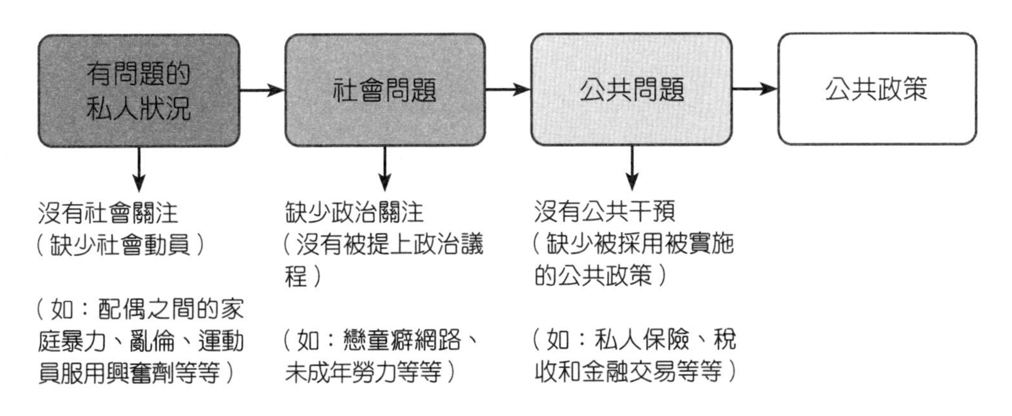

圖 7.1　公共問題的定義過程和可能出現的陷阱

社會學方法（sociological approach）主要關注個人因素，相反地，集體章程或條約能讓私人困境引起社會關注，從而形成大眾共識的社會問題而非私人問題（關於這一課題的討論，詳見 Hulley 和 Clarke〔1991〕研究的英國案例）。

政治學方法（political science-based approach）主要分析社會問題的關鍵因素，這些問題的結果往往要求公共干預救助，參與政治議程設定的不同行動者往往包括私行動者、公行動者、個體和群體。就像 Garraud（1990, pp. 17ff）指出的，任何將政策行動者多樣性作為考慮因素的議程設定分析都一定會用到多種學科知識，特別是與政治參與、（新）社會運動、媒體，和決策過程有關的知識。

根據圖 7.1 的描述，本書認為所謂「公共問題」是因為某種社會情況引起了政治上的關注和爭論，在政治層面被認定為是有待解決的問題。基於這種解釋的基礎，提出以下一些方面來分析「公共問題的政治定義」。

需要注意的是，有時候問題的發展也會呈現出與圖 7.1 完全相反的走勢，一個問題最初被認定是公共問題（比如，瑞士家庭政策中禁止同居的「138」法令），隨著時間的推移慢慢轉變成和私人領域相關的問題，進而不能被當作國家干預的直接目標。一些傳統上被認為是與公共領域相關的某些行業，正逐漸不再受到傳統政策或其他形式的國家規定所約束（如：競爭政策）。然而，公共服務的私人化可能會存在使用大量的公共管理活動來替代直接的公共供給。

7.2.2 操作分析

政策分析可能會發現一項政策的好幾個構成因素（Wildavsky, 1979; Gusfield, 1981; Rochefort and Cobb, 1993; Peters, 1998）。再一次強調，如果每個問題都是按照以下的方式被定義的話，那麼這種評估方法不僅僅考慮一個問題的客觀條件，還考慮參與這項政策的行動者的主觀意志和想法。因此，本書試圖透過以下所提出的四個構成因素，分析和解釋一個問題在議程設定過程中是被如何考量的。

另外，公共問題的議程設定階段通常被看作是一種「藝術」，即在某種程度上，為了推行某種政策，它結合了政策實質內容的制訂（例如，推進門診治療方式）和制度機制的設計（例如，降低醫院固定人力和基建成本的支出，允許不同組織和行動者進入醫療體系）這兩個方面。

最後需要指出的是，以上從操作角度提出的分析，是力圖呈現一種普適性方法來解釋一個公共問題，從而避免片面看待問題。

1. **問題的嚴重程度**：問題的嚴重程度是指在個人和集體層面某一問題所造成的後果大小。這裡是指相關行動者透過社會上造成的負面影響來判斷這個問題是嚴重到需要國家干預的問題（例如，失業現象導致的財政支出和心理壓力；核事故發生的風險；酒和毒品消費對健康造成的負面影響）；還是一個不值一提的「偽問題」，不需要引起政治上的關注和公共機關的介入（例如，之前的珍稀植物的消失現象；公共場所身障者通行困難的情況）。需要注意的一點是，對某一問題嚴重程度的判斷會因為行動者不同或時間段不同而得到不一樣的結論。

「139」

2. **問題的邊界**（perimeter）（**或受眾**〔audience〕）：問題的邊界存在於它負面影響的程度（或範圍），這與受影響的不同社會群體，以及這些群體的地理範圍，還有問題隨著時間的發展有關。定義一個問題的邊界需要瞭解受這個問題負面影響的人群和地區。很明顯，隨著時間的推移，一個問題影響的社會和空間範圍會越來越大。這種看待問題的思路是和所能預見的公共情況息息相關的。實際上，如果受影響的社會群體能夠被限制在一定的數目和地區範圍裡，他們就不太會引起政治上的關注，也就是說，這種問題要被當作集體問題是比較困難的。Schneider 和 Ingram 在 1997 年提出，對社會問題的定義是由積極或消極的社會景象，強或弱的社會群體力量來決定它的消極影響邊界或這種緊急情況的責任分配。

因此，可以將公共問題作以下區分：「影響範圍清晰集中」的公共問題（例如，水汙染、吸食毒品、市郊暴力問題）對應「影響範圍模糊並擴散」的公共問題（例如，禽流感、由核事故造成的人類和生態損害、失業問題）；「影響範圍迅速發展」的公共問題（例如，愛滋病或自然災害的相關問題）對應「影響範圍緩慢發展」的公共問題（失業人群和農民的經濟狀況問題）。

3. **問題的存在長短**：有些問題是隨著後工業社會的發展而新出現的，另一些問題則是長期存在的問題。一個問題的存在長短會成為它是否能夠很快接受政府干預政策的決定性因素。例如，Downs 在 1973 年提出，一個新問題通常能輕易獲得公眾觀點的共識，從而推動私人或公共行動者的干預。然而，經過一段時間的發展和沉澱，這個問題會變成慢性疾病逐漸讓渡自己的重要性，政治舞臺總是優先關注新興而棘手的問題。

「140」

所謂「新出現的」問題包括校園欺凌問題、基因工程和環境問題。相反，「長期遺留的」問題包括文盲、公共安全、物價穩定和低學歷人員就業困難問題。

需要注意的是，真正新問題和新公共政策的現象並不常見。儘管在福利國家剛出現或確立階段時，會出現很多新問題和新公共政策，但需要承認的是絕大部分的公共干預更可能是去修正或改變一項之前（部分）失效的政策，或者整合一些獨立的公共政策。

4. **問題的緊迫性**：社會問題或多或少總帶有緊急性。在一些極端的案例中，這常常是由在政治行政體系外出現的突發事件引起的，政府需要迅速回應和處理這種問題，即「危機管理」。在這種情況中，需要有能力的「政策企業家」（policy entrepreneur）打開一扇「機會之窗」（window of opportunity）（Kingdon, 1984），給他們機會來快速制訂政策解決特定的問題。

說到緊急問題，以下這些就不得不提：禽流感、口足病、愛滋病、1973 年和 1979 年的石油危機、1979 年的美國三里島核事故和 1986 年的車諾比核事故。不那麼緊急的問題包括，逐漸消逝的大陸、由於（職業）壓力和健康問題（營養、菸草、酒精）引起不斷增加的心血管疾病。

在實際操作和比較不同社會問題和公共問題時，這四個方面也並不能說是盡善盡美的。分析者同樣需要考慮這個問題的政治立場是否複雜（參與方多還是少），政策方案制訂是否複雜（單一問題源還是多方作用的結果），問題影響大小是否可以用金錢衡量，以及是否與其他公共問題相關（Peters, 1998）。

「141」

因此，需要區分多方問題源的問題（比如，由汽車廢氣、工業排放、家庭排放造成的大氣汙染）和單一問題源的問題（比如，在瑞士由於低水流而造成水力發電的困難、在英國由於水輸送系統滲漏造成供水短缺）。

同樣地，問題也能分為可以用金錢衡量影響的（譬如，由於企業開發市場而損失的多少億）和產生某些無形影響的問題（譬如，特定群體的種族態度）。

最後，定義一個問題是否與其他公共問題之間有聯繫是可能的。獨立問題包括，天氣預報不準確問題。彼此聯繫的問題包括，失業問題同其他宏觀經濟、貨幣、財政、教育和社會安全政策之間的聯繫。

這裡不再繼續討論這些補充方面。需要說明的是某一公共問題的類型並不一定完全基於其本身的本質特徵。

總而言之，公共問題的政治定義源於各競爭政策行動者之間在制度背景下產生的象徵性鬥爭。將某個問題作為公共問題的政治議程設定過程的各個方面是非常複雜的，值得深入研究。

7.3 議程設定

本節內容目的在於區辨議程設定過程中的各種解釋性因素。首先，公共問題的定義過程可以認為是一種權力鬥爭。在這一過程中，需要明確或採取某種「因果假說」，這一假說為未來的公共干預發展提供了種種框架。我們接著區辨與各種理想型之過程相關的行動者集成及其行動手段（所擁有的資源和制度規則）。

「142」

7.3.1 從「因果關係解釋」到「因果關係假設」

依據建構主義的取徑，所有的社會問題，或者更廣泛地說，所有公共問題都是由集體所建構而成的。因此，對於公共政策致力解決的某項公共問題，其政治定義是源於相關行動者之間的各種互動。在政治定義過程中，常常存在各政策行動者間的權力鬥爭，而並非存在取得公民社會一致同意的過程。因此，對公共問題定義的控制以及解決方案的選擇，都代表著一個最基本的政治挑戰（Weiss, 1989），甚至於說是一種至高權力的手段（Schattschneider, 1960, p. 66）。就如 Stone（1989）所陳述的，不同的社會團體相互鬥爭，從而使得自己對問題的定義受到採納。換句話說，相關行動者相互抵觸是為了能成為對問題解釋的「所有者」或者是問題的合法受託人（Gusfield, 1981, pp. 10-11）。

在這些爭論中，不同的政策行動者會提出不同的「因果關係解釋」（causal stories）：

> 對問題的定義過程其實就是一種形象塑造過程，而這些形象從根本上來說與責任歸因有關。因此，各種社會狀況自身並不能成為社會問題，必須透過政治行動者的各種塑造。但是，政治行動者會根據自己的立場，刻意描繪這些困難和問題，從而贏得更多的支持。因此，政治行動者不會簡單接受科學或者大眾文化或者其他來源的因果模型。他們會編造出各種解釋來描述面臨的危害和困境，同時也會將這些歸因於其他個體或者是組織的行為，從而要求政府採取行動阻止這些危害（Stone, 1989, p. 282）。

因此，與社會問題有關的社會團體會提出某種「因果關係解釋」；也就是說，受影響的社會團體將這個不能被政治接受的情形歸因於另外一個社會團體的行為（Edelman, 1988, p. 17）。在此情況下，就是說要定義一個問題就必須認清哪些團體會受到負面影響，同時哪些團體是這些負面影響的源頭，就是說誰應該為此負責任，誰的行為導致了這樣的問題，以及誰又必須承受這些解決方案所帶來的損失。「因果關係解釋」透過抽象意義上的責任分配來劃分特定的社會團體。在這個過程中，不同行動者運用各種形象和標誌來支援自己的論點（特別是在 Edelman［1964, 1988］的研究中有詳述；還有 Schneider 和 Ingram［1997］）。這在極右翼黨派所支持的理論中尤為明顯。他們將失業率、暴力案件以及其他的不良事件都歸因於外來移民這一社會群體。

「143」

此外，Stone（1989）還指出公共討論一般對複雜的解釋性或說明性理論都置之不理，因此行動者會有策略性地提出簡單的「因果關係解釋」。在大多數的例子中，受問題影響的社會團體會試圖讓人們相信是「有意」原因導致這些不宜的情況：是這些具有可預計性或者有預想性的人類行為而導致這些社會問題的（例如：「我呼吸道的疾病是源於工業不斷生成大量的汙染性排放物所導致空氣品質的惡化」）。如果說這個理論站不住腳，那麼本書就「過失」理論來解釋這個因果關係：社會問題的確還是由於人類行為導致的，但這些行為並不能被預見（例如：「我在臨床輸液過程中得了愛滋病，因為那些本不可缺少的警示並沒有被採取，這是由於現代醫藥知識的缺乏」）。相反地，那些需要為集體問題負責任的社會團體會將引起問題的原因歸結於「無意識原因」或者是「意外原因」來脫離所有的譴責；在這樣的例子中，本書認為是外界的活動或者是沒有被精心指導的人類行為，導致了這些不能被預期到或者不被期待的結果發生（例如，飛機的失事是因為某些技術上存在未知的問題，因此航空公司不需要負責，同樣地，飛行員也不需要負責，因為並不是因為他的操作不當或者安全控制工作沒有做足而導致的；異常的乾燥天氣導致了水資源的匱乏，而非水資源保護不充分和水資源輸送管理工作不完善所造成）。

從一個分析的角度來說，所有的因果關係解釋，一方面有**經驗認知**（empirical-cognitive）的內容（有時還包括可靠的科學基礎），另一方面有**道德或規範**（moral or normative）的標準。Hisschemöller 和 Hoppe（1996）結合這兩個方面，發展一種根據公共問題建構程度而分類的方法。因此，他們認為，政府若是想要有效解決這些問題，那麼每個問題都會有相對應的政策（過程）（詳見表 7.1）

「145」

「144」

表 7.1　問題結構和政治策略之間的關係

規範層面 / 認知層面	**待解決的問題中，規範和追求價值的不一致**	**待解決的問題中，規範和追求價值的相一致**
忽視導致問題的本質內容	無關結構之問題（→採取集體學習的策略） 例如：生物工程的影響和非電離波（手機）	與結構部分有關之問題：在目標層面達成一致（→採取協商的多元策略） 例如：阻礙毒品網絡，解決青年失業率
（科學的）確定待解決問題的起源和影響範圍	與結構部分有關之問題：在方法上達成一致（→採取和解的策略） 例如：在墮胎政策的時間期限上的問題	高度受制於結構之問題（→建立在法律法規上的干預策略） 例如：透過對城市、工業和農業這些汙染源的控制來解決汙染問題

資料來源：Losse 採取了 Hisschemöller 和 Hoppe（1996, p. 56）的說法並加以解釋。

這種分類方法在不同的政策中區分對每個階段產出的定義是很有意義的，同時也將問題的本質內容與政府所採取的干預政策之間的關係更加形式化。但是，就如 Stone 在他的理論中提出，這種分類方法有一定的局限性，它只關注於這個「因果關係解釋」中每個階段對於社會問題的（重新）定義。

根據政策的「基本三角模型」（詳見第 3 章 3.4 節），由 Stone 提出的「因果關係解釋」和本書所提出的用來確認政策目標群體和受益人的「因果關係假設」有相似之處。從這方面來說，本書提出的「因果關係假設」（包含在政治行政方案中）是最終被採納的「因果關係解釋」。因為這種「因果關係解釋」根據社會問題組成條件的現存知識，是最令人信服的；或者因為根據問題定義階段相關政策行動者的利益，其最符合政治期望。在實際研究中，當「因果關係假設」達成政治共識或者至少在大多數行動者之間達成一致，公共問題的政治定義階段就可以被認為是完整的。

接下來的內容將會討論一些政策議程設定模型。這些模型將會明確不同的政策行動者，包括運用並結合某些資源，如議程發起者或「所有者」；以及公共問題討論的行動者。

7.3.2 過程：行動者、資源和制度動員

政治議程設定研究的主要是哪些因素可以吸引更多的行動者來關注這些社會問題（因此就逐漸變成了公共問題），同時缺少哪些因素這些社會問題就不會成為公共爭議的話題或者不能吸引政府干預。具體來說，其中會涉及對行動者的定義以及在議程設定中所涉及的程序。直到現今，也沒有一個通用的理論來解釋議程設定中的構成因素、定義問題，也無法解釋如何使最初討論這些社會問題的行動者進入該階段。相反地，在文獻中很多不完善的模型描述了在整個議程設定中某一個特定的程序。因為不能窮盡各種模型，接下來將會列舉出「議程設定」的五種理想類型。 「146」

透過媒體報導凸顯問題

支援「媒體報導」模型的學者強調了大眾媒體（報社、廣播、電視以及網路），和各種民意調查機構（如關於需要解決的首要問題對大眾進行的定期調查）在公共問題認定過程中起著至關重要的作用。媒體透過將

宣傳重心放在某一個社會問題上來直接影響公眾的意見，這在處理危機的時刻更為明顯。因此這也就能促使公共行動者及其政黨重視這些討論話題，並發起政治辯論來提高其公眾形象（McCombs and Shaw, 1972; Gormley, 1975; Walker, 1977; Lambeth, 1978; Cook et al., 1983; Scheberle, 1994）。

例如，在英國和法國，某些政治醜聞會引起人們對政黨的公共財務情況產生質疑，以及某些貪汙事件引起政府對公共市場採取管理措施。同樣，報紙對某汙染災難的專題報導，最終也可能會促成某項政策的制訂(例如，海上事故而導致的石油洩漏問題)。

毫無疑問，資訊和交流工具是（私有）行動者最善於利用的資源。此外，在媒體結構和功能活躍於公共行動者的今天，如何擁有並利用資訊和溝通工具就起到關鍵性的作用。當然，「時間」在這裡也扮演了一個很重要的角色，因此選擇何時向大眾揭露社會問題中的有關資訊，就決定了這個問題能否進入政治議程中，尤其是當這些問題是第一次出現並且又很緊急。

同時，也有一些法律法規來限制或者是促進公行動者的行為以及媒體的力量：後者可以利用憲法規定中的言論自由權來發表自己的觀點。

3 「動員活動」（mobilisation）或「外部倡議」（external initiative）

某些學者認為政治議程是用來回應某些明確表述的社會需求，因此施加壓力的團體的各種行為活動或者（新）社會運動，是政策議程設定的決定性因素。作為廣泛長期的社會利益（如環境保護、工作權利、反種族歧視）的捍衛者，這些有組織的政策行動者常常會透過制度手段（如瑞士的「公民倡議」和「全民公投」）或制度以外手段（如遊行示威）來嘗試吸引公共的注意，並促使政治行政行動者採用制度規則來解決社會問題。從各西方民主國家的運作方式來看，這樣的模式看似能行得通。當這些社

「147」

會團體的行動引起了大量的公共關注，常常使用的是這種模式（Cobb et al., 1976; Cobb and Elder, 1983; Baumgartner and Jones, 1993）。例如，提供公共服務的公會組織的罷工活動；或者生態保護組織，如「綠色和平組織」（Greenpeace）在不同核電站地址上舉行的示威活動。

根據這個模型，這些私人行動者主要利用了「政治支援資源」和「組織資源」，同時還利用了支持「組織」所不可或缺的財務資源和人力資源。此時通常會需要建立一個（新的）組織，該組織應能主張其成員的利益和價值觀（例如，創建一個社區聯防小組或一個慈善機構的聯盟）。組織建立後，行動者透過反對現有的政策或（基礎建設）方案來突出新的問題。這些行動者不太可能能夠利用「法律資源」，即在協商和共同決策程序中無法享有發表自身看法的權利，因此，它們關注創造、利用和聯合其他資源，如「資訊資源」和「時間資源」，從而延後或者阻礙某個計畫。

從制度手段來看，（新）社會運動對於法律法規和直接民主都有利，特別是在瑞士的主動投票機制下，這種做法能使得之前比較模糊（或者只有在地方政府層面認可）的社會問題更具體化（在中央政府的層面）。儘管這些制度規則的程序代價比較昂貴，而且對結果的預期也不確定，但這是個人或者團體能在規定範圍內主張自己作為一個完全行動者的唯一有效方法。最後需要指出的是，一些私行動者採取一些策略規避了制度規則的限制，即使這些行為在法律上行不通，但在道德領域卻能得到認同（例如，在譴責非法移民的法國開展了一場基於社會道德的反抗活動；占領核電站或反對北大西洋公約組織以軍事干預境外衝突）。在這些情況下，行動者有時會採取「暴力」資源來發揮影響。

對比「動員」和「外部倡議」模型，其他的模型讓本書最後發現，當某些政策只存在於地方的「緊急實驗室」中，分析家才可以清晰地定義問題。所以接下來的情況就是在區域性或者（跨）國家性的層面使得問題的定義更加具體。與「自下而上」（bottom up）的方式相反，這種「自上而下」（top-down）的方法也存在於定義集體問題階段，它們一般是先

「148」

在國際層面討論，然後滲透到（下）國家層面。這在歐盟的指導手冊中很常見，一般是成員國之一將某些公共問題納入討論議程中，而這些問題可能到提出的那刻為止也沒有在國家或者是地方層面所認知（例如，基於大氣汙染可能是由摩托車的廢氣排放所導致，在 1992 年歐盟頒布了「臭氧層」管理辦法）。此外，各個成員國在國家層面上對政治議程的統一意見也對歐盟起著重要作用（詳見 Ményet 等〔1995〕；Larrue〔2000, pp. 49ff〕；Larrue 和 Vlassopoulou〔1999〕）。

在英國關於治理環境汙染的文獻資料中認為這會帶來另外一種影響（即使不是影響到國家，也會影響最初的政策）：私有化。例如，當政府機構制訂有關規定時，私有化水資源產業的建立與歐洲的水品質管制方案一起將水汙染問題納入到政治議程中。這為其他有關擔憂飲用水和生活用水品質的團體提供了機會（Maloney and Richardson, 1994; Jordan, 1998）。

「政策供給」或「競選」

受到「公共選擇」理論的啟發，「政策供給」模型認為各個政黨並不只是對已經明確提出的社會需求做出反應。各政黨也會主動採取行動來制訂某些公共問題，在所提出的新政策中增加受益人，從而贏得更多的選民支持。在這樣的情況下，主要政黨在其政策方案或競選活動中提出的政策話題構成了政策議程的基礎。這個模型中的不同之處在於，政黨之間的對抗是體現在其在意識形態上具有矛盾（直接競爭關係）（Downs, 1957; Odershook, 1986）；還是在對話題的選擇上具有不同，這種情況下，某一政黨在人民心目中比其他政黨更可靠（間接競爭關係）（Budge and Farlie, 1983; Klingemanet al., 1994）。典型的例子是，在歐洲絕大多數國家中，各極右翼政黨常常會提出移民問題，各左翼政黨則關注失業問題，而環保黨派（Greenparties）常常提出環境保護問題。

「149」

需要注意的是，「政策供給」及「選舉競爭」理論最初都是用來解釋「威斯敏斯特」型（Westminster type）民主政權的議程設定。因為在這種民主模式下，各政黨制訂出清晰的立法方案，並通過議會多數支持成為正式法律（Hofferbert and Budge, 1992; Pétry, 1995）。

各政黨所動用到的資源包括「資訊資源」（政治方案的各種宣示），「組織資源」（政黨機器）和「政治支持資源」（占政治多數席位或建立政治聯盟）。對政黨的資金籌集，競選活動和公民選舉活動的研究表明「金錢資源」在決定各政黨的政治勢力和促進對某一問題的持續討論方面也有極為重要的影響。

在政黨用來維護自身想法和立場的一系列制度規則中，以下幾種尤其需要注意：政黨在憲法中的地位；直接民主的各種手段，如「公民倡議」和「全民公投」；選舉規則，包括多數制和比例代表制；以及一些不成文的規定，例如，瑞士的「調和」（concordance）體系（例如，一個由政府行動者提出的問題相較於由非政府行動者提出的問題更容易納入考慮範圍內）。此外，聯邦體制制度和地方分權規則在一定程度上也影響了各政黨的內部結構（例如，在瑞士，國家層面和地方層面的政黨口號之間會產生分歧）。

「內部預期」（internal anticipation）

「內部預期」模型（Garraud, 1990）強調了議程設定過程中行政行動者和公共機關的重要作用。根據這個模型，參與過政策執行的上述行動者最能夠找出在現行之國家行動與社會問題之間，尚未被處理的鴻溝。Kingdon（1984, 1995）提出了行政體系內外存在的「政策企業家」（policy entrepreneurs）的概念。這種「政策企業家」可能是美國這種分散制度的一個特徵，但是在其他國家也能找到類似的情況。在英國，與各政黨有所聯繫的政策智庫，作為半政治體系內，半體系外的行動者，在

「150」

議程設定中扮演了重要的角色（Denham and Garnett, 2004）。某政策效應的評估報告通常為預測即將發生的問題或者已經發生但尚未解決的問題提供了必要的資訊支援。因此，行政行動者透過自己的權力對現有政策提出修改或者採取新的公共干預行為。根據這個模型支持者的說法，在公民社會對某一社會問題表述「不當」時，政治行政次級系統的內部機制尤其會被強化。在這樣的情況下，公共行動者會代替私有行動者來主導並（重新）定義待解決的公共問題。透過這種方式，公共行動者能夠增強其合法性（legitimacy），並在其能力領域和資源方面得到更多的支持和擴展（例如，人力資源、財政資源和知識資源）。

由公共衛生機關發起一項關注青少年沉溺於酒精和菸草的運動，同時制訂一項禁令，禁止這些產品做廣告，這就是發起一項新政策的典型例子（有時候不需要強制的法律執行）；同樣，公共機關也常常在媒體上提出道路交通安全問題。

事實上，在「內部預期」的過程中，政治行政行動者與私營行動者可以啟動並整合他們手中所握有的資源。然而，更具體來說，有兩個因素決定了某個社會問題最終能否進入到政策議程當中：關於某個社會問題有針對性地提供資訊，以及公共行動者在法律法規制訂上享有若干特權的事實。

同樣地，所有在決策階段的制度規則對可以為公共機關的行為活動提供程序上的支援。比如，建立一個外部專家小組來分某個社會問題的相關資料；組織一個（非正式）諮詢團隊來為相關的行為服務。在這裡，本書需要注意的是公行動者能很好地適應制度規則中的具體細節，特別是那些非正式的公共行動者，但這在私行動者中是有所欠缺的，特別當這些私行動者並不是來自壓力團體時（壓力團體是指透過政治壓力以擴展他們本身利益的集體）。因此，公行動者有更大的操縱空間去主張自己的利益（以及自己所支持的公共政策）或者他們所代表的利益。

「151」

「隱形集團行為」(silent corporatist action)

在「動員活動」模型中，壓力團體和社會運動所進行的一系列行為會引起高度的社會關注；而在「集團行為」模型中，在政策設定中，利益團體表現的卻更加謹慎。為了保衛自身利益，這些具有高度組織性和影響力的行動者會試圖直接進入決策領域，同時竭力避免媒體報導和政治化某些他們想要維持、引進和避免的政策。透過結合「新集團主義理論」和實證研究（Baumgartner and Jones, 1993），這一模型表明某些行政機構和政治機關和各類私行動者或非國家行動者之間保持著一種「委託人」（clientelistic）關係。這種關係在農業領域、石油產業、建築領域和其他公共事業領域尤為突出。

如果某些私行動者和公行動者之間是「委託人」關係，可以推斷「組織資源」、「共識資源」和「政治支持資源」在維持集團主義平衡中是不可或缺的。事實上，行政行動者願意與某壓力團體就避免突出問題進行談判，條件是後者在政策實施中提供其活動網絡、非政府行政行為或其他支持。在實際情況中，大多數動用的資源是為了阻止（過於）公開化某些關於待解決問題的資訊，或者為了避免運用（過於）僵硬的法律解決方案。

在制度層面，各種非成文的規定將影響公共機關與壓力團體間談判的內容和本質。從更極端的角度來說，相關行動者的各種行為和決定是為了建立一系列不成文規定和默認合約。

這種做法明確阻止其他相關行動者選擇使用正式制度來處理相關政策（詳見本書第 3 章 3.3.1 節）。這些在有關可持續發展政策和食品政策的相關問題中很常見。各公司做出一系列承諾來避免公共干預（Cahill, 2002）。

「153」

7.3.3 比較標準

為了解釋某一社會問題的政治議程設定過程，以上所提到的五種模型任何一種都不足夠複雜和全面，但是，透過結合這些模型，分析者可以更加容易分辨出在政策政治定義階段，各社會團體，即目標人群、受益人和第三方和公共行動者之間為了形成聯盟可以或應該訴諸的各種中間手段。為了方便比較，表 7.2 展示了議程設定的實證研究中的相關變項，以及這些行動者為達成目標所動用的主要資源和制度規則。

考量表 7.2 中的各個變項，很顯然地，欲詳細研究某一公共問題的政治議程設定過程，需要包括三個階段：

- **分析有關行動者**：誰是問題的發起人，所有者或合法「持有者」？問題的「持有者」提出了怎樣的因果解釋？其他行動者提出了哪些不同的因果解釋？
- **分析問題是如何受到關注的過程**：哪些行動者運用了哪些資源和制度規則，以及多大程度上成功進入了決策領域？
- **分析實質內容**：相關行動者的構成和採取的議程設定策略會如何影響公共問題在社會，地理和時間方面的定義方式？

同時考慮實質和制度方面的問題會有助於更好理解或者解釋政治定義過程，而這個過程保證了某個社會問題轉變成公共問題。

「152」

表 7.2 公共問題政治議程設定中的不同變項

變項＼模型	藉由媒體報導議題化 (thematic-isation)	動員活動 (外部倡議)	政策供給 (選舉競爭)	內部預期	隱形集團行為
行動者：即問題的「所有者」或過程的發起人？	各種媒體以及民意調查機構	壓力團體和社會運動	政黨和其他組織	政治行政機關	行業利益集團
是否明確描述社會需求？	否	是	否	否	是
問題的受眾範圍程度是？	大範圍	大範圍	大範圍	有限範圍	十分有限
媒體報導，引起公眾意見？	是	是	是	不一定	絕對不會
是否需要政黨？	非必須	非必須	是	否	否
需要運用到哪些主要資源？	資訊，基礎建設和時間資源	組織和政治支援資源	資訊，組織和政治支持資源	資訊和法律資源	組織，共識和政治支持資源
需要運用到的主要制度規則？	憲法保障制度：自由言論制度	直接民主制度還有一些非法的活動	憲法保障制度，直接民主制度，和其他選舉和政府制度	行政法規的原則和傳統的決策制度	非正式制度來替代正式制度

資料來源：Loose 採納了 Garraud（1990, p. 39）的分析並加入關於資源和制度的運用

「154」

7.4 政治議程機制：競爭和變化

至此，我們討論了「社會問題」、「公共問題」和「議程設定」的概念，似乎每個問題自身都構成了一個獨立的個體。儘管在關於某公共問題的大多數實證研究中都能隱約找到這一推論（例如，愛滋病：Rogers 等［1991］；全球暖化：Trumbo［1995］；經濟政策：Kleinnijenhuis 和 Rietberg［1995］），但需說明的是，為了進入政治議程設定階段，某些社會問題之間會產生（非）直接的競爭。

事實上，由於國家機器和中間行動者（例如：政黨、社運團體、壓力團體）擁有的資源有限，政治議程不可能同時以同種程度處理公民社會提出的所有問題。因此，社會問題之間也會產競爭，這時有些問題無法立刻透過公共行為加以解決，例如，在經濟快速發展時期，常常無法顧及到解決環境問題；然而還有一些社會問題就被徹底排除在民主討論之外，即「不決策」的概念。所以在分析某一問題的議程設定過程時，分析者不僅應該牢記與所研究的問題相關的因素，同時也要注意公民社會同時提出的其他社會問題的總體情況，從而解釋為何某些問題能夠進入或不能進入政治／政策舞臺（Crenson, 1971; Cobb et al., 1976; Hilgartner and Bosk, 1988）。

除了將所有組成政治議程的公共問題考慮在內，同時也應該強調研究不同時間的議程設定過程。在這方面也有一些不同的假說。Baumgartner 和 Jones（1993）認為各種問題及其補救政策的發展方式不一定一直是漸進的。在長時間的小範圍變化或者維持現狀中，常常會伴有短暫的根本性變化。這也是 Vlassopoulou 總結的「間歇式均衡」（punctuated equilibrium）模型（Vlassopoulou, 1999, p. 29）：

> 圍繞著某個問題或挑戰所形成的某個行動者體系（政策領域），代表了對這個問題的認知（政策形象）。因此，新行動者所提出的另一種看法的傳播便構成了主要的不穩定因素：為了維護自己的利益，新行動者不僅僅改變了問題定義，還改變了行動者體系的構成。因此，每一個行動者體系構成都反映了對問題的某種定義。這表明行動者體系構成和問題定義需要結合起來進行考慮：一個定義上的改變可能就會帶來行動者體系構成的改變，反之亦然。因此，解釋政策的未定型和快速變化需要結合這兩個因素。

「155」

根據上述方法，將公共問題的定義和圍繞其行動的行動者結合起來分析，學者可以解釋政治議程中的改變。在法國和歐洲的農業政策生態化過程中就運用了這個方法（Larrue, 2000）。

但是，Rose 和 Davies（1994）卻提出一個截然不同的假說。他們認為所有執政政府在處理新的社會問題方面能力有限。因為之前的政府留下了各種專案，所以一個新的政治多數會將公共資金分配給已經存在的政策。為了維護他們的特權，政治行政行動者的日常工作安排和策略又會更加加重這種「惰性」現象。因此，一個新的方案常常是建立在舊的方案之上。正如 Lascoumes 所說，沒有任何一個公共問題是從完全陌生的領域內發展起來的。政治問題定義的改變，或者更大範圍上，公共政策的改變都與現有狀況是有直接聯繫的，因為這些狀況會影響各種思想體系、相關行動者之集成與其行動策略。因此，根據第二類取徑，政治遺產是一個決定性因素。

舉例來說，遺留下來的農業政策會導致農民得到的補貼不斷增加，首先是產品補貼，之後是公頃數補貼，以及生態行為補貼等等。

「156」

第三類方法強調了「政策轉移」（policy transfer）的重要性。國際範圍內的各項舉措，以及各國政府提高對其他國家做法關注，都帶給政策越來越多的國際影響。政策制訂者採納其他國家的問題解決方案（Dolowitz and Marsh, 2000; Dolowitz et al., 2002）。國際組織，如「經濟合作發展組織」、「世界銀行」，也在此過程中扮演重要角色。但是也有文獻表明對其他國家的政策不加分辨地生搬硬套經常會引起很多問題。更多時候，政策轉移過程包含了很多在本章其他因素影響下做出的大量適應和改變。

總的來說，所有的政策都是從許多回顧性行為和各種集體學習過程開始在長時間內「一步一步」形成的。在剛開始制訂公共政策來解決問題時，因果關係模型往往是單一而又片面的。基於因果關係或是干預假設的不完整，政策方案制訂，或者其政策產品政治行政方案制訂或政治行政安排也可能不正確或者不完整。對政治執行效應的評估就使得相關行動者學習經驗並且重新調整目標，也就是對公共問題重新進行政治定義。在新的政策週期過程中，因果關係模型和制度因素常常來自或部分來自之前循環過程中行動者的立場和資源配置所應用的一系列規則。因此，對政策定義的所有實證研究都應該明確所研究的政策位於哪個階段的循環。這個決定了與最初政策產品在內容上和制度上的差別程度。

政策方案制訂

公共政策方案制訂階段要解釋的第一個政策產品是**政治行政方案制訂**（the political-administrative programme, PAP）。這一產品明確了公共行動目標、干預手段和行政程序安排的法律基礎。這一系列的因素也包含關於行政程序和政策實施組織的一系列決定，也就是這一階段待解釋的第二個政策產品 —— **政治行政安排**（the political-administrative arrangement, PAA）。其次，「政治行政方案制訂」會部分確定政策的仲介條例，即關於**政策行動方案**（action plans, APs）的一系列決定。這一系列決定確定了政治行政方案制訂在時間空間和不同社會團體之間實施的輕重緩急。最後，「政治行政方案制訂」會提供關於行政產出**不同程度的最終正式措施**（of more or less final formalized measure）（產出），不同程度的精確且具有約束性的指示，從而在政策目標群體和政策實施機關之間創造直接的法律或事實聯繫。「政策行動方案」和「最終正式措施」的概念將會在下一章政策的執行階段來具體闡述（詳見第 9 章）。 「157」

實際上，當「政治行政方案制訂」和「政治行政安排」這兩個產品在實際例子中可以明確時，政策方案制訂階段便被認為是完整的。因此，接下來的內容會分別探討政策制訂階段這兩個支柱的構成要素。和「公共問題的政治定義」一樣，本書也同樣強調了運用「政治行政方案制訂」（見 8.1 節）和「政治行政安排」（見 8.2 節）的各種特性，從而有利於將這些概念運用到實際研究中。最後，將會明確這兩個政策產品制訂和正式採納的過程中的主要政策行動者，利用的資源和制度規定。

8.1 第二個政策產品——政治行政方案制訂

政治行政方案制訂[1]是議會、政府和其他執行機關為實施政策而做出的一系列法律法規。這些行為形成了將來公共政策執行的基調。不同政策的政治行政方案制訂在詳細程度方面（即管理力度如何）、集中程度方面（是國家，區域還是地區制訂的計畫）和一致程度方面（內部各構成因素之間是否和諧）都會有所不同。然而，無論如何，所有的政治行政方案制訂都必須遵守合法性原則，即在公民社會和私有領域內的所有國家干預都必須建立在主管機關，通常為議會所通過的法律基礎之上。

「158」

政治行政方案制訂從法律面定義了立法機關為解決公共問題所制訂的政治要求，即所要達到的目標，以及目標群體的權利和義務。因此，這些規定就構成了公共政策合法性的主要來源（Moor, 1994, pp. 31ff, pp. 309ff)。正式的觀點是，政治行政方案制訂由一系列書面材料構成，主要包括各制度層面上所採用的法律、法規、指令、實施命令和行政指示。政治行政方案制訂涵蓋了所有這些構成了不同層面的、有結構的法律規定。

從實質上來說，政治行政方案制訂的各個規定通常包含某一問題解決方案的規範性目標；目標群體定義以及他們在實現政策中所起的作用，即「因果假說」；為達到目標可採取的手段，即「干預假設」；行政組織實施政策的各項原則。這一系列決議，即人們所熟悉的「法律規範」，包括了總體抽象的規定，以及組織和程序規定。他們也被稱作一項政策的「規範性內容」。

---

1 相對於北美的文獻，我們用更具體、更直接奠基於正式文件的方式來使用這個詞（Bobrow and Dryzek, 1987; Dryzek and Ripley, 1988; Linder and Peters, 1988, 1989, 1990, 1991; Schneider and Ingram, 1990）。

這些內容不一定只存在於某個階段。由於瑞士在立法和行政方面的聯邦制度，這種情況尤為明顯。在法國和英國，由於行政分化的原因，也會存在這種情況。政治行政方案制訂的內容根據可以包含一系列聯邦法規和州立法規；或者根據不同的規範等級結構，包括中央、下級或分散法規。在分析的開始，就必須明確這些規則。找出這些規則之後，需要對這些不同的法律性和規定性法令進行分析，從而能夠根據以下的模型明確分清政治行政方案制訂的不同組成部分。

必須指出的是，與以下政治行政方案制訂五個因素有關的一系列決定的分析，常常只能建立在某些法律和規定文檔的基礎上（例如，正式法律、規範、行政命令、備忘錄和內部規章等）。這些文檔由於不同國家和政策的不同，其表現形式也會有所不同：在法國包括頒布的法令、規則、備忘錄、方案等；在瑞士包括規則、中央和地方指令；在英國包括議會行動、法定規章、傳單、部長級信件、法典等。

「159」

從實踐的角度來看，由於政策分析必須基於最具體的規範，需要採取的方法從清晰的地方開始。在瑞士和法國，最簡單的方式是通過部門指令和法令，然後向上拓展到中央和憲法立法，即低層次規則吸收上級規則的原則（Knoepfel et al., 2000, p. 12; Bättig et al., 2001, 2002）。而這種方式在英國卻很難運用，因為在英國，儘管各種規定是很重要的資訊來源，但是必須在相關的議會法案背景下進行讀會（reading）。在種種情況下，議會法案往往是分析政策的最好開端，儘管這些法令在沒有輔助資訊的情況下很難讓人理解。因此，在成為正式法令之前，呈交給議會的白皮書（White Papers）在這裡是最好的資訊來源。然而，可能出現的狀況是，白皮書提出政策的某些方面可能最後並沒有通過立法程序。

更進一步說，由於一項政策常常是建立在一系列法律條例的基礎上，所以將所有影響政治行政方案制訂構成的法律基礎都納入到考慮範圍這一做法是很合理的，尤其是影響政治行政方案制訂在描述、內部運作和外部關係方面的法律基礎。

8.1.1 政治行政方案制訂的五個要素

政策分析者如果要評估一項政策的方案制訂階段，需要對相關的政治行政方案制訂作為一個獨立的變項進行詳細研究。為了進行這種研究，本書將會提出經實際論證的一種過程，這種過程透過將政治行政方案制訂比作圍繞某個核心的由內到外的連續層次，得出了政治行政方案制訂的五種構成要素（詳見圖 8.1）。Knoepfel 和 Weidner 在 1982 年曾用這種方法，對歐洲不同國家大氣汙染和環境保護政策進行比較分析。這種方法後來也被運用於分析其他政策（Knoepfel et al., 1995, p. 173）[2]。在評估研究的架構下，這種方法能用來測試政治行政方案制訂的全面性、內部要素的協調性和合法性。

「160」

根據圖 8.1，通常情況下，政治行政方案制訂包含五種相互補充的構成要素：三種實質性因素，包括政策目標、評估因素和運作因素；和兩種制度性因素，包括政治行政安排因素和程序因素。接下來，本書會依次討論這些要素，並在研究不同類型的政治行政方案制訂時，同時考慮這些因素。

2　英國的應用參見 Whitmore（1984）。

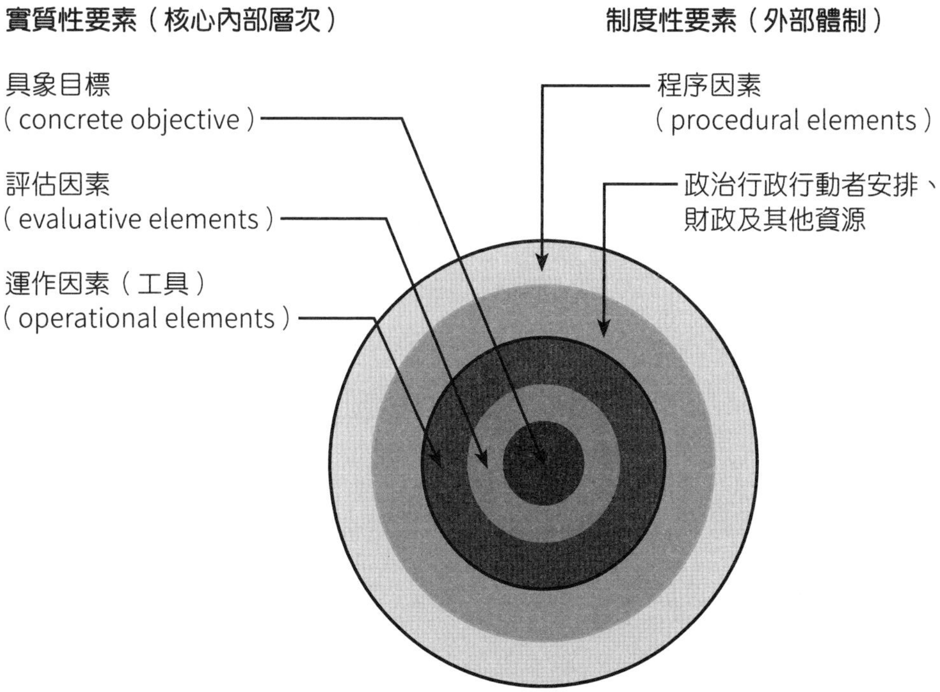

實質性要素（核心內部層次）

具象目標
（concrete objective）

評估因素
（evaluative elements）

運作因素（工具）
（operational elements）

制度性要素（外部體制）

程序因素
（procedural elements）

政治行政行動者安排、
財政及其他資源

圖 8.1　構成政治行政方案制訂的要素

資料來源：Knoepfel and Weidner, 1982, p. 93

目標（objectives）

每個政治行政方案制訂都應該包含一個在不同程度上清晰的目標。這些目標源於上個階段，即政治問題定義階段，其為公共干預的制訂提供了基礎，並且與政策目標也密切相關。這些目標明確了透過採取令人滿意的解決方案能夠達到的狀態。它們詳細描述了一旦公共問題得以解決，行動領域內期待達到的社會狀態。在法律等立法層面上，政策目標的定義方式很抽象（比如，「不存在對健康造成威脅的空氣汙染」、「合適的居住條件」）。相反，在各種法規、通告和行政法令等各種規定中，常常能發現更加具體、量化和可衡量的目標價值體系（比如，判定大氣汙染對健康造成影響的標準是 30μgSO2/m3；人均 15 平方公尺的住房面積作為合適居住

「161」面積的基準）。在英國大部分社會保障政策中能夠發現這種有趣的區別，即社會保障法案總體上規定了社保條例的適用範圍，而各項規則更加準確描述了如何決定這一權利。比如說，其中一個很明顯的特徵是，鑒於價格變化，每年可能都會修改實際上獲得的福利比率。

這些價值體系制訂得越具體，就越容易判斷其是否得到有效的實現。這就帶給政策最終受益人更多的機會透過政治或法律途徑來尋求問題的最佳解決方案。實際上，只有目標價值體系在法律方面可以執行時，才可以得到各種法律的後續行為。因此，種種具體目的機制體系只在行政指令中出現，從而避免此類步驟。需要注意的是，法律學中將具有清晰目標的行動計畫稱為「最終計畫」（Müller, 1971; Faber, 1974, p. 99; Luhmann, 1984, p. 201; Morand, 1993; Knoepfel, 1997b）。

各種具體目標表明了政治行政方案制訂效果的衡量尺度或標準，即「效力指標」。這種「效力指標」需要區別於表明行政政策或活動本身的指標。根據這種行動邏輯，一項政策的目標並不是要提供服務或採取行政行動本身，而是根據政治行政方案制訂中的各種規定來改變社會現實。舉例來說，《瑞士聯邦空間土地發展法》（Federal Swis Law on Spatial Development）的目標並不在於要求建築專案公司獲得建築許可，而在於「為國家發展實現合理的土地使用結構」[3]。關於對欠發達地區進行援助的各項法律，其目標並不是要為落後地區提供公共服務，而是要改善這些地區的生活條件，促進發展。同樣的情況也適用於社會保險、最低收入、社會出租住宅等方面的政策。

---

3 《瑞士聯邦空間土地發展法》第 1 條（1979 年 6 月 22 日）（RS700）。

評估因素（干預工具、措施）（evaluative elements: intervention instruments, measures）

擁有相對具體目標（而且普遍顯示高度專業）的政治行政方案制訂，通常包含有關收集資料種類的指示 —— 以促使目標達成的程度能清楚確認 —— 以及關於資料收集的期限和使用的技巧（例如：自然科學、社會學、統計學和經濟學）。有些時候也會給予一些關於資料分析方法的指示。比如，在環境政策中（例如：規定化學分析方法或水道最低流量的監控方法）；在住房建設政策中（例如：可利用標準）；在經濟社會政策（例如：定義消費物價指數中的「商品構成」〔shopping basket〕[4]）。

「162」

儘管某些情況下這些評估因素對公共政策的內容管理會產生很大的政治影響，然而相對應的政治討論往往集中在所提出的措施在技術上是否適合，資料是否具有科學合理性。對所有自然科學和社會學家們來說，不同結果很可能是由於方法不同而造成的。這種情況同樣適用於對公共政策的評估。不改變政策方案的實質內容，只改變資料測量方式可能會讓原本認為有效的政策變得完全無效。

鑒於評估政策目標實現程度的方法和實際取得結果之間的緊密聯繫，對評估政治行政方案制訂要素的選擇可能會嚴重影響到需要達成目標的規範性和政治性後果。政策論述往往會忽略這種相互依賴的關係，因此評估因素的選擇在政治上和決定政策具體目標同樣重要。那些使用技術語言（制訂評估標準）的行政行動者因此產生了能維護自身政治利益的「特權」。評估因素選擇的政治意義得到普遍承認的情況相對較少。舉例來說，在英國，如何確定失業率尤其引起了各種爭議。各種方法包括：計算

4　消費者物價指數商品構成，在瑞士是由聯邦諮議會定義之，在法國則是由內閣裁定。在英國，雖然沒有那麼正式的、可供辨認的特質，但是對於透過法律手段提升社會效益仍有其重要性，因為社會效益的提升必須伴隨著物價變動。

失業補貼受領人，不論是否在職業培訓體系中的人；計算正在尋找工作的人等等，根據實際調查問題的用語不同可能會出現較大的變化。

運作因素（operational elements）—— 干預手段和措施

運作因素確定了干預或措施的詳細形式來實現公共政策的各個目標。因此，運作因素使干預假設具體化；同時也詳細說明了政策措施具體作用的物件，所以也使因果假說更加明確。毋庸置疑，政治行政方案制訂的運作因素透過明確政策措施影響的群體和規定政策干預的方式、範圍和品質，很好地展示了一項政策的特徵。「163」

公共干預的模式會大大影響政策工具的選擇。這些模式包括警令、直接服務產品提供、鼓勵、重新分配、說服、建立社會或組織框架。因為政策工具的使用或多或少廣泛影響到政策指向的群體，明確的法律基礎對政策工具的選擇是必需的。從法學和行政學的角度來說，運作因素能夠指出政策措施應用的條件這一點很重要。法律上稱之為「條件條款」(conditional clauses)。通常它們都會以「如果……就」的句型出現。比如，「如果建造房子，就要滿足 XX 條件，從而取得建設許可」；「如果空氣品質過度惡化的狀況得到確認，就需要控制公司排放的汙染物」；「如果人們由於非自身原因而失去工作，就能夠得到失業保險補貼」；「如果一家公司在某個特定地區創造就業計畫，就會享受稅收豁免」。

最近關於「新公共管理理論」的討論中，反對的意見往往認為公共政策過度受制於那些精細的條件條款，同時卻缺少對終極目標的定義(Hablützel, 1995)。實際上，條件條款限制了行政行動者的操縱範圍，卻保證了公共政策的可預見性和合法性（Knoepfel, 1996, 1997b）。

這裡使用「運作因素」一詞是因為它明確了促進政策指向群體（尤其是目標群體）遵守政策規定的手段。這是推動政策運作的必要條件。如果沒有這種不可或缺的因素，即使是最合理的目標也難以達到。準確定義目標群體透過何種行為可以改變令人不滿的現狀，這一點對於公共政策運行至關重要。這種「動機」有很多種類；接下來列舉的四種就是其中最主要的表現形式[5]：

- **規定**模式（regulatory mode）包括禁令、義務，以及權利之限縮（通常發生在違反規定應受制裁時），這些舉措是為了能夠直接影響目標群體的行為。這種運作因素包括了一項行動的一般限制性規定（比如，建設許可），這種限制性規定的表現形式通常是許可和特殊授權（比如，授權使用某些東西、授權參與市場活動等）。這種運作因素也包括了一項行動的一般授權性規定（比如，言論自由），當然這同時伴隨了在某些場合規定的限制性規則（比如，種族平等聲明、實名制等）。最後，這種運作因素還會以義務規定的形式出現（比如，乘坐特定交通工具必須繫安全帶），通常還會強調如果沒有遵守相關義務規定的制裁條款。「164」
- **激勵**模式（incentive mode）相比法律規定在實際情況中作用更直接。它以財政補貼為主要刺激手段，透過「價格信號」來促使目標群體主動改變自身行為以迎合政策內容。這種運作因素有可能表現出積極的一面，也可能表現出消極的一面，完全基於財政重新分配的影響。
- **說服**模式（persuasive mode）往往使用資訊策略來勸誘目標群體改變自身行為，實現政策所提出的目標。這種公共行為的方式往往同其他干預形式一同出現。這種方式有可能在那些非常注重保護人身自由（個人權益）的地區成為公共行動的主要方式。這種運作因素最典

5 參閱 Lowi（1972）、Morand（1991），特別是 Freiburghaus（1991）論及國家行動的模式、Knapp（1991）論及國家運用資訊說服人民、Delley（1991）論及國家藉由訓練來形塑行動、König 和 Dose（1993）、Költi（1998）。有關「契約模式」，參閱 Gaudin（1996）與 Godard（1997）。有關傳統模式，參閱 Lascoumes 和 Valuy（1996）。

型體現在公共衛生政策（比如，愛滋病的防護、對癮君子的幫助）和種族主義問題中。

- 最後一種干預方式是**直接供給財貨與服務**。這在許多社會福利中很常見。

以上提及的四種運作因素是非常理想化的公共干預方式，在實際情況中不一定會存在。另外，它們彼此之間並不是相互排斥的，現實中往往結合幾種方式一起以達到更好的政策效用。舉個例子，「契約」（contract）就是規定模式（權利的規定和違約時制裁條款的敘明）和激勵模式（實現目標獲得補貼）相結合的方式。此外，多數當代研究都提出了透過契約行為（Gaudin, 1995, 1996; Lascoumes and Valuy, 1996）和網路化行為（Morand et al., 1991a, 1991b）等擴展國家行動方式的多樣性和有效性。「165」同樣的方法論也被 Howlett 提出來探討政府行政工具的應用（Howlett and Ramesh, 2003, ch. 4）。

政治行政方案制訂中可能以非常具體的方式制訂運作因素，比如，制訂政府將進行干預的行業名稱清單和非常具體的技術指標；或者以非常籠統的形式出現。後者把具體細化實施政策的權力下放給真正的政策實施機關。然而，如果公共干預存在對受影響群體權利義務的分配，則中央立法機關至少要負責提供一個清晰的法律根據。不同國家對是不是要精確規定政策運作因素的做法很不一樣。比如，在英國和法國相對集權制的國家，這些因素比較靈活；而在聯邦體制的瑞士和德國，政府傾向制訂更加嚴格的運作因素。現在存在一些研究試圖透過比較不同的「政策風格」來比較不同國家的行政體系，當然這種研究不一定總能獲得成功（Richardson, 1982; Bovens et al., 2001）。

政治行政安排和資源

在過程中所說的政治行政安排（PAA）的各項條款，規定了一項政策實施的主管機關和行政服務部門等公共行動者，以及其他所有的相關制度規則。另外，也規定了完成這些行動所需要配置的資源。當然，亦規定了其他需要協調或配合此項政策運作的公共部門。所以，這裡說明的在政治行政安排是關於政策的職責分配問題。這些資訊都在立法和行政規章中能夠體現。以農業政策、經濟政策和社會政策為例，這種方案因素規定了擁有公共行政權力的相關行動者（非國家行政機構）的使命。

中央及地方等不同級別的政府一般共同承擔政策實施職責。在瑞士，這種情況尤為明顯。因為聯邦政府的行政決議（Germann et al., 1979）有很多是要同地方政府協商並且共同管理完成的專案（透過地方州政府的「探討行為」和願意接納中央政策的「實施行為」）。當然，在中央集權的國家也會有根據這樣的原則分配不同政府機構職權的現象。

正因為如此，政策實施職責可能會分配給很多專業服務部門。比如，1980 年代，瑞士各州將環保法的實施任務分配給了公共建設部門、醫療衛生部門和員警部門。因此，一項公共政策往往包含多個行政框架。為了政策執行的協調性和一致性，中央立法可能會部分地否決地方和社區政府自由裁量的特權，要求他們設定專項性行政服務機構來滿足特定要求。比如，在瑞士，這種情況體現在地區發展政策、環境政策和失業政策中；在英國，這種情況體現在社會服務和教育政策中，中央政府有時甚至用非正式的「建議」代替法律規定來約束地方政府的特權。

「166」

許多的政策職責框架建立常常是透過將新的任務分配給已存在的公共服務部門。在這種情況下，政策獲得的各種財政、人員和其他資源是包含在有關部門的統一預算中的。另一方面，有些政治行政方案制訂會包含專項性財政條款或建立一個完整的新服務部門來實施政策。

在瑞士，非常典型的例子是提供給實施聯邦政府提出的空間發展政策、環境政策和社會保護政策的各州或當地政府的各種補貼，產生了一系列的特別小組（ad hoc services），如「區域發展政策的州經濟代表團」。在法國，有很多針對汙染行為的徵稅，這些稅收都會作為實施環境保護政策的基金，為此目的還設立了專項性機構進行管理。例如，各類水資源管理機構、環境和能源管理機構（ADEME）、漁業委員會。在英國有關社會救濟的領域，同樣存在政府基金對政策實施的支持，包括一般的給地方機構的資金和特殊的專項基金（Hill, 2000, pp. 143-8）。

不同決策層面上的行政機構任命對於公共政策的施行都會產生重要的影響。不合適的政治行政安排會導致政治行政方案制訂裡的具體目標難以實現，這樣就會減損政策方案實質性內容的實施範圍。「167」相反，一個好的政治行政安排能夠發揮良好的效果，快速解決問題。由於不同區域的政治行政安排不一樣，政策實施的效用就會大相徑庭（Kissling-Nä f, 1997, pp. 69, 282）。因此，這種制度性因素的設定對構成整個政治行政方案制訂就顯得異常重要。因此，與某項政策實質方面有關的職責分配的重要政治討論屢見不鮮。在瑞士，如果政治行政方案制訂沒有明確指出如何提供各種資源的話，聯邦政府就不會提供在政策實施階段的財政補貼，州政府需要依賴他們自己的財政預算來完成政策實施。相反，州政府會透過某些有效力的行政行為，比如對政策目標群體徵稅來獲得實施政策所需要的財務資源（舉例來說，在大氣保護政策中，財政來源依賴政府對排放物的監管指標，要求企業使用燃燒系統）。在法國，實施公共政策的責任分配更多體現在由中央政府提供其他公共機構財政上的支援（比如，對運作系統和設備的支援）。在英國同樣存在一些公共政策，要求當地政府負責政策實施但是中央政府給予財政支持，少數例子會要求地方政府自行解決部分或全部財務問題（比如，停車收費的問題）。

實施一項公共政策需要制訂的政治行政安排牽涉到兩個問題：選擇什麼樣的公共行動者來負責實施政策，資源應該如何優化配置。尤其是人力資源的配置（比如說，需要建立多少崗位、員工的職業能力等等）以及財政資源的配置（比如說，技術設備、預算等）。有效解決這兩個問題，對成功實施一項政策並且達到具體政策目標起到至關重要的作用。如果選擇的行動者群不能順利互相協調或由於缺少必要的財政補貼，而影響提供服務的品質，都會危及政治行政方案制訂實質性內容的落實，儘管這些實質性內容最初都很根本和徹底。

程序因素

行政服務部門和機關在實施公共政策中，需要按照某些形式進行互動。這些互動不僅僅是他們彼此之間的協調，還有同受政策影響群體和群眾代表之間的相互作用。為此，他們需要掌握政治行政方案制訂中有關的程序規定（在尊重制憲國家和民主國家立法原則的基礎上），從而保證資訊交換、財政資源、公共服務的透明度。為了達到這樣的目的，政策方案往往提供政策行動者一定數量的標準化行政工具。政策行動者可以或必須利用這些工具進行內外部的交流。這些標準行政工具包括行政決議、行政合同、各種類型的計畫、環境影響評估和政府指令等。

「168」

這種正規化的行政行動有助於公共機構和公共服務的透明化建設、有助於資源的優化配置、有助於各機構完成目標導向的任務。行政決議成為一種帶有轉化價值的文檔，自身帶有法律效力能規制社會上其他群體的行為（比如說，建設許可、政府補貼意向書）。這種行政行為種類的有限性能夠保持行政行為的權威性，它的轉移價值和社會認可度都能保持在很高的水準。

關於政策工具的制度性條例和行政行動流程安排，政治行政方案制訂往往不能完全符合實際情況的需要。相反，在制訂政治行政方案制訂的過程中，更多考慮規範定義政策目標和價值的需要。所以在政策實施過程中產生的間接博弈遊戲會影響政治行政安排的設定，使其偏離政策方案做出的目標價值定位（詳見第 6 章 6.2 節）。行政崗位突然消除會造成政治行政安排的單獨變化，同樣地，政策方案中制訂的行動計畫和公共行動者在實施政策過程中最後運用的手段也會反映出巨大的差異。由於各種各樣的原因，非正式的行政手段反而比官方的行動更有效用，往往能更有效讓目標群體改變自身行為，從而實現政策的目標價值。

框架設定對行政流程會有影響。政治行政安排不總會導致各行政機構之間提供公共服務責任配置的混亂局面，但卻會逐漸改變體制內機構和外部世界互相作用、交流的行政流程。需要指出的是，政治行政安排的混亂設定對公共服務流程的影響，最特別體現在美國的案例中（根據 Pressman 與 Wildavsky 所做的開創性研究［1973］）。在美國體制下建立的行政行動者框架與歐洲各國不太一樣，很多情況下，行政行動者組織框架能決定一項政策方案，以及在這項政策方案中不同決策制訂者互相協「169」調的方式。為了能夠保持政策運作的可預見性和公共行動者相互之間的穩定關係，政治行政方案往往會制訂有關制度性的條文來規範不同行動者間的責任分配和具體行政流程指引。這些條文關心的並不是政策的實質性內容，而是管理並實施這項政策的行政行動者內部的架構和組成，舉例來說，他們關注的是如何建立一項政策的諮詢流程、行政仲裁流程等等，而不是政策的具體內容。

更進一步說，其他的程序因素治理了公共行動者和受政策影響的群體之間的外部互動過程。公共服務的提供通常有最起碼的行政程序需要遵守，這一方面是為了建立共識，另一方面行政單位依法也需要讓受影響的相關當事人表達其意見[6]。感謝這些行政流程的存在，既保護公民免於行

6　例如，《瑞士聯邦行政程序法》第 5 條（1968 年 12 月 20 日）（RS 172.02）。

政武斷裁量之影響，也杜絕了行政部門剝奪公民基本權利的可能性。公共行為有流程可依、透明化，也就不容易被社會上的利益團體干涉。

這些程序因素的本質並非全然只是技術面的，他們通常也會是爭論的焦點，尤其是如果該案牽涉到不同群體參與行政程序之權利（一個具體的例子是：當某些群體沒有被賦予相應之權利因而無法對司法機構表達反對意見或上訴時，為了捍衛他們的集體利益所做的組織動員）。

總而言之，程序因素決定了政策行動者在所有政策實施過程的角色和相對權力。從這方面來說，它們應作為公共政策一般性的或特殊性的制度性規則（舉例來說，消費者保護政策、環境政策、勞動政策）。

在我們探討了組成政治行政方案制訂的五種構成因素後，下一步需要討論這些構成因素之間的協調性和合法性問題。

8.1.2 政治行政方案制訂構成因素之間的協調性和合法性

不同構成因素之間的**協調性**（coherence），形成了一套分析和評估公共政策的核心標準。這種協調性在瑞士或其他中央集權更明顯的國家，像是法國或英國的中央系統（法國和英國的中央系統通常受制於歐盟的法律約束）中是非常必要的，因為通常是來自不同公共體系的決議實例（在瑞士，公共系統分為聯邦政府、州政府和地方授權機構三級；在英國，公共系統分為歐盟政府、英國中央政府、蘇格蘭發展政府、威爾士發展政府、北愛爾蘭發展政府和地方政府）中的各個因素之間可能並不是完全匹配的，但是從理論上來說，這些因素之間必須保持良好的協調性，不能互相產生矛盾。在政策制訂階段的實證研究中，需要考慮各構成因素之間的內部邏輯以及它們之間是相互加強還是相互損害的關係，即政策行政計畫的內部協調性。另外，分析者也必須考慮這項政策同其他公共政策之間是否相容，即政策行政計畫的外部協調性。因此，對政策協調性的研究集

「170」

中在包含政治行政方案制訂的某項政策上，即「政策內部」協調性；或集中在政策行政方案試圖影響的整體問題上，即「政策間」協調性（見 Knoepfel［1995］）。

以上對於構成五要素的分析說明了實踐中在五種構成要素之間有可能存在的各種矛盾。舉例來說，在已經確定的目標和運作要素之間，或是在已經確定的目標和資源之間（這裡的資源，是指分配給涉入 PAA 的公共行動者之資源）。這種內部因素之間的不和諧會直接影響到政策產出的品質和數量。在這種情況下，制訂政策方案制訂的行動者，而非執行政策的行動者需要對這種情況負責，這就是所謂的「方案制訂造成的（或方案制訂前既存的）執行赤字」（[pre]-programmed implementation deficits）（Knoepfel and Weidner, 1982, p. 92）。如果政治行政方案制訂確定了無法實現政策預定的目標和服務的「不合適」的政治行政安排，那麼就又能出現缺少正式的政策實施措施（產出）。舉例來說，有些歐盟法律在法國實際執行的過程中，就是因為缺乏合適的政治行政安排，而沒有得到很好的效果。最初，由「區域工業環境保護部門」（the Direction régionale de l'industrie de la recherche et de l'environnement）實施的臭氧排放環境保護政策是針對工業汙染，而歐盟的這一法令卻要求針對汽車廢氣的排放。最後在 1996 年通過的《大氣法》當中，在中央層級上通過了強制氣候保護計畫，在區域層次上通過了區域大氣品質計畫，才修正了最初由於行動者框架設計錯誤導致的政策執行偏差。

另一方面，由於分析不足而「錯誤」定義目標群體，這種「有缺陷的」的因果假說，也可能會造成方案制訂（前）的執行赤字。這種方案設計的錯誤是由於錯誤估計某一社會群體的行為是造成某個公共問題的主要原因 —— 實際上，這些群體的問題行為只是造成某種社會問題的部分原因而不是根本性原因。這種歸因錯誤在解決公共擁堵政策中體現得最明顯：政策方案提出要減少公共停車場來達到緩解公共擁堵的問題，因為私家車沒有地方停的話，自然開的人就少了。但是，絕大多數的通勤者都有

「171」

自己的私人停車場，就算減少公共停車場對他們也沒有多大損失，他們也不會改變自身行為（Schneider et al., 1990, 1992）。所以說，把公共擁堵歸咎於公共停車場的數量上是不科學的。類似這樣（第 3、4 章）「錯誤的」因果假說多數情況是權力遊戲的結果，相對強大的行動者在權力博弈的過程中就能避免自己被某項政策當作目標群體。

在運用各種形式的收費來抑制人們從事政策反對的活動時，常常會發生這種情況。Carter 在分析汽油稅產生的原因時說：「一些國家，包括英國、荷蘭、挪威和瑞典，為了保護環境都相繼提高了燃油稅的標準，但是對整體燃油消費基本沒有任何影響。」（Carter, 2001, p. 309）他建議相同的做法也能運用在道路收費上，「這些道路收費能輕而易舉地讓人們湧向另一座城市購物和娛樂」（Carter, 2001, p. 309）。

政策決策者通常很難估計他們最初所擬定的目標，通過實際的運作最後在多大的程度上可以被落實。有一部分的原因是：基於干預假設所採取的措施，很多時候其實與目標之達成無涉，而是跟政策行動者的「干預程度」有關。這裡的「干預程度」包含：行動者的意識形態（以及其所屬與敵對黨派的意識形態）、執行計畫所需的財務支出（Varone, 1998a, pp. 325ff）。

政策目標和政策工具之間的分離在政策規劃的過程中其實已經顯而易見，與環境規劃有關的法律標準化過程在此可提供具體案例。作為某些聯盟施加政治壓力的結果，環境法定義了從不同汙染管道排放汙染物的最大限度（可視為政策工具）。但是這樣的上限在人口密度高的城市地區其實很容易就被超越（因為有家庭、私人汽車排放廢氣）。所以，政策意欲之目標在政治行政方案制訂的階段已然註定失敗。「172」

類似的政策方案矛盾也體現在政治行政安排中相關公共行動者能夠利用的資源和政策目標或干預措施之間的不一致。由於對公務員職業水準和公共機構技術設備的要求提升，執行一項公共政策的成本也上升了。因此，對一個公共組織來說，首當其衝重要的是做好行政崗位管理和預算計畫。從這裡就不難看出，為什麼有些政策的執行會偏離最初的政策目標，核心行動者的政策重點都放在內部調整上了。議會在做出政治決議的時候往往很少考慮方案對實際執行和評估的影響。有一種被廣泛認可的見解是，政策實施過程中對資源的重新配置（例如：公務員的薪水、設備投資），構成了國家經濟政策的一個重要組成部分。政策實施過程中產生的社會影響，往往和最初定義的目標大相徑庭。這也是為什麼外部政策觀察者不能正確區分基於政策原因產生的動機和基於財政預算產生的動機。

和構成因素協調性的評判標準一樣，**合法性**（legality）的標準也是建設性地、批判性地分析的依據。在政治立法系統中，幾乎所有的政策產品都是植根於法律的基礎上，包括政治行政安排規劃、政府的干預工具和行政執行流程。政策分析者不應該忽略一項政策標準化和法律化的方面。實際上，法律規範在政策建立到執行的整個過程中，構成了一種核心因素推動政策發展。如果與法律條文不匹配（例如，由於行政決議違背法律而造成運作因素和政策目標的協調不一致），將會通過法院或政策實施細則來修正[7]。用歐盟來舉例：國家層面制訂的政策或是法律必須符合歐盟整體法律框架和基本原則，不然歐盟法院就會對有關國家的行為做出裁決。「173」一些法國政府做出旨在幫助商業公司經濟運營的方案，就因為不符合歐盟競爭法而被否決（不能妨礙歐盟經濟市場的自由競爭）。

一項政策規範性材料的合法性、一致性審查可能發生在政治決議之前或貫穿整個政治決議的始終。通過這種審查，本書就能預料、預防和回顧政策材料在合法性和一致性上的問題。對於法律條文和政策合法性的預防評估，多半透過行政組織內部流程完成。在瑞士和法國尤為如此，但是在英國就不一樣了。在瑞士聯邦政府層級，所有立法專案的合法性審查都是

7　這是瑞士中央（聯邦）與地方（各州）法制設計的案例。針對聯邦議會通過的法條，瑞士聯邦政府並沒有專屬機制進行憲政層級的控管（1999 年瑞士人民投票反對）。

由中央司法部完成的[8]。在法國，同樣的監督行動是由國家委員會和制憲委員會行使的。

在依賴中央系統的國家，合法性審查，舉個例子來說，瑞士聯邦政府批准州政府法律法規的過程就是一種。在瑞士，在不同行政層級體現出幾種不同構成因素。而行政執行通常下放到州或地方行政機構。這裡所指的「州行政」不僅僅局限於「執行政策」，還包括政策實質性內容的安排、組織架構的設計、立法條文審核的流程等等，這組成了一個完整的政策方案。這些條文提交聯邦政府，審核其與相關國家法律的一致性[9]。因此，中央政府的批准行為是地方法律具有效力的條件，審核地方法律和中央法律一致性的工作就具有預防作用。

在法國，國家政府對地方政府提出的決議施加額外的控制。在《地方分權法》獲得通過之後，這些控制就更為明顯了。一個部門或行政區的最高行政長官能向行政法院提交攸關市政的或省政的決策。同樣地，他或她也能以有關行政行動者的能力爭議而反對某項地方政策：例如，行政首長可能會廢除地方行政機構做出的，終止某家排放大氣汙染物的公司的行政指令。因為根據立法對行政管理資源的配置，強制關閉某家大型公司是屬於行政首長的職權範圍而非地方行政機構。「174」

同樣地，在英國也有這種控制體系的影子，但現在已經淡化很多了。這種法律上的挑戰也要看在相關政策中處於弱勢地位的群體所採取的行動

8 參見《瑞士聯邦司法警政部組織法》第 7 條（1999 年 11 月 19 日）（RS 172.213.1）。檢視法律條文本身的合法性是相關準備的其中一環，因為聯邦總理大臣辦公室（立法與語文服務）在其內部行政程序也承擔了許多重要的橫向聯繫工作。

9 參見《瑞士聯邦政府組織與行政機關法》第 61a 條（1997 年 3 月 21 日）（RS 172.010）。在 1989 年的新法上路之後，只有當聯邦法或一般裁決特別要求時，授權才是必要的。也因此，在這之後，授權案例大幅減少。

(在實際中他們多半會借助「聯盟」的力量)。最起碼受侵害的群體要證明根據法律規定，有關行政行動者採取了越權的行為。

8.1.3 操作分析

藉由對比不同國家、地區、行業之間為解決類似問題而制訂的政策政治行政方案，得出了衡量不同政治行政方案的以下三種方式。

(a) 詳盡性和框架性政治行政方案制訂

作為一系列決議的集合，由於實質性內容的局限性在不同國家地區會有相當大的不同表現形式。如果需要解決的公共問題架構類似，個人干預的情況也相同，政策方案的不同就會反映對政策實施措施的不同想法：

- **實質內容受限**的政治行政方案，反映出薄弱的具象化程度（一般條款），或是政治行政方案本身實質因素的局限。這種政策方案為政策實施行動者留下了巨大的自由發揮空間，他們能夠考慮當地情況和個別案例。這些有職權的行政機構能夠在一個或幾個具體案例中，根據宏觀干預的想法和一般標準，同時考慮自身情況來調整中央政策在地方的具體落實。這種政治體制能在同一項政策下發展出不同的執行方法。
- **實質性內容非常詳盡**的，不管是根據廣泛的法律法規或是特別具象化的構成因素，都反映出方案設計行動者的強烈意志。通常這樣的政策方案留給政策實際操作者的自治空間都很小。這種政治體制的目標在於透過同質的政策執行過程來限制各個地區政策執行策略的不同，以避免對大眾造成不平等的對待。本書可以在德國聯邦體系和法國相對的中央體系中找到具體的案例。相反地，在英國對政策執行方式的限制卻很寬鬆靈活 (Jordan and Richardson, 1982)，但是由於各種

「175」

因素的影響，包括歐盟政策的作用和本國內部強烈的「屬地管轄」執念，當代英國政府對地方政府職權範圍的要求是非常嚴格和明確的。

在這裡所展現的區別（見圖 8.2）主要表現在政策方案的實質性和制度性內容上，在接下來的 (c) 中將會詳細闡述。

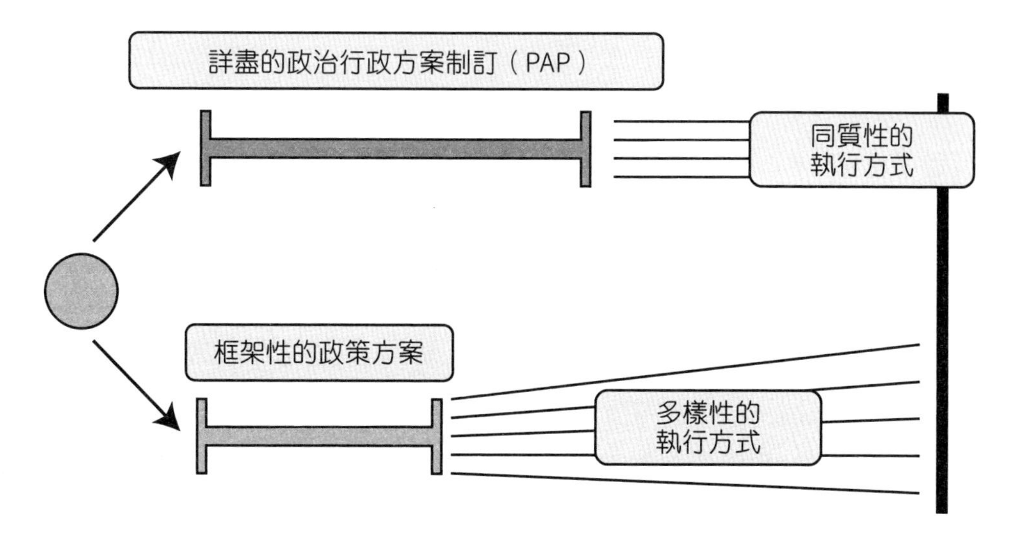

圖 8.2　詳盡性和框架性體系的比較

實際上，由於法律傳統習慣或是一國的政治行政體制造成的政策方案的實質性構成內容越嚴苛，就越可能引發為了中和同質性執行風險對政策制度性規定的間接博弈遊戲。

(b) 政治行政方案和國家層次（集權／分權的政治行政方案）

「176」

在不同國家，不同等級的政府對政策實施擁有的法律法規決策能力不同。在一個國家，政策方案最基本的立法是建立在國家層面的，但是在另一個國家，政策方案的立法可能主要集中在地區和地方層級（比如說在瑞士就是由聯邦政府進行立法的）。在英國普通的案例中，立法是一個國家層面的事務（儘管在有些權力下放的政策中，「國家層面」意味著在英格蘭、蘇格蘭、威爾士和北愛爾蘭的政府層面）。

(c) 實質－制度性政治行政方案

需要指出的很重要一點是，所有的都不僅僅只包含實質性要素，還包含制度性要素來規範組織內部的資源配置，包括行政行動者的職能、可以運用的資源和政策實施的具體行政流程。這些規則主要考慮政治行政安排中的內部運作和行動者間的相互作用。經驗觀察者支持一種假說：政策執行過程是由不同的體系控制的。

因此，政策執行過程可能會受下列控制：

- 由一個關注公共問題實質性因素的政策方案控制，在這種政策方案中，政策目標會很清晰地制訂出來，評估因素和運作因素也會很具象化地規定出來（德國傳統）；
- 「177」由一個強調專項制度性規則的政策方案控制，在這種政策方案中，會定義一個可行的政治行政安排架構來負責解決問題和執行行政流程（英國傳統）；
- 由一個綜合結合了實質性要素、組織性要素和流程要素的政策方案操控。

圖 8.3 提供了一個概要圖解，讓我們直觀地看到的五大構成要素是如何在政治決議制訂者手上達到相互平衡。

因此，理想的混合型政策方案可以在瑞士的例子中找到，瑞士聯邦政府會把很多組織決議的權力下放給州政府決定（儘管這種流程越來越少了）。制度性政策方案最「理想的類型」要數美國的聯邦體制了。美國的政策方案從來都很少對實質性內容做過多的說明，但是會制訂非常具體的組織架構和行政流程。

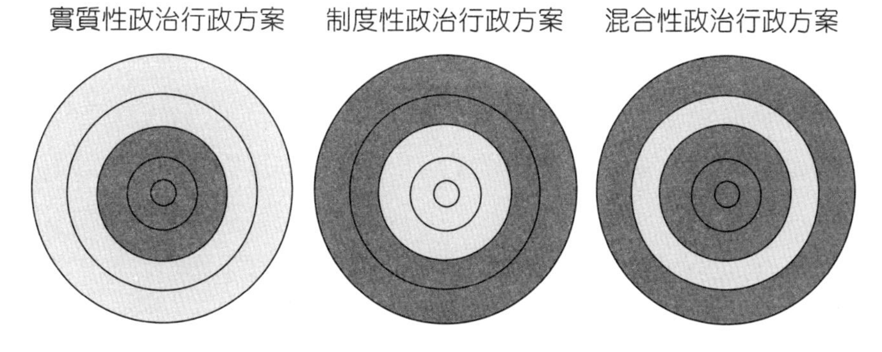

圖 8.3 實質性、制度性或混合性政治行政方案

NOTE

這個圓圈圖代表了的五個構成因素的層次，在圖中展示過了。深色部分代表了規定詳盡的條文，淺色部分代表了缺失的和錯誤定義的條文。

以上的觀察和建議都是植基於一般性規則的簡單應用，從中我們可以看到外部機制與實質內容之間相互依賴的關係。區分制度規則與實質規則並辨明其間之關係，正是本書整個分析過程的立基點。然而，如果觀察平日的立法演說，會發現官員們總是更看重政策實質性內容的重要性。決策者總是更注重政策宏觀目標的制訂，以及如何配置行政資源（這些都是政策方案實質性因素所體現的）。因此，儘管他們最終會承認政策執行的品質和結果才是一項政策最為重要的部分，對組織框架和程序因素的考慮還是會退居其次。

比較不同國家和地區對同一類問題制訂的不同政策方案，是為了鑒別這些不同種類的政策方案之間的差距，促進更深層的討論，從而找到對政策真正落實階段最有影響和應用效果的政策方案類型。說到底是為了更妥善保護政策最終受益人的利益。因此，政策分析者必須要考慮以下兩個問題：政治行政方案制訂中對計畫核心產生某種影響的不同因素之間的各種相互依賴的關係有哪些？不同因素結合方式的政治利益和這些利益中行動者的策略是什麼？

「178」

8.2 第三個政策產品 —— 政治行政安排

政治行政安排規定了哪些公共行動者和非公共行動者負責政策實施。有關主管機關及其服務之指定，大多數的決策發生在政治行政方案制訂這個階段（詳見本書 8.1 節）。但是，由於某些行動者的間接博弈而產生某些新的決定（詳見本書第 6 章 6.2 節），也可能會導致相關法律法規更趨向具體化或做出某些改變。這些決策常常關於正式職權的分配，如由現有或新的行政服務部門負責某項新政策；以及資源的分配，如那些掌握在執行機構手上的財政資源和人力資源等，也包括組織及其內部關於行政部門的管理。

所以說就可能出現這樣的情況（在本書第 2 章 2.2 節中的最後有提出這個觀點），政治行政安排的變化看上去都是「制度性」或「建制性」政策，比較少是實質性政策。但是這往往也能直接影響相關公共問題的解決方案。在英國，對國家醫療服務體系（NHS）和國家教育組織的機構調整，就是對於有關醫療和教育某些特殊需求的正確回應，例如，對不公平的重視不足。

8.2.1 政治行政安排的組成因素

政治行政安排不僅包括公共行動者，還包括可以行使公共權力，並且由於職責授權能夠平等參與到具體政策行動產出中的所有私有行動者。事實上，政治行政安排透過正式或非正式的制度，將各種行動者聯繫起來。這些正式或非正式的制度規則規定了相關社會領域內要採取行動的具體職責分配。這些規則促進了不同政治服務部門之間在執行政策要求的多重行政任務時，所形成的的各種消極或積極、主動或被動的實質性協調活動。各種程序規則在各行動者之間也產生了一系列的水平或垂直互動，從而再

「179」

次加強這種程序協調。因此，政治行政安排可以被認為是政策的組織和程

序基礎。它是負責政策實施的一系列公共和私有行動者的集合。然而，它卻沒有涵蓋「政策領域」（詳見 3.3.1 節）內受公共問題影響的所有行動者。所以，儘管毫無疑問地參與了政策的許多方面，然而並不是所有相關私有行動者都能成為政治行政安排的一部分。這一規則基本上是確定無疑的。

公共行動者的特質之一，就是他們與公共政策有著緊密並且合法的聯繫。與私行動者比較，公共行動者很難脫離政治行政安排，而前者的參與則不是必須或不變的。此外，公共行動者因為受控於正規的行政組織（科級、局級、服務性等）管理，所以在某些方面只有有限的自由裁量權。作為對他們在實際操作上自由限制的補償，公共行動者享有一定的公共立法權力和豐富的資源（例如，法律），這些是私行動者不一定具備的。該結論強調，這裡採取的分析方法和對私行動者謹慎思考的「政策網絡」方法（Clivaz, 1998）之間是有區別的。但是需要指出的是，無論是在政治行政安排內的還是框架外的公私行動者互動行為，這裡都會從政策網絡分析方法中借鑒某些相關概念。

公共行動者是政治行政安排中最基本的單位（詳見本書第 3 章 3.3.2 節）。從牛頓物理學說中借鑒一個說法，公共行動者是整個行動體系中最小的單位，由於內部的同質性，其已經不可能再被細分為更小的單位了（詳見本書第 3 章 3.1 節）。這個基本的單位可以根據內部的等級制度分配，也可以根據某群人為了要達到相同的目的而自由組合，進而構成了對政策不可或缺的公共行動者單位。儘管他們或多或少受行政組織的約束，或者不得不服從上級政治行動者，但是他們仍然可以在執行方面獲得較多的自主性。因此，他們有能力對他們領域範圍內的事件發表意見，而且不需要取得其他行動者的明確同意。

繼續借用物理學的理論，政治行政安排作為一個包含行動者（不可分割的原子）的分子就可以更具象化。分子之間是靠著自然力而凝聚起來

「180」

的，而政治行政安排是建立在義務和互動網絡之上的，並且這些互動網絡是透過一系列（正式或非正式）能力結構和合作程序所產生的。就如在物理世界一樣，這樣的結構或多或少有些鬆散而且可能會所變化，特別是當外部的框架結構發生改變之時。

總而言之，在聯邦政府的背景下，政治行政安排的設定是將聯邦行動者、地區行動者以及地方行動者統籌起來；在中央集權的政府背景下，政治行政安排的設定是將中央行動者、被委任的行動者，或者有時還包括分權行動者聯合起來。這些行動者從屬於不同的行政組織（聯邦工作室、區域性或州際性服務、政府部門的科系辦公室），所以必須建立他們之間的互相協調和相互合作關係，這樣政治行政安排的設定才能將之前中的不同實質性因素應用到不同的政治行動者上（詳見本書第 5 章，圖 5.1，制度規範的等級制度）。

8.2.2 可運用的各種分析標準

為了進行政治行政安排的對比分析，首先需要確定一些**內部**標準來定義政治行政安排自身運作；其次需要明確一些**外部**標準，從而得出政治行政安排與其外部環境之間的關係。這裡需要強調的是，就像政策網絡一樣，政治行政安排會根據不同的標準而發生變化，而且不同學者對於不同政治行政安排設定的相關性以及闡釋力都有不同觀點（詳見由 Le Galès 和 Thatcher［1995］提出的「政策網絡」討論總結；Clivaz, 1998）。

更明確地說，政治行政安排的特徵可以從五個方面來看：(a) 行動者的數量和類型；(b) 橫向合作程度；(c) 縱向協作程度；(d) 核心行動者的集權程度；(e) 政治化程度。顯而易見，這五個標準並不互相排斥，相反它們還構成了政治行政安排的多個面。這些標準可以為描述政治行政安排或政策網絡類型提供一個基礎。但本書的目的並不在於此，而在於觀察這些標準是否會影響政策結果（政策行動方案、政策產出）。一系列實證研究表明政治行政安排毫無疑問是可以作為解釋政策中間以及最後結果的變項之一。例如，不同的政治行政安排，如公私行動者數量不同，整體還是部分，混合還是分離，中央集權還是平等主義，是官僚化還是政治化，都會產生不同的行為。以下將會詳細討論政治行政安排的內部標準。

行動者的數量和類型：單一行動者與多個行動者

分析者必須區分「多個行動者」(multi-actor) 的政治行政安排類型，和極少數或單個行動者組成的政治行政安排類型。組成的行動者數量越多，政治行政安排就需要更多精確的機制來進行溝通和定義協調管理多個任務所需要的職責和程序。若缺少這樣的機制，那麼某些行為可能會產生相反的效果（例如，在建築許可領域）。所以說，一個由多個行動者組成的政治行政安排必須展現一定的制度穩定性，特別是應對外部壓力的能力。

除了明確執行政策的行動者數量，分析者也要瞭解他們的來源，即這些行動者是屬於公共行政機關或是私有組織。政治行政安排中的非政府組織或者私人行動者數量越多，政策實施階段所應用或者堅持的公共服務內部功能準則就越少。然而，如果由一個既包含公共行動者又包含私人行動者的混合型政治行政安排來執行政治行政方案，可能沒有由公共行動者組成的政治行政安排具有可預測性。另一種說法就是，一直想要將私有行動者納入決策過程一起出謀劃策的想法，有利於加強政策的一致性。這一標準的典型例子是，建立在單一行動者干預之上的傳統能源政策一般受到「單一行動者」(single-actor) 類型的政治行政安排支持。相反，比較現代的或者多重行業、政策，例如環境、經濟和社會政策一般建立在包括大量行動者的政治行政安排之上。

橫向協調程度：整合的政治行政安排與分散的政治行政安排

多個行動者組成的政治行政安排可以分為兩種，即整合的政治行政安排 (integrated PAA) 和橫向分散的政治行政安排 (fragmented

「182」 PAA)。分散的政治行政安排不完全是由於行動者數量眾多從而建構複雜結構而導致的。更明顯的原因往往是來自於缺少實質性(橫向)合作,導致了不同的行政組織、「區域環境」(regional milieus)[10] 代表者和其他行動者,因為考慮自己的首要任務和所代表或者捍衛的利益,而公然反對對方的意見。這樣分散的政治行政安排可能也是因為缺少一定的規範程序。在很多情況下,這也是由於之前獨立的政策進行合併的結果(例如,空氣清理、運載重型貨物車輛管理辦法,以及國家道路建設政策)。英國的文獻資料也顯示,不同的中央政府部門有不同的文化、做事方法以及公私行動者與之相聯的網路(Dorey [2005, pp. 91-97] 對這個問題提供了很好的討論)。

政治行政安排若是沒有橫向的合作,那麼核心行動者也不願意建立某些合作關係來應用政治行政方案,甚至直接採取明確的不合作策略。政治行政行動者除了有不同的價值觀、功能、目標,也面臨著私人客戶不合作,以及如何將之前的服務「整合」到新政治行政安排中的問題。除此之外,屬於這個政策舞臺的行動者(詳見本書第 3 章 3.3.1 節)不想毫無作為就離開這個舞臺。這樣橫向的分散性結構可能會增加對行動方案(產品 4)和行動執行(產品 5)的矛盾。在英國,這個話題已經遭到了熱議。中央政府給出了有代表性的回答,他們在積極尋找多種方法確保合作和合夥關係,呼籲創建一個「聯合起來」的政府。但是在現實環境中仍然有很大的問題。合作的正式形式也在力度和有效性上有很大的差別(Glendinning et al., 2002)。

不同的定量分析技巧可以評估政治行為安排橫向合作情況。他們描述的是「密度」;也就是屬於同一個等級制度層面的不同行動者之間的聯繫緊密程度(或者說是否存在這樣的聯繫以及這種聯繫的頻率)。

---

10 為尋求更多關於這個社會學概念的資訊,可參見,如:Jaeger 等人(1998)。

 縱向協調程度：交纏／重疊（entangled ／ overlapping）或分隔（compartmentalised）的政治行政安排

一個政治行政安排也可以根據政治行政層級（例如，聯邦政府、區域政府以及地方政府）的縱向協作程度進行分析。瑞士的聯邦制度有三大特點：⑴ 三個政治層級同時存在，較低層級的政治行政行動者有一定的自主權，但必須遵守輔助性原則；⑵ 區域和地方政府必須以聯邦政府為主要模型來執行聯邦政策；⑶ 尋求在國家層面的共識（Knoepfel et al., 2001）。總而言之，瑞士系統還是可以定義為「協作聯邦制」，儘管在不同政策之間還存在一定的區別（Wälti, 1999）

在法國，國家層面與分權的地方層面的關係，可以用稱為「混合型管理」（hybrid regulation）（Corozier and Thoenig, 1975）的模型來概括，這個模型是透過公共機構或者公共服務代表進行相互交流和協作的系統建立起來的。這個系統在政治行政行動者間需要很大程度上的縱向協作，同時這對跨越某一領域的行動具有指導性的意義。但是，在 1980 年代出現了分權式模型，這對之前的模型是一個挑戰（Duran and Thoenig, 1996）。雖然說在公共服務中縱向協作仍然是較為流行的一種趨勢，但是它已經不再伴有相同程度的橫向合作，也導致一個更有效的制度化過程來管理行動者之間的協商關係（當國家權力下放至地方時）。

在英國，關於橫向合作的問題也引起了熱議。在能夠得到的文獻資料中顯示，他們更注重的是縱向協作。相應地，在強調縱向協作的同時也就漸漸忽略橫向合作的重要性。在這裡可以舉一個具體的實例，一個國家性的協調組織（例如，國家醫療服務體系［NHS］）需要相應的自治地方機構（地方政府）來實現他們所計畫的政策（Exworthy et al., 2002; Glendinning et al., 2002）。Hudson 和 Henwood 認為在醫療和社保領域，「『分層』（levels）與『階層』（tiers）的管理和控制；架構重建或『強制協作』（compulsory partnerships），對於網絡式或球形的關聯式

結構而言是不合適的」(Hudson and Henwood, 2002, p. 164)。最後一

「184」 個主題會在下一章講解「自下而上」觀點的執行計畫中再次提及。

因此，當分析政治行政安排的時候，需要瞭解國家體系中不同層次行政機關和服務部門之間的有效協作程度。當中央政府和區域機關不僅同時享有制訂法律法規的權限，還同時享有政策執行權限，那麼這個政治行政安排可以稱為是「重合式政治行政安排」。相反地，如果國家級別以下的公共機關在執行過程享有大量的自主權，那麼便是「分離式政治行政安排」。在後面一種情況中，區域和地方行動者會根據自身的需求對政策做出些許的修改，而且不需要把上層決策者最初和附帶的決定考慮在內。調查人員發現，在政策執行階段，瑞士和法國的某些地方政府有能力調整聯邦政策（Terribilini, 1999），或者用政策來達到目的與起初在國家層面的政策目的完全不同（Duran and Thoenig, 1996）。總而言之，不同政策的縱向協作程度不同。

3 關鍵行動者的集權程度：集權或分權的政治行政安排

分析者要分清以下兩種政治行政安排：各政治行動者在平等的模式下分配其影響和權力的政治行政安排，和由一個或者多個關鍵行動者占主導地位的政治行政安排。在集權制的情況下，就是說國家或者區域行動者可以憑藉一己之力來干預涉及在相同政治行政安排中的其他行動者，並且最終能將自身的觀點凌駕於別人之上。但是在大多數情況下，其他行動者（被看作是邊緣化的）並不完全能屈服於某一行動者（被看作是中心化的）的統治：來自中央集權行動者的單一干預措施終將會引起一系列政治行政安排中其他公私行動者的雙邊或者諸邊協商（「調整型聯邦制」，根據 Wälti［1999］的說法）。如上所述，1980 年代的法國政策執行中，大多數的政治行政安排是集權制的。現今，儘管存在權力下放，但英國在這方面卻是最具有集權特質的代表。

無論是從政治行動者的橫向合作還是縱向協作來看，「行動者的集中性」（actor centrality）是用來解釋某些政策產品的一個很重要的概念。從橫向上看，某一行動者可能在等級結構中同一等級上的所有行動者中占主導地位；從縱向上看，某一行動者也可能在各級別的所有行動者中占主導地位。

「185」

可以透過政策網絡研究中的定量分析的方法，更準確地描述三種類型的「行動者集中性」。「程度集中性」（degree centrality）描述的是某行動者有直接聯繫的其他行動者數量。「密切度集中性」（closeness centrality）解釋某行動者與政策網絡中的其他行動者的密切程度。這一指標可用來測量一個行動者與另外一個行動者進行溝通需要採取的最少步驟之數目，即「測地距離」（geodesic distance）。最後，分析者需要辨認出哪些行動者作為一個中間人必須經歷每個過程，哪些行動者在政策執行階段是不可忽視的。這種描述「行動者集中性」的尺度，即「中間狀態的集中性」（betweeness centrality），可以用來揭示核心行動者擁有多少權力和能力，以控制在同一政治行政安排內其他行動者的行為（Scott, 1991; Sciarini, 1994）。

所以說，如果一個政治行政安排的政策是需要多項策略來支援的，例如軍事政策和能源政策，那麼就需要高度的縱向集中性。如果一個政治行政安排的政策是受空間條件限制的，例如基礎建設政策，那麼就需要高度的橫向集中性。相反地，如果一個政策具有較強烈的區域性色彩，那麼在縱向協作和橫向合作方面就不需要太大的集中性，因為這是較強的行業性質所決定的。

三、政治化程度：政治化與官僚化的政治行政安排

政策分析者試圖解釋在具有相同目標的情況下，可能會出現不同的政治行政安排。分析者同時也發現所謂「政治」行動者（例如，議會成員、

政府、組織和專業委員會）所參與的政治行政安排與官僚化行動者在政治行政安排下表現出的「技巧性」行為，至少在表面上是有所區別的。一個政策產品，若是在較官僚化的政治行政安排下，就比較穩定而且極少出現相互抵觸的情況。

對於政治行政安排政治化程度的分析需要慎重對待。因為相比於其他四個標準，這一標準是深深紮根於事實，而非法律之上的。除此之外，這一標準隨著時間的不同可能會發生快速並難以預測的變化。這個不可預測「186」性是源於那些有能力的行動者可以在政策週期中的任意階段（例如，自然災害的影響上），意識到自己的政治責任。如果在執行較大範圍的基礎建設專案時存在一些爭議，那麼政治行政安排就會被政治化。

除了上述五個內部標準之外，還需明確政治行政安排的兩個外部標準。後者是關於政治行政安排與其社會環境中不受該政策直接影響的公私行動者之間的關係。

其他公共政策構成的脈絡：同質性與異質性

某項政策的政治行政安排可以進行操縱的範圍很大程度上依賴於其他公共政策所構成的環境。基於行動者（同時或者排他的）在其他政策中表現出的能力和完成的任務，本書認為這會對現存的政治行政行動者提供幫助或者增加阻礙。因此本書應該判斷，當制度規範是管理一個由不同政策中的行動者構成的行政組織（詳見本書第 5 章 5.2.3 節）時，應該建立一個同質的還是異質的行政框架（詳見圖 8.4 和 8.5）。

如果政治行政安排中的核心行動者是屬於不同政治部門或者機關，或者是來自同一政府機關的不同從屬單位（辦公室或者是行政服務），那麼本書就把他們認作是異質的。相反地，同質的政治行政安排就是指行動「187」者屬於一個或者同一個政府部門，或者是來自一個政府部門的單一行政單位。

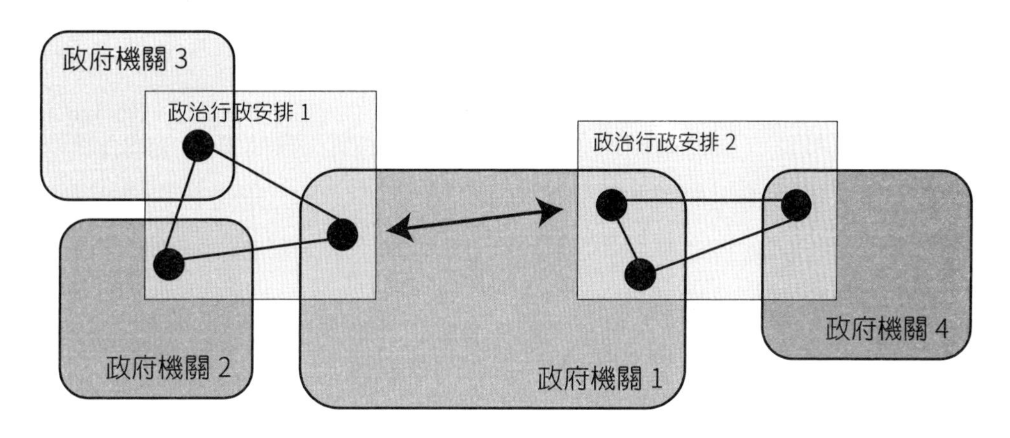

圖 8.4 異質行政環境

NOTE

政治行政安排 1 是由三個來自於不同的政府機關（或者政府部門）行動者組成的。政治行政安排 2 也是由三個行動者組成的，其中兩個來自相同的政府機關（或者政府部門），還有一個其他的政府機關。而政治行政安排 1 和政治行政安排 2 之間的互動得力於所有涉及其中的行動者中，有一半來自相同的行政機關。

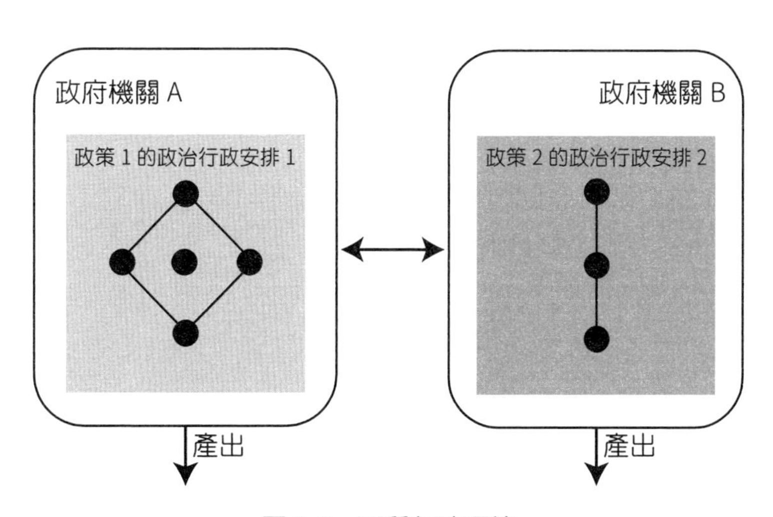

圖 8.5 同質行政環境

NOTE

政治行政安排 1 和 2 都設定是由同一政府機關（或者政府部門）行動者分別組成的，所以他們之間的互動就沒有那麼容易達成。

因此，分析政治行政安排中行動者在政府部門中所處的位置是十分有必要的。因為這樣行政環境就可能就被看作是某一個政府部門最普適的傳統，或者是被看成在職業結構和人才招聘時的主要形態，或者是看作其他政府部門或者機關比較願意維持的傳統互動網絡，包括某些特殊的社會團體（「委託人」）或是享有進入行政單位優先權的外部指導者（機構委聘之科學專家、準常任諮詢顧問）。

因此，當一個政策將其中涉及的公共行動者轉移到不同的行政背景下，這個政治行政安排就會發生改變。例如，監控肉類產品品質的政策一般都是和農業循環的行動者背景息息相關，然而當上升到食品品質安全監控時，就變成了「公共健康」問題，甚至要將獸醫相關服務納入其中。

異質政治行政安排下，最常用的例子就是處理自然災害的政策 [11]，一般來說，它們需要聯合群眾防護、基礎建設以及環境等有關的行動者一起應對。

國防政策一般具有同質的制度脈絡，農業亦然。但是在英國，隨著農業部門對其經濟重要性之遊說逐漸減少，人們轉而重視環境和遊憩的相關議題，農業的同質性正在發生變化（詳見 Toke 和 Marsh〔2009〕對基因改造玉米的深入研究）。

「188」

最後，本書同樣應該注意到政治行政安排也是有國家基本制度規則所管理的，例如，國家憲法、公平性原則、地方政府系統、立法和執法制度、個人言論自由權和法院在保護弱勢群體時的角色。

---

11 見 Baroni（1992）；Bourrelier（1997）；Zimmermann 與 Knoepfel（1997）。

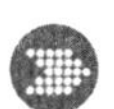 開放程度：開放的或封閉的政治行政安排

政治行政安排的開放程度，是指政治行政安排內的行動者與構成其直接社會環境的其他行動者之間的互動程度大小。分析者在這裡需要明確政治行政安排中的公共行動者與外界的溝通條件；根據政策領域（詳見3.2.2節）的性質，這些溝通條件具有不同程度上的選擇性。此外，有些政策在公私行動者之間劃分了很明確的界限，使得他們之間的溝通比較困難，相反地，另外一些政策在他們之間建立了各種正式或者非正式的交流方式。

政治行政安排的社會環境是由屬於目標群體、政策最終受益人以及政策領域內的第三方利益群體和獨立行動者組成的。當然，政治行政安排中的行動者與「外部」行動者選擇性地進行互動。這個互動結構包括某些正式的程序規範和約定俗成的習慣（非正式規範），後者還包括對於不同行政服務和行動者的組織文化。儘管如此，政治行政安排與外部環境的一系列互動，可以使得政治行政行動者更好理解公共干預所要或想要解決的社會問題，並且更有效「管理」對解決方案最終提出的任何反對意見。

在政治行政行動者安排的實證研究中，一般將其分為三種類型：完全封閉的、半開放的和完全開放的政治行政安排。如果說一個政治行政安排對目標群體、政策最終受益人以及第三方是完全封閉的話，那麼政策產品則是單方面制訂的。這樣的例子包括那些不能經過法院上訴而受到質疑的政策，通常情況下都是「技術性」或者是「敏感性」政策（例如，1970年代的基礎建設政策、公共安全政策以及各種軍事安全政策）。

半開放政策的例子有1970、1980年代的空間發展政策，這個政策只對目標群體即土地所有者開放，卻對地方居民、承租人和公民保持封閉。相反地，類似於現今的基礎建設建設政策，1990年代的空間發展政策似乎更加開放，並且提供更多的參與性程序（Knoepfel, 1977; Linder, 1987; Fourniau, 1996）。 「191」

8.3 過程：行動者、資源與制度

公共政策的方案設定一般都是建立在一系列高度統一的程序之上。相比政策議程設定過程，立法過程一般來說並不開放。接下來將會總結公共政策法律法規基礎制訂的主要階段。參與方案制定的行動者以及其在制度範圍的機動調度最終在很大程度上取決於國家或國家間的政治體制。然而，不同的行動者聯合起來不同的聯盟，調動資源的方法也是天差地別，因此對決策過程也是有巨大影響的，即政策產品，包括和政治行政安排。

在這一階段，分析者應該主要關注政策制訂所在的政治行政體系內的一般制度規則，例如，政府和議會的政黨構成制度、權力分散制度、多數制或是共識制、外部議會委員會制度、正式或非正式的預協商制度、不同形式的全民投票和公民倡議制度，以及議會提案和動員制度等。然而，除了要注意國家層級的民主體制，同時也愈加需要考慮到來自歐盟層面的影響，從而充分考慮公共政策制訂的各決策領域。

這裡不會對某些國家民主體制下的立法過程做詳細討論。表 8.1 將列舉出在瑞士聯邦層面上以及法國、英國國家層面上，法律法規制訂過程中最重要的行動者、資源和制度規則。真正的政治行政安排形成過程要更加複雜，並且有時會是非常不正式的過程。這可以參考本書第一部分描寫行動者（第 3 章）和制度規則（第 5 章）的章節，同時也能參考之後所提到的研究假說（research hypotheis）（第 11 章，特別是有關間接博弈遊戲的章節）。

「192」

「189」
「190」

表 8.1 決策過程相關的行動者、資源和制度規則

階段	歐盟	送議會審議之前	議會	公民複決（瑞士）	法律法規
依照時間順序記載的內容	1. 可變舉措 2. 專家委員會，工作小組 3. 對委員會提出的指導性文件進行試點研究 4. 向歐洲理事會和議會進行闡述 5. 重新制訂 6. 歐洲理事會採納	7. 由行政部門執行試點專案 8. 專家委員會 9. 外部協商程序 10. 重組共同匯報程序 11. 由聯邦委員會提出立法方案或政府備忘錄	12. 由國會委員會提出意見（修正案） 13. 由兩個議院分別進行討論（政府對專案進行辯護）和投票 14.. 兩個議院最終妥協 15. 聯邦議會或者國民大會最終採納	16. 對反對立法的公民投票需要收集 50,000 簽名（選擇性） 17. 公民投票宣傳運動 18. 全民公投	19. 制訂條例和行政法令 20. 合理的協商過程 21. 政府採納頒布的法令 22. 有關政府機關或者部門最終通過行政指導性文檔（通知）
主要涉及行動者	■ 歐盟委員會 ■ 國家機關 ■ 利益團體 ■ 政府部門	■ 行政服務 ■ 超議會委員會（Extra-parliamentary commissions） ■ 政府部門	■ 議會委員會 ■ 政黨 ■ 利益團體 ■ 政府部門	■ 政府部門 ■ 政黨 ■ 利益團體	■ 政府部門 ■ 行政服務 ■ 利益團體
主要動用的資源	資訊、法律、人力、組織、共識、基礎建設、政治支持、時間	資訊、法律、人力、組織、共識、基礎建設、政治支持	法律、共識、政治支援、時間	資金、組織基礎建設、時間、政治支持	法律、共識、政治支持
主要的制度規則（一般的和特別的）	歐盟決策過程的程序法	內、外部協商程序法；享有被告知的權利和聽證權；非正式預先協商規定和共識原則（共同領導）；言論自由權等	議會委員會的決策制度；達成共識的非成文性規範（服從多數黨派）；聯邦立法制度（瑞士國家理事會）；對政黨效忠的規定等	直接民主的法律（選擇性或者強制性備忘錄）；聯邦立法規範；言論自由權等	行政法規制度（享有被告知的權利、聽證權、合法性、公平對待、比例性、不可追溯性等）；內部和外部諮詢過程所扮演的程序性角色

政策執行

政策執行階段往往是公共政策過程中最複雜和豐富的部分。事實上，在這個「政策生命循環」階段中，政治行政安排中的公共行動者、目標群體，以及最終受益人與第三方（積極或消極的第三方）之間，發生了直接聯繫。這裡將著重分析目標群體。當目標群體、受益人和第三方之間的區別並不清晰時，或不適用於論點時，將會借用「受影響群體」這一寬泛的概念來指代所有群體。本章接下來會首先從政策執行的古典理論的角度來定義「執行」這一概念（9.1 節），並討論該領域的最新進展（9.2 節）。從政策分析者的角度來看，這一階段主要研究的是所涉行動者之間的互動，從而實事求是地解讀政策的功能和失誤。 「195」

其次，本章會從實際操作的角度來定義該階段的政策產品，即為政策行動方案（APs）（9.3 節）和政策產出（9.4 節）。透過分析某些類型的政策執行過程，本書將從關聯分析出發指出各行動者間的關係，從而更有利於找出政策成敗背後的因素。

9.1 政策執行的定義

首先需要對政策「執行」這一概念做出一個準確的定義，因為不同國家和各類政治行政科學流派廣泛並選擇性地運用了這一概念。

許多北美學者用**執行**這一詞來表示與實施某項法律有關的所有活動。德國「政策執行研究委員會」(Forschungsverbund Implementation

「196」 politischer Programme）也採納了「執行」這一詞（Bohnert and klitzsch, 1980），然而卻在這一概念中增加了立法機構（即議會）決議過程之後的所有政治行政過程。因此，該定義包括[1]政府法令所頒布的政治行政方案制訂（PAPs）中所有元素的發展。

與上述方法不同，我們對於「執行」的定義並不包括從立法機構決策結束一直延續到行政機關做出一系列具體決定的所有後議會階段。相反，本書將政策執行定義為「**在計畫階段後，為具體實現政策目的而進行的一系列過程**」。因此，這一定義並不包括政府和行政當局通過法令或簡單行政決定的形式在政治行政方案制訂（PAPs）和政治行政安排（PAAs）中制訂的規定性條款。本書認為有必要從分析的角度來區分公共政策中「計畫」和「執行」階段，它們至少部分會出現在後議會階段（或者按照北美學者的說法，當議案通過成為法律之後）。儘管在政策週期中這兩個階段的實質要點部分相似，但是各行動者還是會就不同階段制訂相應的策略（Kaufmann and Rosewitz, 1983, p. 32）。事實上，無論一國是何種政治體制，所有公共政策中都能發現一個明顯階段，即規範國家干預的各項法律法規的實施階段。

因此，本書對於「執行」的定義很接近公共行政日常用語中所常提到的實行或應用的概念。然而，該定義不僅只包括所有種類的具體行政行為（juxtaposed concrete activities）的產出，特別是行政行為的產出；同時也包括所有用來組織這些行政活動的所有計畫過程，或為實施政治行政方案制訂在時間、空間和社會團體方面明確重點的行動方案[2]。事實上，在提供各種結構、資源和公私行動者之後，政策有效性取決於建立一個充

1 使用「中觀執行」（meso-implementation）一詞，見 Dahme 等人（1980, p. 158）。

2 Bardach（1977, p. 57）把「執行」定義為「為產出一特定的方案結果需要各種元素，將這些元素加以組合的過程即為執行」。

足的機制來計畫各項行政活動。總而言之，這裡將執行定義為擁有以下特徵的一系列決策和行為：

「197」

- 執行行動者為政治行政安排（PAA）中規定的公私行動者和準國家行動者；
- 根據具體規定了政策相關法律法規的政治行政方案制訂（PAP），或者是一系列彈性的、不同程度有利於各行動者的一系列法律法規而設立；並且
- 其目的在於創造、影響或控制：

1. 「政策網絡」（根據 Clivaz 於 1998 年做出的定義）的建構，即在正規的行政職能部門（政治行政安排中提及的部門）、其他利益相關行政部門、目標群體、政策最終受益人，以及政策第三方群體之間建立聯繫。
2. 「執行策略」（implementation strategy）的策劃，在**政策行動方案**（APs）（如同在第三部分引言所詳述的政策產品 4）中，不斷更新有待解決的公共問題在社會（或功能性）、空間（或地理）、時間方面的分布狀況，並就該分析做出策略部署。這些計畫越來越多以法令計畫的形式出現，比如，在法國，按照 1992 年法律制訂的垃圾處理計畫，和按照《法國棲地法律法規》制訂的自然棲息地保護計畫；瑞士為降低大氣汙染按照 1985 年通過的《空氣品質保護法》制訂的「測量計畫」；以及英國的醫療和社會服務計畫。
3. 以目標群體為物件，所做的具體的、一般的或個別的決定和行為（或預備工作）（**產出**：政策產品和行政服務；本書第三部分介紹中的政策產品 5），例如，工業生產設備運營許可。

這個「執行」的定義能夠運用於所有政治體系下的所有政策。以上所描述的基於此定義的三種行為能幫助分析公共行為執行中的實質性和制度性內容。此方法同樣要參考以下兩點：

首先，只有出現直接針對受影響群體的一系列行為和活動時，整個執行過程才算完整（產出）。因此，這一過程中總是存在公私行動者之間的各種互動。這種互動通常以談判的形式出現。在談判中，透過非政府組織或各行業的壓力團體來傳達各社會行動者的利益和立場。在方案制訂階段中，可能沒有任何來自於公民社會（團體）的參與貢獻；與次相反，從定義上來說，政策執行階段從頭到尾都在針對政治行政分支體系的外部行動者。因此，政策產品和行政服務（即產出）本身就作為一個出發點，用來評估政策執行是否符合政治行政方案制訂中實質性內容。

「198」

其次，無論政治行政方案制訂如何具體完善，也無法透過宣布「自動生效」(self-executing) 來取代或預先決定政策的執行。這裡的定義認為政治行政方案制訂是必要的但並不是完全詳盡的構架，並且強調的是，從政策執行這一具體角度出發，政治行政方案制訂中的法律法規其實是一系列「遊戲規則」，用於在參與「執行遊戲」(implementation game) 的各個行動者之間分配觀點和資源（Bardach 在 1977 年創造的表述）。即便這些規則清晰，遊戲本身還是存在博弈的空間。而且，一些執行流程取決於某一特定政策行動者間互動的形式，而由於這些行動者的組成形式是在（適用於所有公共政策的）普通法律法規的背景下形成的，因此他們也相對獨立，同時也要考慮區域和地方性質的不同。一部嶄新立法的產生可能會改變既有的政策網絡或者是政治行政安排，比如將過去被排除在政策之外的群體納入政策行動者範疇，或者是增加行動者的政治權重。例如，透過賦予環保組織或消費者上訴權的形式來納入新的政策行動者。然而，需要明確的是，很少有政策是完全從零開始進行各種活動或建立政策網絡。政策若不是為自己開闢一條嶄新的路徑，它勢必要考慮到甚至將自已融入到既有的組織架構、程序和行動者關係之中（詳見本書第 5 章的 5.1 節關於制度經濟〔institutional economics〕中的「路徑依賴」原理）。

9.2 「經典」執行理論與其最新動向

「199」

「經典」的政策執行研究，首先從觀察「執行赤字」開始。傳統上來說，透過將政策產品以及實際效應（政策產出和影響或效果）和描述政策目標和機制的政治行政方案制訂裡的實質性因素進行比較，可以展現這些「執行不足」。就這點而言，政策分析者與政治行政行動者（尤其是聯邦或中央層面上）站在相似的立場，認為政策赤字是執行層面上失敗的表現，並且在多數情況下無關行動者的干預工具和政策目標。

然而，需要指出的是，如今關於政策執行研究的分析概念已不僅僅接受立法者和律師們一貫的教條，即認為執行只是純粹的實行性或技術性的職能。從諸多實證研究專案中發現，這種陳舊的概念高估了法律在以公民社會發展的前提下，影響和控制行政及其行政行為的能力。事實上，正是這種對政治家、公務員以及律師之前廣泛接受的「法律完全決定」觀點的反對，促進了政策執行的研究（Knoepfel, 1979, p. 23）。從此，各種實證研究都試圖從更加不同的角度來解讀政策產品的品質和效果。而在這些研究中，常常運用以下五個方面的因素進行解釋：

- **有待執行的「方案架構」（或是我們用的術語「政治行政方案制訂」）**：方案架構的概念並不僅限於單純的政策實質內容。相反，在這方面的第一個研究項目（見 Mayntz〔1980〕；Knoepfel 和 Weidner〔1982〕；Weidner 和 Knoepfel〔1983〕）就致力於描述表達立法者意圖的各種可能性（例如，精確度，聯邦／中央或者分權行政行動者許可權範圍），以及不同的干預模式（例如，法律義務或禁止、財

「200」

政激勵、資訊）或是在立法中已經確立的制度安排（見本書第 8 章 8.1 節關於政治行政方案制訂的描述）。在英國，就在法律結構化中是否要設立規則和裁量權展開了激烈的討論（詳見 Adler 和 Asquith［1981］；Baldwin［1995］）。

- **「行政執行體系」[3]（或是用我們的術語「政治行政安排」）**：「經典的」執行研究認可負責政策執行的政治當局或行政組織的性質是解釋國家干預品質的因素之一，這無疑是該研究方法的一大創新。該方法強調，有必要將各行政組織納入與諸多其他行動者互動的（跨組織或跨政府的）網絡之中。同時也指出，在很多情況下，對政策網絡的管理能推進政策執行的進程。另外，由於 Olson 在 1965 年提出的「集體行為理論」以及 Crozier 在 1963 年提出的「組織社會學理論」的影響，這些研究並沒有僅限於公共行動者，而是包括了行政機構與社會利益群體之間的各種互動（詳見本書第 8 章 8.2 節中關於政治行政安排的內容）。
- **目標群體的經濟、政治和社會權重**：行政行為指向的目標群體影響國家干預的能力取決於該行動者所屬的社會經濟、政治和文化構成。目標群體可能處於主導或邊緣地位；並且可能是受其他社會團體或者公私行動者支持或排擠。再者，政策中的目標群體很可能是某壓力團體的成員，而該壓力團體的配合對實現該政策或其他政策至關重要。當然，這一情況會增強目標群體在執行政策的公共行政機構進行干預時的地位。從另一角度來看，行政行為指向的目標群體的權重大小也取決於公民意見和公共行動者認為其對待解決的問題應付的責任大小。最後，這種定位也取決於目標群體所處的位置。這表明除了上述的因

---

3 Bardach（1977）稱為「執行機器」，德語中 Implementationsstruktur，也就是「執行結構」，實質多有負責執行的行政單位的集合。

素，如果目標群體處於「高壓問題區域」之外，那麼他的談判能力就會加強；相反，若其處於問題區域的中心，則他的談判能力就會受到削弱（比如，一家位於汙染明顯超標區域的工業企業，很難在關於降低大氣汙染的清潔指令中取得談判的優勢）。 「201」

- **政策傳達體系中與目標群體權力相關的問題**：這裡要探討的是國家能在多大限度上影響其自身職能部門的行為。在這方面，關於政策執行的研究與大量組織內部控制研究產生了聯繫（詳見 Hill〔2005〕第 10 章）。政策執行研究中很多都有關研究政策系統傳達終端的人員行為。另外，有關「基層官僚」（street-level bureaucracy）的一系列研究（由 Lip sky〔1980〕率先提出，在 Hill〔2005〕第 12 章，以及 Hupe 和 Hill〔2007〕中就此概念有進一步探討），解釋了為何在行政第一線，尤其是在涉及複雜的專業性服務時，可能甚至是應該給予一定的自主權。從這個角度來說，政策變化可以是以政策體系內部的行為改變為目標。而在新公共管理背景下，這一問題又更為複雜，要考慮到委託授權組織所辦的任務中有多少不是直接由政策制訂者管理的。因此，會出現關於目標定位的問題，如何避免錯誤定位導致與政策系統外部的私人行動者混淆的策略制訂問題，以及具有相似性的目標群體（例如，醫生）的「權重」問題。
- 公共行為中目標群體的定位也受到「**情境**」（situational）**變項**的影響。這些因素會影響目標群體在政策執行談判中的操縱範圍。這些變項包含外部事件、經濟或社會環境的變遷、經濟動盪等不受參與行動者的意願控制的事件。例如，油價上漲有助於公共行動者推行針對目標群體的節能政策，而目標群體就相對無反駁之力。同樣，同時比較不同執行區域，也就是在不同「**結構**」（structural）**變項**影響下，行動者地位會因此不同。事實上，研究表明，存在一些對行動者產生 「202」 一定影響的相對穩定的決定因素，例如規範產權關係的法律法規（詳見 Nahrath 等人［2009］）或憲法上的政治權利（例如，將外來人口排除在政策領域之外）。

以上提出的五個問題關係公共政策服務的品質，並在做出一些調整後被運用到了本書的研究方法中。對這五個問題的展現表明經典的政策執行理論具有比較性。因為為了對這五個因素如何發揮作用進行實證研究，需要選取多個地方的行政行動者，對其政策實施過程進行全程研究。對這些「實證地點」（empirical sites）的選擇要考慮是否有提供不同品質的行政服務，即政策產出或依變項；或者在四種自變項方面是否存在差異。

1980 年代，政策執行的「經典」研究高估了政策的「政治」代價，也就是權力鬥爭以及後工業社會發展的通性[4]，受到重新檢視與指責。法律社會學感興趣的學者（詳見 Treiber［1984］）也提出了一些批評，例如，強調「執行偏差」偶爾也會產生積極效應的這種狹隘狀態的危險性（詳見 Müller［1971, pp. 53, 98］）。除了這些外部的批判，研究政策執行的團隊自身也就其最初的政策執行概念提出兩項重大調整。

- **由「自上而下」轉由「自下而上」**：大多數的學者認同 Hjern（1978）、Hjern 和 Hull（1983），以及 Barrett 和 Fudge（1981）最初的論述，他們認為由上自下的分析角度會使得研究者忽略政治行政方案制訂（PAPs）中未預見的社會或政治進程。後者值得研究，並且不應該被認為僅僅是妨礙政策有效執行的障礙。事實上，「自下而上」研究方法的支持者認為社會政治進程正體現了同一個政治行政方案制訂（PAP）根據相關公私行動者的利益可能會引發不同的回應和策略。「203」當某行動者因受到各種社會、經濟和政治行政規範的限制，而沒有按

4 參考於 1984 年 10 月上呈德意志聯邦共和國政治學協會大會，就此問題展開討論的論文。

照立法者的意圖來使用或實現政治行政方案制訂時，這並不是一種簡單的不合規行為[5]。例如，根據瑞士群眾防護政策對建造反核避難所所提供的補貼偶爾也用於達成當地文化體育政策的目的，如建造多功能健身房和娛樂中心。為了使得這些行動者實施行為的真正動機得以清晰，提倡「自下而上」的運動便建議所有關於政策執行的研究應該從政策體系的基層行動者入手（見表 9.1）。因此，政策分析者必須著重研究公共政策目標群體的真實行為，以及他們與其他相關行動者（包括政治行政安排、政策最終受益人和政策第三方）的真實互動。這裡所提出關於執行的定義在政治行政方案制訂的規定性作用方面已經吸取了相關批評性意見[6]。

「204」

表 9.1　關於政策執行「自上而下」與「自下而上」的區別

執行方法	自上而下	自下而上
政策執行分析的起始點	政治行政行動者所做的決策	地方執行行動者的行為
明確公共政策主要行動者的過程	自上級公共部門至下級私有部門	公私行動者自下而上
政策執行品質評估的標準	■ 執行程式規則性（統一性、合法性） ■ 效力：政治行政方案制訂最終目標實現的程度	■ 沒有清晰的既定標準 ■ 所涉行動者的最終參與度 ■ 執行中最終的衝突程度
（關於公共政策落實的）基礎性問題	為了確保政策目標的最優實現，應適用哪些執行模式（架構和程式）？	在執行中因適用哪些涉及政策公私行動者的互動行為以確保其接受度？

資料來源：基於對 Sabatier（1986, p. 33）所做比較性研究的修改和寬泛適用

5　參考 Sabatier 和 Mazmanian（1979）的原著，標題為「有效執行的條件：完成政策目標的指南」。

6　另見 Hill 與 Hupe（2002）。

- **從「執行」的概念發展為「執行遊戲」**：透過分析各種執行過程中不同的方面，Bardach（1977）再次將其研究定位在公共政策的實行之上。他預計到批判指向「自上而下」模式中的「政府至上」（governmentalistic）的本質，於是在其名為《執行遊戲》（*The Implementation game*）一書中，他將其比喻為遊戲，即「如何讓政策研究者關注遊戲的行動者、他們的利益所在、策略戰術，進入該遊戲的方式、遊戲規則（取得遊戲勝利的條件）以及確保『公平的遊戲』（faie-play）（規定超過某一限度即為欺詐或非法）」（p. 56）。Bardach（1977）也強調了玩家間互動的特徵以及遊戲可能產生的結果（「政策效應」）（p. 56）的不確定性。這種比喻性的概念使得政策研究者有可能「將注意力放在不願意參與該遊戲的行動者身上，挖掘他們不願參與的原因，以及關注那些要求遊戲規則改變才加入遊戲的群體」（Bardach, 1977, p. 56）。

這種政策執行的概念闡明，無論是在政策應用過程中對可支配資源的「205」分配，還是該過程中對定義或再定義**遊戲規則**的權力的實際分配，對政策行動者來說，都是一個競爭的過程。無論是公私行動者，只要能在遊戲規則（再）制訂中勝出，便能很大程度上影響政策的執行，從而聯合其他相關行動者使政策盡可能地為其利益服務。因此，對於各行動者來說最大的挑戰就是要占據制度規則制訂者、解釋者和修改者（遊戲修改者〔fixer of the game〕）的重要地位。

因此，本書的理論框架部分採用了以上方法（見本書第 6 章 6.2 節「間接博弈」）。這一方法弱化了政策實施的「理念型」形象，即政策實施是基於政策實施行動者的意圖和政治行政方案制訂（PAP）中實質內容的過程；同時也摒棄了將和政策執行完全割裂來看待的理念；並且重新審視公共行動者在經濟和社會層面上凌駕於私有行動者的「至高合法性」（legitimate supremacy）。

這裡對於執行的定義只吸收了 Bardach 研究方法的部分邏輯推論。雖然該方法創造性地將分析者的視線引向所有行動者而不止是公共行動者，但該方法太過「美國中心主義」而不能完全涵蓋某些歐洲民行動者制國家的現實情況。事實上，公共職能發揮基本作用，以及在政策制訂（政治行政方案制訂和政治行政安排）階段中做出各種實質性和制度性決策內容的這一傳統在歐洲各民主國家根深蒂固。然而在美國，「規則制訂」過程，即獨立機構根據法律程序制訂規則的過程是介於「法律制訂」（或傳統的「方案制訂」）和「執行」（也就是傳統意義上的執行）之間。但是，不能嚴格限制規定執行過程的分析只在最後這一階段。恰恰相反的是，如今更被普遍接受的觀點為，對執行過程的理解需結合對方案制訂階段的分析。從這個觀點出發，接下來將會討論直接連結政治行政方案制訂（PAP）與政策實施結果（產出，政策產品 5）的「政策行動方案」（APs）（政策產品 4）。

儘管本書採用的研究方法不僅限於簡單的政策執行分析，但卻採用了很大一部分的「政策實施研究」的傳統概念；同時也歸納了整個政策週期中採用的各要素，並且最終回歸到行動者、資源和制度規則這三種基本要素上。當某種有待執行的「框架」的方案被應用到政策執行階段的分析之中，在本書概念裡用於解釋各項行政服務的因素之一的該方案就是政策產品 2、3 和 4（PAP、PAA 和 APs），指導政策行動者之間的「直接博弈」。而包含了這三種產品中制度因素的舊的「行政執行體系」則負責指引行動者進行政策產出的「間接博弈」。第三個因素在傳統研究方法中被認為是政策執行的決定性因素，即「目標群體的經濟、政治和社會權重」。這對應了本書研究方法中的自變項，也就是政策博弈行動者（目標群體、政策最終受益人和第三方）如何直接和間接地影響政策走向，以及他們在政策相應制度規則、行政法或普通法律法規的背景下如何動用資源。

「206」

這種概念沒有忽視情境或結構變項，因為對於行動者而言這是補充性甚至是日益稀缺的資源。例如，自肉類荷爾蒙超標被曝光之後，消費者保護運動便需要更多的政治支援，而因消費萎縮而引發經濟危機的前提下，這類運動便會缺少政治支持；或者法律法規或多或少偏向於所涉行動者的利益，如憲法創制權僅向瑞士公民開放，只有享有媒體資源的群體才能自由發表言論。

9.3 第四個政策產品 —— 政策行動方案

在所有政策中不一定都能發現正式明顯的政策行動方案。這裡將其定義成**為協調並且有目的地生產行政服務（政策產出）而設計的一系列必需的計畫決定**。這些計畫決定在某些情況下在政治行政方案制訂中可能已有所涉及。因此，政策行動方案是為了在產生具體措施和分配行政決定活動實施所必要的資源方面明確重點。政策行動方案位於政策實施過程中，是介於和尚未成型的執行行動之間的中間階段，因此其作為即時管理工具正越來越多地被運用於政策過程中。

因此，許多瑞士、法國制訂的聯邦或國家法律，以及歐盟在結構型基金領域內的財政干預都敦促州立、地區政府或各部門等各次國家層面提前制訂一系列安排，從而獲得各種補貼或建立各種專案或計畫。這通常出現在經濟發展領域（這裡指歐洲區域發展政策框架下區域發展計畫）、基礎建設領域（諸如州際公路和大學的建造）以及環境領域（諸如大氣保護、消除噪音汙染、水資源管理、廢水處理等）。而在空間發展領域（例如結構規劃），這種做法由來已久。最後，值得注意的是從本書對政策行動方案的定義來看，其與新公共管理各進程中發展起來的「服務契約」（service contract）或授權指令有所聯繫。

「207」

以法律分析中採取的標準為基礎（見表 9.2）來分析這些計畫方式可以將政策行動方案與其他處於中間階段的執行行動區別開來。根據本書的研究方法，行動方案作為一個獨立的政策產品，使得政治行政方案制訂中概括抽象的各種規則與個別且具體的執行行動相連接。這一方案可能區別於某些政策中（尤其是涉及土地的政策）的中期執行行動。後者是概括卻具體的產品，但有時可能是同一個名字，例如土地使用計畫。

表 9.2　從法律角度劃分政治行政方案制訂、政策行動方案和正式執行行動

法律角度	普適	個案
具體	政治行政方案制訂中的規則	政策行動方案
抽象	中期執行措施（例如土地使用計畫）	（正式的）執行行動（產出）

通常出現在基礎建設和管理政策領域的這些計畫活動都有一些共同點，即它們都出現在最終的執行方案產生之前。因此，它們的目的在於明確時間順序並且回答以下問題：公共問題的壓力分布如何？壓力分布導致國家行為重點應該指向哪些目標群體和最終受益人？執行成本是多少？哪些政治行政行動者應該調動哪些資源（參閱 Flückiger［1998］）？ 「208」

從功能（根據國家干預行為的類型）、時間（短期、中期或長期）、空間（根據地理區域）或是社會（社會經濟團體的劃分）等角度出發，可以明確定義政策實施的重點和次要點。尤其是在監管類型的政策中，明確定義政策實施重點通常意味著人們決定接受在特定時期內某些目標群體在部分的「政策執行不足」。這種給予某些群體的特權及另外一些群體的歧視的產生可能是由於政治壓力、某區域或行業中問題的深化或者是政治行政方案中的規定。比如，瑞士某些城市交通限制措施中存在的一些社會歧視現象（參考 Terribilini［1995, 1999］關於減輕瑞士城鎮交通壓力的社會歧視性措施的實證研究）。

需要指出的是，政策行動方案有時只限於公共行政部門內部。對政策實施重點的明確並不具有法律效力。換言之，政策行動方案並不賦予他人法律權利。即使在政策行動方案中某些團體享受明確的特權（例如，資質不足的失業青年、長時間失業者），從法律角度來看，該團體並沒有合法權力優先於其他在 PAP 中設定的社會團體（例如符合資質的年長失業人員）享受公共服務提供的利益。因此，政策行動方案能夠允許公共行動者在不直接牽涉到法律層面的情況下更好地管理政策的執行。

然而，尤其在法國和英國，越來越多的現象表明政策行動方案的制訂越來越面向目標群體、最終受益人和政策第三方開放。例如，在經濟發展、環境、空間發展領域的一些公共干預計畫必須通過不同程度的開放程序與利益相關者進行協商。這種趨勢的產生有很多原因，例如政治行政安排中結構複雜性上升；目標群體和政策最終受益人對參與制訂政策執行重點的要求等等。因此，這些行動方案的價值有些時候在於這種「對抗性」（opposability），並借此在一定程度上限制執行行動。因此，通過方案計畫的方式來達到執行行動正規化的這一趨勢的出發點和結果都是（重新）明確政策實施重點、受影響群體，甚至是政策因果假說，特別是在次國家層面上。比如，歐盟在有關結構基金的政策中，越來越多的規定要求建立起正規的政策行動方案，從而彌補其在追蹤政策執行情況中各種不足。

「209」

圖 9.1 概括展現了所有政策行動方案的差別邏輯。根據該圖，政策行動方案中所設計的執行重點並不完全涵蓋政治行政方案制訂中所有的實質目標，並且最終會引起可預見的、合理的政策執行不足。不僅如此，具體採取的措施也未必覆蓋行動方案規定的全部執行領域。因此，相對於政策行動方案，在某段期間內政策措施可能無法影響某一特定社會群體或地區。以上便是所謂的「不可預見的偏差」。在對最終執行行動（政策產出）界限的實證研究中，政策分析者應該明確最終執行偏差究竟是行動方案本身差別對待造成的，還是行動方案執行不足導致的。

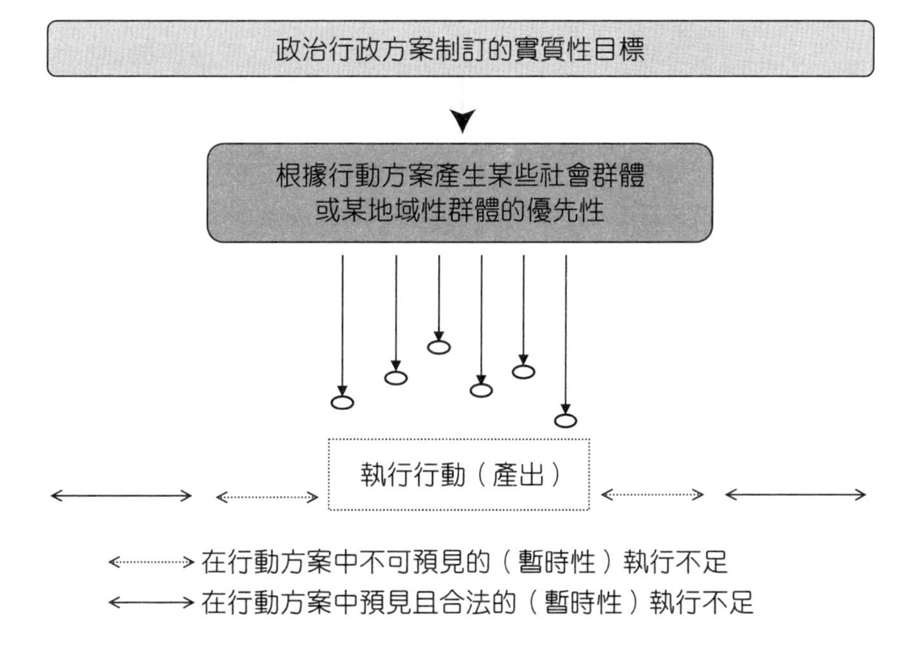

圖 9.1　政治行政方案制訂的目標、計畫優先性和產出之間的必要聯繫（政策執行不足的範圍）

政策行動方案需要建立在對政策執行活動隨時間發生變化的充分瞭解之上，這才能保證行政資源的有效利用。所謂的有效性體現在所選擇的措施和分配的資源能夠更好地幫助解決公共問題的同時，也考慮到了目標群體改變自身行為的意願。從經濟上考慮公共行為的邊際效用在這個方面有決定性的作用。實際上，首先這是關於國家在分配資源解決公共問題（在巴瑞圖最適［Pareto optimum］和希克斯－卡多爾最適［Hicks-Kaldor optimum］的理論之上）方面如何實現最大效率的問題。因此多數情況之下，需要找出某個目標群體，其行為改變最有可能解決公共問題。其次，需要明確哪一些目標群體表現出的改變行為意願最大，例如，某一部門新的投資週期從經濟方面促使目標群體改變其行為。再者，需要明確達成預期效果所需的行政干預成本最低的潛在目標群體。因此對於行動的計 「210」

畫也要考慮效益，即效果和目標之間的關係；和資源配置的效率，即效果和資源之間的關係（見第 10 章關於「政策評估標準」的描述）。

實踐證明設定與特權群體相對應的受到差別對待的群體是非常重要的。從地方機關實行國家政策的情況來看，政策執行常常不是連續的。一般來說，政策執行一開始會集中在某些群體上，因為這些群體的行為改變可以促使以最低的行政成本在最大程度上解決公共問題。比如在環境政策中，政策執行主要集中在大型工廠，而忽略中小型企業；從而造成政策執行不足。政策實施重點也會出現在噪音汙染政策（根據噪音汙染所影響的人口數目）和公共交通政策（根據交通線路連接的人口數目）中。因為在政策進程中行動者有時會做出極大的差別對待，因此觀察這種差別對待在多大程度上被人們所意識或在政治上受到討論是非常重要的（例如，在英國的《兒童撫養法案》〔Child Support Act〕中，暫且撇除政治色彩而出於行政原因，那些最願意支付撫養費用的缺席父母反而成了政策的目標群體，這導致了對該政策的質疑，並且突出進一步改變該政策的需要）。「211」

為了有助於對政策行動方案進行系統化的實證研究，以下將會介紹五種可供分析者考慮的因素。首先，需要強調的是這些適用於所有政策行動方案的五個方面是相互補充而非排斥的。事實上，只有透過同時分析這五個方面，才能真正瞭解這一政策產品的實質性和制度性內容。

- **顯性或隱性的行動方案**：正如前文所述，行動方案通常以內部文檔的形式出現，並且在政治行政行動者和受影響群體之間沒有建立法律聯繫。此外，各種政策行動方案體現了不同程度的明確性。對於顯性的行動方案來說，如果申明其「官方性」並且為所有（公共與私人）政策行動者所熟知，則能積極影響其實施效果。相反，隱性的或（半）封閉的行動方案只能對各行政服務部門產生非常少的約束。然而有趣的是，如今存在這樣的一種趨勢，即透過正規制訂政治行動方案來促進達成共識，從而達成公共政策的有效實施（結果的產出

〔production of output〕)。因此，在分析政治行政方案制訂時，行動方案活動的正規程度是相關標準之一。

- **開放性或封閉性的行動方案**：除了行動方案的正規程度，其開放程度也需要分析。不僅內部行動者會參與建立不同區域或社會群體間區別對待的計畫；相反，這些計畫可能會向所有相關的公共行動者開放，即目標群體、政策最終受益人和政策第三方。正如上文所述，因開放計畫進程而促使政治討論的現象日趨普遍。
- **不同程度的歧視性行動方案**：一項行動方案中會有所偏重，這就導致了其本質上的歧視性。這些在時間、地理和社會方面的歧視範圍有大有小。因此，可以清楚地界定執行的最後日期或是產生執行方案的基期（例如，是採用年度計畫還是諸年計畫），期限的設定能向處於政策優先位置的受影響群體保證一定的可預見性（或是不純正〔pseudo〕的「既得權利」〔acquired rights〕，例如補貼政策）。其次，優先政策實施地理區域的劃定時也會清晰或模糊，穩定或易變。最後，若該歧視是基於受影響個體的社會經濟特性，標準可能會非常嚴格，也可能會給執行行動者留出更多評估裁量的空間。譬如，針對落後地區的補貼發放計畫通常更具有歧視性，但對公司的補助計畫中歧視性大大減弱。「212」
- **廣泛或有限地（重新）構架政治行政安排的行動方案**：行動方案的主要目的在於具體化政策中政治行政方案制訂中實質性內容的範圍，因此需要準確界定參與到政治行政安排執行中的主要行動者。如果在法律法規中涉及各行政組織、準國家行動者、私人行動者和各公共階層（中央、區域和地方）之間的實際合作，那麼就必須明確哪些行動者必須協調自身行為以配合實現執行目標，即建立特殊的政策網絡（詳見本書 9.1 節關於執行第一階段的描述）。從該制度性角度來看，政策行動方案有其選擇側重性，這體現在它是否在責任行動者之間建構了除了政治行政方案制訂和政治行政安排中已有的元素之外的互動模式（例如，以「專案組織」〔project organisation〕的形式），或者取決於它是否在執行政治行政安排的基礎上設計新的組織性或程序性規則。

- **資源配置清晰程度不同的政策行動方案**：最後，對政策影響和效率的策略性考慮會指導政策行動方案的制訂。理論上來說，這是關於如何投入現存或新獲取的行政資源（如補充預算和新增加的人力資源），從而使得公共問題得到最大程度的解決。這表明行動方案需要明確哪些行動者運用哪些資源來實現政策執行的目的。這種資源配置的過程與其說是出於成本效益最大化的考慮，不如說是不同行動者利益之間的政治仲裁過程（例如，決策層面上行政行動者間對資源的爭奪）。因此，分析者應該考量某一行動方案是否正式明確給予某個行政部門某種特殊的資源在某優先群體中實施某項措施；或者相反地，並沒有明確現有資源使用和政策重點領域之間的聯繫。顯然，後一種情況下的行動方案相對缺乏有效性。

「213」

例如，在瑞士，關於國道和州際公路的反噪音措施計畫（由瑞士邦聯補貼）中明確了政策實施重點，並按照中期財政計畫中的規定提供資金。同樣，在法國，水質保護項目向不同時間、空間和目標群體方面的實施重點提供了一定數目的資金。然而，在很多政策行動方案中，所計畫的措施和資金分配間沒有聯繫，例如在瑞士，各州應對大氣汙染的計畫中就只有具體的措施，而不包括關於執行所需的財政資源的表述。

總之，政策行動方案真正成為政策管理工具需要滿足以下幾個條件：其是明確制訂的，能夠在一定的時間框架下做出區別對待，構造了政治行政安排中各行動者的任務和職能，並且連接起（補充）配置的行政資源和具體的政策決策及行為。毋庸置疑，這種行動方案促進了政策執行管理的一致性和定向性。另外，它常常使得所有行動者瞭解政策實施的（暫時性）重點。因此，政策行動方案制訂的先決條件是相關政治行政行動者將公共行為目標合法化。這包括接受高額政治成本，並且同時考慮到共識的必要性。事實上，制訂政策行動方案很少出現在立法層面上，而是在行政層面上，這使得行動者有更多自由裁量的空間（例如，如果行動方案很隱蔽，則不會出現全民投票和政治操控）。「214」

最後需要指出，在許多歐洲國家，行政重組促使各議會、政府甚至各部門推出了所謂的「服務契約」（service contracts）或任務授權。這些在各行政機構之間或準公共行動者與私有行動者之間達成的這些措施，從某種程度上可被認為是政策行動方案，因為其根據所需服務（現實中也可能是不必要的服務）而做出選擇。這些措施分配各種資源，特別是以預算的方式配置財政資源，並且為服務的數量和評估設計相應的決策機制（瑞士的情況請參考 Maastronardi ［1997］；Knoepfel 和 Varone ［1999］；法國的情況請參考 Warin ［1993］；Gaudin ［1996］；以及本書第 12 章 12.2.2 節）。在英國，地方政府將服務外包，並由地方當局進行品質監控，以保證達到低成本和客戶滿意的服務標準。但是，也因其缺少衡量服務效果的指標而被詬病。

對這些問題的另一種看法是，建立起某種機制來監控行動方案中規定的需要承擔廣泛且複雜的責任履行的情形，因此，重要的是執行的效果，例如汙染程度額度降低、文盲的減少、衛生標準提高等，而不是產出本身。在英國，最新的政策執行控制行為的特點之一，就是由大量的檢察員和審計委員會來審查政策執行的綜合績效，而非確保嚴格遵守規則。這已成為組成中央與地方政府關係的一個部分（Power, 1997; Pollitt, 2003）。

9.4 第五個政策產品 —— 執行行動

我們將正式政策執行行動（政策產出）[7]定義為所有政治行政過程的一系列終端產品。作為該政策執行範疇中的一部分，每個政策執行行動的目標都是受影響群體成員。最終行動包含負責公共任務實行的行政機構和其他（私人或國家附屬的）機構，直接針對受影響群體做出的行政產品。「215」這些產品包括各種行政決定和行動[8]（如：條件性授權、個人禁令、批准）；各種財政資源發放（如：補貼、財政豁免）；各種收費行為（如：間接稅收、直接徵稅、罰款）；各種警力干涉行為；各種直接提供的服務行為，如健康檢查、財務檢查、培訓或治療服務；以及各種諮詢行為和組織性措施。現實中，這些正式的行動伴隨著大量的非正式行動（見下文）。

在受影響人群和負責政策執行的公共機構之間建立一個獨特的關係（尤其是正式行動，無論是否具有法律屬性）是政策執行行動的特點。《行政程序法》中規定了受影響群體參與和合作的權利或義務。重要的是，由於資源有限，行政機構難以（及時且同時地）服務或懲罰所有政策相關群體。在這種情況下，就會出現政策行動方案在時間和地域方面執行不足的現象（見 9.3 節）。

要從不同的層面上理解執行行動。律師深入研究上述的個別行動去驗證其是否以及多大程度上符合政治行政方案制訂和政策行動方案中的條款（即驗證其依法程度）。政策分析者通常關注的是多個政策產出的集

---

7 在這裡「政策產出」與「政策終極產品」、「行政執行行動」、「行政服務」在本書中表達的是同一含義，視情況而定。

8 瑞士的具體情況請參考 1968 年 12 月 20 日通過的《聯邦行政程序法》（RS 172.021）。

合；「產品群體」(product group) 一詞便是被用以指代這一情況。經驗顯示，這些「產品群體」並不容易確定；政策分析者需要重建這些「產品群體」，這包括進行獨立且難度巨大的定義工作。可以透過運用不同的分類模型達到此目的。儘管困難重重，但在行政機構進行重新組織的情況下，常常需要對執行行動或產品（群體）進行定義。事實上，這也幫助行政部門更加直接地將架構和程序立足於產品品質和政策產品生產要求上，即在政策產品而非法律的基礎上組織行政工作，稱之為「服務專案」(service project) 引導的行政重構。再者，對這一系列政策產出產品的定義可以強化行政部門或準國家行動者的集體認同感，即「組織認同」(corporate identity)。最後，政策產出的定義也能針對具體政治情況更好地量化和證明政策產品。因此，這能使政策行動者根據其政策產品的要求提升對政策的管理品質。「216」

在形成正式執行行動（政策產出）以及實現政策預期目標的過程中，公共機構扮演了主要角色。其中，實行機構對政策的具體實施可以產生很大的影響，這取決於他們如何利用政策給予他們的解釋和行動範圍。因此，這自然會促使各種機關監督這些執行行動，並且也存在大量法律要求提供執行報告，以明確具體執行行動的品質和數量。這種告知義務有利於監督政策執行。執行報告是監督實行行為的重要工具。而執行報告所採用的形式也對不同地區行政單位之間的標竿分析法 (benchmarking) 有很大影響，從而限制了政策操縱空間 (Knoepfel, 1997b)。

在執行直接針對私有行動者的行政法規，以及公共行動者只需進行輔助干預的過程中（如監督是否遵守規定以及對違規現象進行處罰等過程），政策執行機構發揮了關鍵的作用。事實上，規範遵守程度本質上取決於監控力度和保證規範遵守的最終懲罰力度；例如，負責控制車速限制的警力，以及違法行為導致的罰款。

在分析政策執行行動過程中通常需要收集大量的資料。根據問題的本質，有時候需要收集在研究階段出現的所有政策執行行動在存在性、數量和品質、受影響群體的時間和空間分布，以及實質性和制度性內容方面的資訊。同時也需要記錄其他公共政策的執行行動，因為這些行動可能會影響受影響群體的行為以及待解決問題的發展。當需要高頻率地做出執行行動，建議以圖表形式來呈現，如根據實證研究的不同方面對政策產出在空間或時間上進行備案。為了描述某一公共政策的執行產出，政策分析者需要考慮以下六個標準：

「217」

- **政策執行行動的範圍（＝存在性）**：這一標準將政策行動方案確定的重點和實際發生的執行行動直接聯繫起來。政策分析者應當對應著行動方案的目標來分析所觀察行為的時間分布和社會空間分布（以一段時間在一定空間內所有政策產出的概要形式）。透過進行這樣的對比，分析者能夠找出哪些是在計畫階段就已經計畫好的執行不足，而哪些又是因為執行不徹底而造成的執行不足；前一種執行不足即使沒有涵蓋全部領域或存在客觀問題壓力，政策執行者也仍然徹底執行了政策行動方案。與最初的自上而下式的「執行不足」方法將執行不足的責任歸結於行動方案的執行者不同，這種方法將預期與非預期執行不足明顯區分開來。預期與非預期執行不足中間還存在另一種可能性，即之前提到的 Lipsky 所提出的因基層執行需要的自由裁量而導致的差別執行。除了將政策行動方案中的行為範圍和具體執行行動進行直接比較，分析者也應該從政治行政方案最初做出的規定角度，觀察具體執行行動來判斷是否存在執行空白或範圍不合理的情況。換言之，政策分析者透過將具體政策執行的概況和政治行政方案制訂及行動方案進行對比能夠找出缺少哪些執行行動。

  比如，瑞士西部城市夫里堡的交通壓力緩解措施，最初著重地區是高檔住宅區，儘管這些住宅區並不一定是遭受交通所造成的負面影響，如噪音、汙染、交通意外等影響最嚴重的地區（Terribilini, 1995）；這便是一種從政治行動方案層面就出現的範圍不合理的政策產出。相反，在某行政區域向所有自然人和法律實體進行徵稅的政策產出行為卻具有一致性。另外，也可能出現除去某些目標群體的「漏洞式」（holey）執行方式，例如因政治壓力或缺少資源（人力、財力等）而放棄公共干預。其他例子還包括：在嘉年華期間因警方例行檢查的放鬆，以及無法追捕「軟性」毒品的生產者。

「218」

- **政策產出中的制度性內容**：正如政治行政方案制訂和政策行動方案不單只有實質性內容（問題該如何被解決？），正式的政策執行行動（政策產出）也包含了不同程度的制度性元素（哪些行動者應該參與到解決問題的行動之中？遵守什麼規則？使用何種資源？）。為了持續解決某個集體問題，很多政策中存在一些監控機制。這種監控機制要求建立某種行動者網絡來運行此機制，如建立多個參與方組成的監管委員會或監管機構，其成員包括代表公共部門、目標群體和最終受益人的大量行動者。這種機制還會設立溝通網絡來解釋與政策效應相關的測量資料，如對某項基礎建設工程環境影響研究中預測和記錄的資料進行核實。

同樣，根據本書提出的核心研究假說，政策執行行動的制度性內容會構成下一個政策階段的結構，即最終制訂政策效應和影響評估報告（詳見本書第 10 章）。大多情況下，是那些擔心在政策執行實質內容方面的直接博弈中已經失敗的行動者會有動機透過間接博弈，即干涉政策產出的制度內容在監控結構中獲得一個關鍵位置。例如，法國垃圾處理引起的「地方不受歡迎土地使用」現象（locally unw anted land uses, LULU）的制度應對措施之一是為每個垃圾處理廠建立設立一個地方資訊監管委員會（Commission locale d'information et de surveillance, CLIS），其成員包括整個政治行政安排中的政策執行行動者、當地居民以及環境組織。

- **正式的或非正式的行動**：實證研究借助政策備案（profile）記錄實際的政策產出，從而瞭解這些行政活動的法律上的正規程度。這一方面尤為重要因為關係到生產成本（產出越正式成本越高）、協商形勢和影響執行行動後續的制度性內容。事實上，行政決策中通常包括上訴條款，向所有受影響集體開放政策實行最後的（法律）階段及其後續。因此在很多情況下，相對於繁瑣複雜的正式執行行動，政策執行機關更偏向於非正式執行行動。例如，在回答某項補貼或計畫許可是否能成功通過正式程序的問題時，透過電話提供的未被正式記錄的資訊是不會成為上訴的對象。

「219」

- **過渡的或最終的行動**：在前文中，本書將最終執行行動定義為政策執行階段產生的兩個政策產品之一。但是，這一階段中仍然存在一些屬於過渡性質的行為，即在行政機構內部採取的，還未針對受影響群體的行為，或籠統但具體的行為。例如，仍需要進一步具體化才能執行政策的空間發展草案。對於政策分析者而言，這些過渡行為的重要性在於說明理解直接針對目標群體獨立個體的最終行為；但也要注意不能將兩者混淆。地方土地使用計畫就是典型的例子，雖然這計畫對土地所有者具有法律約束力，但仍需要建設許可來具體化。這種過渡行為同樣出現在大型基礎建設專案中，許可程序通常要歷經多個階段（如：總體方案、具體計畫、實行許可等）。
- **政策最終行為的內容一致性**：受公共政策影響的群體的行為一般同時受到多個公共干預行為的影響。因此，有必要分析同一政策產生的不同執行行動是否一致，是否有相互強化的功能。實際上，政策不同執行行動之間缺乏一致性會大大損害政策的實質效果。

更高層次的一致性體現在政策行為之間的協調配合，例如，工業清潔化規定伴隨著財政支持措施；透過對低收入家庭提供保險費補貼來補充強制性健康保險；建立注射中心即規定美沙酮或海洛因處方藥

「220」

的醫療監管來協助取締公開涉毒的地區。相反，在高速公路設置限速但又缺乏對違規者的監控；強制實行垃圾分類措施卻缺乏單獨或集體的垃圾收集系統；這些都表明了政策執行行動間缺乏協調性。

- **與其他政策執行行動之間的協調程度**：當研究多個政策的執行行動時，執行行動之間一致性問題變得更加明顯。由於政治行政安排和政策行動方案過於封閉的且未充分構架執行行動而導致的政策執行階段的協調程度不足，是不大可能成功改變目標群體行為。

  例如，在經濟衰退時期（建築產業的復甦是此時經濟政策的目標），對更新能源系統的建築發放補貼（能源政策），這就是一個外部協作的成功案例，而與之類似的農業生產補貼（鼓勵使用天然或化學肥料）和水汙染（因農業肥料的擴散而導致）防治措施之間就是一個缺乏協調性的例子。

搜集關於執行行動的詳盡資料之前，必須要針對受影響群體給予清楚的定義。根據法律原則，受影響的群體可以定義為：為實現政策目標而賦予其權利或義務的自然人或法人，以及行為受到其他行政活動影響的自然人或法人。在分析政策執行備案時，需要注意的是政策不僅僅產生執行行動，也產生政策效應。因此，局限於正式和非正式執行行動（政策產出）而不考慮效果和影響的分析是不完整的，並且可能會混淆政策服務和政策效應。因此，下一章將會對政策影響和結果進行基本分析，這也是政策評估的目標（見第 10 章）。在分析政策週期第四階段之前，以下內容將會討論公共行動者、目標群體、政策最終受益人和政策第三方之間在政策執行中的互動。「221」

9.5 政策執行過程中所運用的行動者、資源和制度規則

顯而易見，政策分析者必須細緻觀察目標群體的狀況，因為公共問題解決方案的最終成敗取決於目標群體的行為（改變）。在分析政治行政安排行動者、目標群體、最終受益人和政策第三方之間的相互作用時，所用的方法是所謂的「理性分析法」（rational analysis）。這種方法嘗試將各類行動者放入社會環境中，並明確行動者受到哪些政治、社會、經濟力量影響，以及不同行動者在不同立場和資源的基礎上建立關係的強度。這裡需要檢驗各行動者間相互依賴的關係和某些行動者間可能存在的聯盟。圖 9.2 概括展示公共政策執行過程中各行動者間的主要關係。

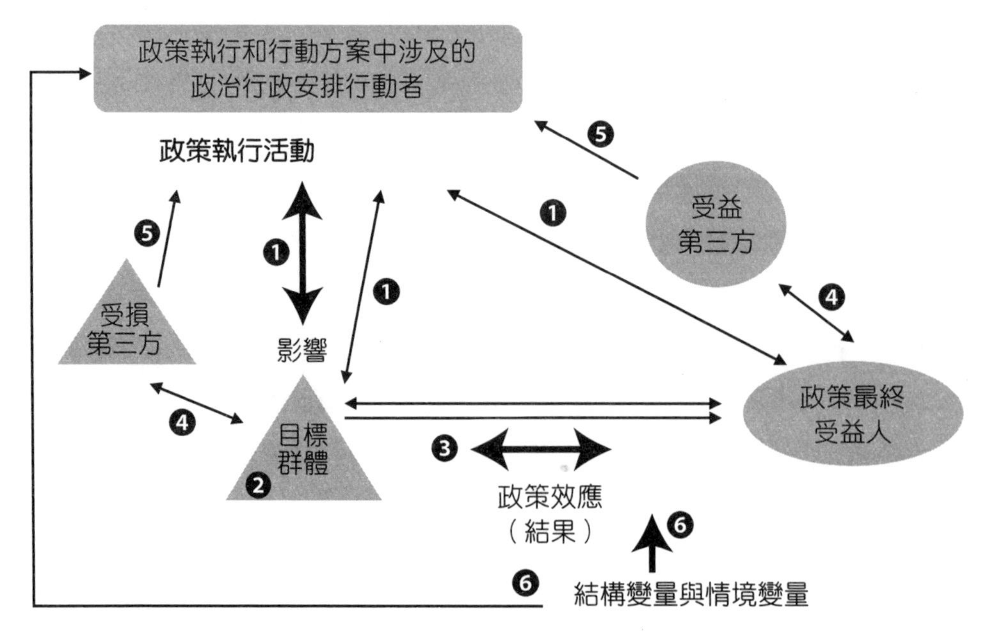

圖 9.2　政策行動者和政策執行的實質結果

「222」

接下來的內容將會探討圖 9.2 中各個方框內編號表示的行動者之間存在的主要關係和形成的聯盟，並且進一步探討這種關係和聯盟會對政策產品和效果產生怎樣的潛在影響。

1. **行政行動者和目標群體之間的雙邊關係**：由於政策執行行動的目的在於透過政策相關措施改變各自然人或法人的行為，所以政策執行行政機構和目標群體之間存在一種非常緊密的關係。民主社會的行政程序法律法規通常包含了聽證原則[9]。基於此原則，現實中在政治行政行動者和目標群體之間產生了許多交換與互動（訊息與資源交換、協商、討價還價）。因此，目標群體愈來愈像是享有特權而能與公共行動者進行談判。再加上許多特殊規定，聽證權成為了目標群體在執行遊戲中掌握的重要資產。

   直到 1960 年代後期[10]，行政行動者和目標群體之間的交流構成了政策執行行動者和社會行動者之間最基本甚至是專有的聯繫方式。職業保密行為保證了行政行動者和其「下屬」之間的「親密關係」，這常常強化了兩者之間交流的排他性。這種模式掩藏了在很多政策中這些「下屬」僅代表了一小部分（潛在）相關公民群體的這一事實。所以，空間發展政策中受影響群體是由產權人組成；而經濟政策中受影響群體為一些可能得到公共投資的公司。

   1970 年代初，人們開始重新審視這種排他關係。人們越來越要求參與到行政機構和目標群體之間的談判中。這種趨勢在某些政策領域內尤為明顯（例如，空間發展政策、環境保護政策、消費者保護政策領域），並且導致越來越多法律層面之影響。法律表述中的「第三

---

9 瑞士 1968 年 12 月 20 日通過的《聯邦行政程序法》（RS 172.021）第 29 條規定：「所有黨派都享有聽證權」。

10 該時間節點（以 1960 年代為假定）因社會情況差異而不同。

「223」 方」開始進入政治行政領域：無論是從立法還是司法上，受影響的第三方不僅可以參與到行政程序中，還可以在法律程序中享有上訴權。這種進步促使行政行動者、目標群體和政策最終受益人形成了所謂的「基本三角模型」（詳見本書第 3 章 3.4 節）。這種「基本三角模型」取代了之前行政行動者和目標群體組成的雙邊結構，並且越來越多地被運用到了政策執行的所有結構和程序中。這種三角結構的出現很大程度上改變了目標群體與公共行動者的力量對比 —— 實際上是削弱目標群體的力量，因為在大多數情況下，「第三方」（other 'parties'）通常代表與目標群體相左的利益。

2. **目標群體內部的權力關係：競爭和自我監控**：政策分析中體系主義、新社團主義以及新馬克思主義研究方法的一個根本缺點，在於他們通常認為目標群體是一個完全同質的群體，各成員都被同種利益所驅動。然而，社會和政治現實往往正好相反 —— 大多數的公共政策中目標群體之間存在著競爭關係（例如，在安全生產政策、社會政策、經濟政策或環保政策中被定義為目標群體的各個公司）。在政策制定階段，這些群體聯合起來形成了相對統一的同盟或利益團體；然而在政策執行階段，這種統一性常常會被成員間的自我監控機制或競爭機制所取代。從法律角度來說，目標群體中各子群體之間的（經濟）競爭關係促使了自我監控機制的產生。這種自我監控機制特別常見形式是：某公司若認為公部門的某項政策圖利其競爭者，因而提出上訴（依照世界貿易組織的規定）。在這類情況下，競爭者可以聲稱給與其他公司比自己公司更好的條件違反了公平待遇原則。

因此，同屬於目標群體的自然人和法人的位置同樣取決於不同的執行領域內的各種競爭關係（詳見 9.2 節關於經典執行理論的描述）。「224」 相較之下，單一壟斷的目標群體結構比起多重結構對他們更有利。再者，內部對抗的激烈程度也影響目標群體與行政行動者的力量對比，例如在壟斷的目標群體中很難發現自我監控機制。

3. **目標群體和政策最終受益人之間的衝突關係：從國家仲裁到合同化**：在大多數政策中目標群體和最終受益人並不是同一群體（本書第 3 章 3.3.3 節中有詳述）。最終受益人是在政策要解決的公共問題基礎上進行定義的，因為其是從解決方案中最終獲益的群體。

因此，以申請建築許可為例，關於其建築類別、規模和設計方面的條款，並不是要給產權人造成麻煩，而是要保護該建築所在的城鎮、社區的和諧發展，這是出於居民利益的考慮。同樣，向某公司下達清理某設備的指令，是為了保障工作安全和避免環境汙染，以及保護工人或附近居民。某些社會政策如違禁藥物政策，除了目標群體（違禁藥物使用者），其最終受益人是那些生活在違禁藥物頻繁出現區域的人。一般來說，不同利益之間的關係呈現一種間接比例的關係：目標群體所承擔的義務越大，對受益人的保護程度越高。一項政策從制訂到執行，是國家與其公共行動者負責仲裁前述兩造的利益衝突。這樣的詮釋也凸顯了所有公共政策的效用：在利益衝突的兩造之間進行再分配（knoepfel, 1986）。

在無數情況下，為了提升最終受益人的地位會選擇採取合同形式的解決方案，即政策最終受益人和目標群體為解決某些矛盾而進行直接的談判；甚至在某些情況下，完全不存在公共行政行動者的干預（Weidner, 1997）。事實上，在目標群體和受益人之間建立補償機制的做法正變得越來越普遍。例如，對居住在核電站附近的人群發放危險補償金；因垃圾處理設施帶來的不便，當地相關部門會減少受影響的居民的收費（Kissling-n äf et al., 1998）。

「225」

4. **受損第三方對目標群體的支援和受益第三方對最終受益人的支持**：正如在本書第 3 章中對政策行動者的描述，除了政策想要改變其行為的目標群體和最終受益人，在關係研究中有必要將受政策執行間接影響的群體考慮進來。政策第三方雖然不是國家干預的首要目標，但他們的經濟（狀況）可能會發生積極改變 —— 受益第三方，或消極改變

—— 受損第三方。根據其狀況改變及其組織能力，這些受間接影響的行動者會在政策的方案制訂與（或）執行中與其他一些支持或反對國家干預的社會群體建立聯盟。顯然，目標群體與消極影響第三方之間會「自然」聯盟，同樣的情況也會發生在最終受益人和積極影響第三方之間。在此要強調的是，如果受間接影響行動者的經濟實力或政治勢力強大（例如，規模大、財政資源豐富、大量政治支持），那麼在政策定位和實行過程中，他們可能會比政策直接針對的行動者更能發揮影響力。

譬如，假如環境政策的目標群體是汙染者，最終受益人是生活在環境受汙染地區的人群；受益第三方就是低汙染技術的開發者，因為他們能將技術推廣到目標群體（參見生態經濟的永續發展［Benninghoff et al., 1997；Knoepfel, 2007］）；而受損第三方就是無法再銷售高汙染技術的生產者。

「226」

當目標群體因受法令強制而導致受損第三方進到政策領域時，該目標群體面向公共行動者、最終受益人的相對位置也更加被凸顯。例如，對生產者或商家施加的財政措施會使商家把這部分的成本轉移到消費者身上（因為消費者的利益受損，此時商家和消費者會形成彼此對立的聯盟），類似的情形也發生在執照吊銷的案例。在這種情況下，目標群體與受損程度不同的第三方各自形成聯盟互相抗衡的現象很普遍。但是，有些時候也會形成一種非常特殊的結盟關係（例如，商家和消費者的聯盟，或電力公司和生態擁護者在電力市場自由化的問題上達成共識），這種結盟模式也會發生在政策最終受益人和受益第三方之間。

5. **受益第三方對公共行動者的支持和受損第三方對公共行動者的反對：** 受損第三方和受益第三方支援和反對的對象都不僅僅局限於社會行動者。現實中，受益第三方經常直接與熟悉的政治行政安排中的公共行動者或其他政治行政行動者進行溝通，並希望他們積極地干預。

在嚴格環保標準的政策中，以環保、生態為主要業務的公司作為受益第三方，會加大其研究開發之力度，邀請政府為其環保產品的先進背書，並由政府規定某些會造成汙染的產業與公司必須使用其產品。

6. **情境變項和結構變項帶來的機遇和限制**：正如經典執行理論所述（詳見 9.2 節），目標群體的地位會因政策執行階段不受公私行動者控制的突發經濟事件或情境變項而改變。因此，在瑞士，政治行政機關更願意給受災村莊地區批准建築許可（例如，洪水、雪崩、火災），並且也會批准平常時間不會通過的申請。相較之下，技術性災難事件的發生會導致對高危險操作的監控加大，即使災難發生在別的國家（例如，能源政策中的核能源就受到「車諾比效應」的影響；見 Czada [1991]）。

「227」

儘管行動者間存在博弈，各種突發情況也層出不窮，但在特定政策過程中目標群體的地位還是相對穩定，是由公民社會整體結構組成所形成的政治、經濟和社會力量所（預）決定（[pre]determined）的。因此，大型的企業可能有能力阻撓某些政策實施，尤其是當他們聲稱這些政策會抑制就業機會的提供（例如，Blower 在 1984 年對英格蘭某郡製磚業的研究）。相反，即使難民群體不滿所在村莊的唯一工廠排放出的有毒氣體，但由於該工廠的副廠長是該市市長，也不大可能在上述的「政策的基本三角模型」下進行談判。雖說政策和行動者間博弈的目的是為了解決公共問題，但並不能徹底且永遠根除問題根源。應該注意的是，這些情境變項和結構變項不僅會影響私有行動者的地位，也會影響政治行政安排中各公共行動者的地位。

政策效應評估

政策旨在解決公共領域內具有政治相關性的社會問題（見第 7 章）。「229」在政策執行（見第 8 章和第 9 章）階段後，政策會或需要接受系統化的評估。在這政策週期的最後環節，分析者著重於評估國家措施產生的效果。具體而言，就是確定政策的效益和成本，包括政策執行的目標群體是否有效改變了自身行為。總之，政策評估是在實例中檢驗政策所依賴的因果關係模型是否正確。因此，政策效應研究包括研究政策「行動理論」的實用性，以及研究政策實施的範圍。

本章主要闡述的是分析模型中第六個政策產品，即「公共政策效應的評估報告」(evaluative statements on policy effects)（見第三部分前言）。首先會探討政策的操作性定義 ——「影響」(impact)[1]，即目標群體的改變，包括行為改變；以及政策「結果」(outcome)[2]，即對政策最終受益人產生的效應（見本章 10.1 節）。也可能包括對政策第三方產生的效應。基於這兩項變項提出了評估政策效應時，普遍使用的五項標準：影響程度（extent of impact)、效能、效率、相關性（relevance）和產出性價比（productive economy)（見本章 10.2 節）。這兩個前期階段明確了政治行政現實中各類評估性報告的形式和內容（見本章 10.3 節）。

1 評估研究專業協會變更了該術語，以 impact 一詞取而代之；法語為 effets（詳見 2001 年 8 月通過的《金融組織法》)。

2 評估研究專業協會變更了該術語，以 outcome 一詞取而代之；法語為 résultats（詳見 2001 年 8 月通過的《金融組織法》)。

最後，將焦點轉向政策評估階段的核心行動者、行動者間直接或間接的博弈，以及在產生評估報告的過程中行動者所動用的資源以及遵守的規則(見本章 10.4 節)[3]。

10.1 政策效應的定義

政策的正式執行行動（「政策產出」）明確了整個政治行政過程的終極產品，即執行的**有形結果**（tangible results）；然而「影響」和「結果」則關係到政策在社會領域內的**實際效應**（real effects）。因此，在這一階段就涉及到在實例中驗證干預假設和因果假說的實用性；即目標群體是否如政策預期的那樣做出反應，以及政策最終受益人的現實狀況是否改善。為了促進實證研究，可以透過以下幾個方面來確定並驗證政策的影響和結果。

「230」

10.1.1 影響（目標群體間可觀察到的）

這裡將政策影響定義為，由於政治行政方案制訂（PAPs）、政治行政安排（PAAs）、政策行動方案（APs）和具體正式執行行動（產出）的生效，目標群體做出的所有預期或非預期的行為改變。因此，政策影響是政策在目標群體中引發的各種真實效果，並且這裡主要的問題在於政策的執行是否能達成所期望的（大致上持續／持久）行為改變；是否讓本來在沒有公共干預或目標群體不同意執行成本情況下能夠改變的行為變得更加穩定。這個問題的答案表明某一政治行政安排的干預方式是否能夠，並且在多大程度上實現政策所預期的行為改變。

3　本節有一部分改編自 Bussmann（1998）著作的相關章節。本書之本章節限於篇幅，並未深入論及與政策演變相關的歷史脈絡與方法學描述，有興趣的讀者可自行參閱該書。

正如前文所述，目標群體應該由政治行政方案（的操作性因素）來區別。但是，可觀察到的行為改變的程度和範圍只有在某些情況是符合法律法規中的目標和期望。同樣的現象也出現在政策行動方案和正式執行行動（產出）的目標設定上。

對於政策影響的分析不能局限於觀察有效的行為改變，還需要考慮政策的因果順序，即政治行政方案制訂、政治行政安排、政策行動方案，以及執行行動與目標群體行為之間的關係。因此，政策效應分析不只是檢驗有效行為是否符合政治行政方案設定的規範性模型，而且包括了對因果關係的分析 —— 只有在觀察到符合規定的行為改變，並且這些行為改變確實是由政治行政方案或執行行動引起的，才可以稱作是政策「影響」。與眾多政治行政行動者的觀點相反，現實生活中很難發現因政策而引起的行為改變。現實社會中出現的行為改變往往歸結於公共行政行動者設想以外的原因。例如，環境政策的目標在於使私人公司採取更加生態環保的生產方式，但目標群體行為改變常常是因為其他因素，包括其他政策影響，如能源、農業甚至是財政政策；市場情況變化，如能源價格的走勢；以及競爭者、消費者和居民等其他直接影響目標群體而與政策無關的群體所施加的社會阻力（詳見 Knoepfel〔1997a〕關於環境政策成功條件的分析）。

「231」

1970 年代以來，各國紛紛開展道路交通領域的研究，因此也帶動了關於駕駛者行為干預的各種研究，例如，駕駛者血液酒精含量標準，安全帶的強制使用以及限速規定詳見（DFJP〔1975〕；蘇黎世大學〔1977〕；參考 1980 年沃爾沃汽車公司與瑞典道路安全局的案例）。這不僅反映了在這些話題上的政治關注度，也反映公共行動者關注一些相對簡單的問題。公共措施和個體行為之間的關係可以透過簡單的研究方法來記錄並量化。例如，在可獲得資料的情況下，透過比較公共措施實行前後的資料；在資料不可得的情況下，透過比較隨機或非等效的控制群體。

為了分析公共措施的各種影響，分析者往往搜集措施實行前後關於目標群體真實行為的信息。傳統意義上，這類資訊包括違規資料、監控結果、處罰處理，以及對犯罪行為的大概估計[4]。正如所提到的那樣，行為改變有時是因為其他（潛在矛盾的）政策或政策以外的社會經濟因素引起的，所以此類資訊在研究政策影響時也需要考慮在內。

儘管產生政策行為和政策影響的行動者不同 —— 前者是政治行政機關產生的，而後者是目標群體成員產生的；但這兩類行為具有緊密的關係。「232」國家行為（執行行動、產出）幾乎永遠是必需的，以便使目標群體的行為發生實際改變（影響）：對義務和規定的遵守進行監督；提供行政服務；財政分配；以及資訊發布。相反，一些國家措施只有在個體或是社會群體的要求下才會產生。例如，接到投訴後進行調查；收到建築使用建造申請後頒發許可證；對於資金申請給予財政資助；對違法行為進行處罰；發現資訊需求後進行資訊傳播措施等。在這些情況下，政策的產出不是公共行動者的單方面行為。同樣，政策沒有產生預期的影響也不能片面地歸咎於目標群體的不作為。在很多情況下，需要這兩類行動者攜手合作。在涉及到提供公共服務的情況下（如培訓；社會工作；失業人群諮詢輔導；戒酒戒賭康復服務；臨床精神治療），服務提供者（公共行政行動者）和客戶（接受治理者［the administered］）之間的互動十分緊密，因此結果的好壞取決於他們之間的互惠合作。然而，政策分析者只有透過從分析的角度區分政治行政安排各行動者和其他外部的社會行動者，才能突出這兩大群體間合作形態的有效和無效力，並且將這種合作與政治行政安排內部服務提供者間或各社會群體間的合作區分開來。

---

4 這類資訊通常很難獲取，因為對事實行為的處罰慣例的效用差距很大（參考 Killias 和 Grapendaal 於 1997 年的研究以及 Killias 於 1998 年的研究）。

有系統地分析公共行政行動者所實施的複雜行為（導致產出 [resulting in outputs]）以及國家措施指向的目標群體的行為（影響），還不足以檢驗政策所的預期（結果 [outcomes]）是否達成。與此同時，比較政策產出和政策影響 —— 在理論上稱之為政策效應有重要意義，是因為政策的不足通常歸因於政策產出與預期不符，產出缺失或影響力不足。也不乏這樣的例子，政策分析者將某些無法產生任何執行行動或是有效措施的失敗政策歸咎於不適當的執行結構和程序（參考本書第 9 章中關於執行力不足的狹義解釋）。因此，這些政策對目標群體產生影響的可能性非常小。

我們要提醒讀者，本書中所述的目標群體不僅包含了可能直接導致社會問題發生的私有行動者，還包括了其他能夠採取行動來解決這些問題的公私行動者。在很多涉及到社會服務職能的情況中，目標群體可能是需要改變其運作方式的公共或是準公共組織，無論其改變是否伴隨著成本的產生。有時，目標群體不一定要改變他們的行為，但是要承受一些額外的成本，這是處理汙染問題時的一種解決方法。在有些情況下，沒有成本產生，也沒有要求某些行為做出改變。例如，英格蘭法律規定人們可以有權進入未開墾的土地，即「徒步權」(right to roam)；在這種情況下，某些地主可能被視為是目標群體，他們需要容忍他人自由進出，但這不造成實質的成本損失。在另外一些情況下，甚至沒有明確的目標群體，只有影響政策第三方或最終受益人的分散成本，例如社會保險方案的一些變化。

「233」

在有一些政策中，大量的政治行政行動者會進行無數活動，但卻沒有促成目標群體預期的行為改變，即廣義上的執行不足。這種「缺乏影響」的政策結果可能是因為目標群體不接受所使用的政策手段，或是因為錯誤估計了目標群體的自我組織能力和配合措施執行的意願[5]。

5 參考 Scharpf（1983）和 Windhoff-Héritier（1987）關於目標群體的特性和政策結果和效能之間的關係的研究。

在研究實際政策影響時，需考慮以下幾個方面，「政策執行行動」（即政策產出，見本書第 9 章 9.4 節）內容中就曾探討過以下方面：

- 基於判斷目標群體是否存在反應來評估政策影響是否存在；
- 基於判斷目標群體的行為改變是穩定的行為，還只是暫時的適應行為來評估政策影響是否持久；
- 基於政策影響在社會群體、時間和空間上的分布情況來評估政策影響的範圍；
- 基於判斷目標群體接受的資訊是國家傳達的統一資訊，還是一些相互不協調的公共政策所傳達的相互矛盾的資訊，來評估對同一目標群體產生的不同影響的實質內容之間是否存在一致性；

「234」

- 基於判斷不同目標群體的行為改變之間的相互輔助或反對的程度，來評估不同目標群體同時受到的政策影響之間的外部協作性。

10.1.2 結果（最終受益人之間可觀察到的影響）

所謂的「結果」（outcomes）是指與政策所要解決的公共問題相關，並且因政策執行行動（產出）而引發的所有效果。這種結果指的是「源於」（comes out of）國家行為的結果。因此，政策結果包括了所有預期或非預期，直接或間接，首要或次要的效果。政策分析者通常根據政治行政方案中的政策目標和評估標準，必須時還會參考政策行動方案和政策執行行動中更加具體化的內容，來明確並且量化政策所期望達到的結果。需要注意的是，如果這些政治行政方案或行動方案中所定義的不是實質目標，而是一系列措施的話，就不能拿來用於實現上述目的。

分析政策效應會發現，最佳的政策產出和政策影響是實現政策結果的必要非充分條件。而且，只有當關於待解決的公共問題的因果假說（任何明確目標群體的因果假說）成立，並且沒有相反效果產生時，目標群體的行為改變才能有助於實現政策目標。需要注意的是，對於政策試圖影響的公共問題，其因果關係往往十分複雜，因此所產生的結果也難以記錄和鑒別。

「政策結果」屬於研究領域的概念。如果要明確「政策結果」，需要研究大量資料來瞭解政策所要解決問題的變化情況。這些資料中尤其需要考慮的是關於受政策問題影響的社會群體狀況的資訊，這些社會群體的狀況可能會隨時間而發生改變。政策最終受益人可能是各種社會群體，例如，空間發展政策中的住戶、居民或是遊客；消費者保護政策中的消費者；或醫療政策中的患者。由於在多數情況下，無法清楚辨認這些群體中的每一個個體，所以最好採用總體指標。然而，有時也可以向受影響群體直接徵詢意見（例如郵政客戶；Y 醫院 X 項目的病患）。

但是，所有關於政策目標的資料都不能反映政策結果是否真的存在。「235」僅僅透過比較政策目標價值和（透過描述政策目標的指標來表現的）實際價值無法得出政策目標實現的程度。這些觀察到的行為改變也可能是出於其他的原因而非政策本身。只有在高度具體的研究中考慮了所有其他可能的影響，例如經濟環境、社會價值觀轉變、相關社會群體中個人努力程度，以及集體學習過程因素，才可以最終得出政策結果或真實效果。為達到這種目的，需要對現實情況即政策實施後的情況（「policy on」）和假說情況即政策不存在時會出現的狀況（「policy off」）進行比較。

政策分析者可以透過以下四個方面，在實例中評估政策在解決公共問題方面的效果：

- 基於政策壓力及其本質的變化來評估干預結果是否存在；
- 基於政策在時間、空間以及社會團體間分布情況來評估政策影響範圍；
- 基於判斷政策是暫時還是永久解決公共問題，來評估政策效應是持久的還是短暫的；

- 基於判斷政策是否解決某一公共問題，是否改變或增加另一公共問題的範圍，來判斷政策在解決某一公共問題和其他公共問題結果的內容一致性。

在明確這些政策效應和結果後，需要將其和政策其他部分（如政治行政方案中的目標；政治行政安排中的資源）進行聯繫。因此，下一節將探討連接不同部分的評估標準。

10.2 政策評估標準

一般而言，評估性研究中常使用三類不同的標準來理解政策的效應：(1) **影響程度**（extent of impact）是用以分析政策行動方案和政策產出是否按計畫產生政策影響，即「是否有作為」的問題；(2) **效能**（effectiveness）是關於政策結果與設定目標之間的關係，即「做的是否正確」的問題；(3) **效率**（efficiency）是指比較政策結果和投入的資源，即「做的方式是否正確」的問題；除了這些驗證政策結果的標準之外，還要評估政策**相關性**（relevance）（政治行政方案制訂的目標與有待解決的公共問題之間的關係）；以及產生正式行為的行政過程的**產出性價比**（productive economy），即政策產出與投入資源的關係。

「236」

在描述各個標準之後，將會進一步探討他們之間的聯繫。在檢驗政策生產效率之前，有必要從政策分析的角度思考政策的相關性、效力、效能和配置效率[6]。

6　在政策評估的不同階段有各種用辭，在這裡本書選用了通用的術語（參考 Monnier〔1992〕；歐洲委員會，1999 年的用辭）。

10.2.1 影響（檢驗干預假設）

政策影響是評估政策影響力的一項標準。其是用以衡量目標群體實際行為是否符合政策規範目標。檢驗政策影響需要將遵循政治行政方案制訂和行動方案後會產生的結果和正式執行行動及現實發生的變化做系統地比較。所研究的干預手段類型不同，核對總和評估政策影響可以運用的指標也不同。例如，在涉及義務履行和禁止性措施的情況下，以遵守程度為指標；在激勵型措施中以財政資源投入水準為指標；在如宣傳活動等的說服性措施情況下以公眾關注度為指標。

因此，在評估政策影響時「應該」比較計畫達到的影響和現實影響之間的差距。這些評估包括定量評估和定性評估兩個方面。所謂的定量評估是指分析是否在所有實施執行行動的情況下，都能觀察到所期待的行為改變。另一方面，定性評估是關於這些影響的實質範圍。因此，評估影響的這一標準具有很強的規範性。這也是為何它在規定性很強的公共政策中十分重要。例如，在德國、法國以及瑞士部分地區，在法律法規中常常十分詳細描述了各種政策執行活動。如果政策執行並沒有通過法律形式詳細規定，或者政策執行機關享有較大的自由度（例如英國），那麼政策影響評估就會變得更加困難。在這種情況下，評估政策影響的重點應該擺在遵守規範的程度或者案情與可罰之事實（濫用、欺詐）的相關程度。

「237」

從「因果」角度去分析使得分析者能夠重構公共政策中的**因果關係**(causal relationships)。政策影響的分析至關重要，這是因為政策本身為其政策效力提供了必要條件；政策缺少效力可能是由於政策缺少影響或影響不足。事實上，的確存在這樣的政策，其政策產出無法觸發行為改變(失敗的干預假設)。

以下是缺乏政策影響的一些例子：在道路交通規則中，駕駛者不遵守減速、佩戴安全帶、禁止酒後駕車等規定；或在某些財政政策（逃稅漏稅）；以及在農業政策中（保持集約式農耕，不管生態農業的補貼）。

城市交通規劃領域常常存在政策影響不足的例子。例如，管理公共停車位的目的是為了引導、穩定或減少私人交通工具的使用，尤其是為了控制在上下班通勤高峰時的交通流量。居民停車點這一新的交通措施目的是為了限制非街道居民人員在某些街道的停車時間，其目的是減少居民區的通勤車輛，從而提升居民的生活品質。對蘇黎世、巴塞爾和伯恩的居民區通勤車輛控制措施的研究發現，這些措施並沒有達到預期中的影響（詳見本書第 8 章 8.1.2 節以及 Schneider 等人［1990, 1995］）。大約 70% 至 85% 採用私人交通方式的上班族，在該措施尚未推行前就擁有私人停車空間，也就是說，大部分目標群體都擁有私人停車空間，或可以使用其公司擁有的車位，他們因此無需改變行為（選擇公共交通作為出行方式）（錯誤的干涉手段＝干涉假說不成立）。

「238」 這些日常生活中的例子，再次說明公共政策的最終目的不是為了政策產出，而是要真正引起行為改變，且是因政策導致的行為改變，從而解決集體問題。然而正式政策執行行動的產出本身，就需要占用一定的人力並且消耗資源，因此在一些情況下會引發一些經濟行為。然而，其不應該被視為政策目的本身。儘管這點顯而易見，但是在日常行政中還是常被忽略。即便是最新的一些公共管理概念，如「新公共管理」中的「政策產出導向」因素也無法避免將政策產出視為目的本身（Knoepfel, 1996, 1997b）。

10.2.2 效能（檢驗因果假說）

效能（effectiveness）的評估標準與影響的種類（結果）直接相關。它指的是政策期待的效應與政策實際取得的效應之間的關係。透過對比政治行政方案中所設定的政策目標和政策在最終受益人中實際產生的效應可以對「政策效力」進行評估。

從邏輯結構上看（依照有關結果的說明），這項標準一方面包括對政策和社會現實之間的關係，進行**因果關係與分析性**（causal and analytical）重構。另一方面，這項標準也從規範的角度，指出政策目標和實際解決的問題之間的差異。

然而，政治進程中確立的目標很少遵照應用政策效應評估標準時所需要的複雜邏輯結構。一般來說，政策常常會確定總體目標卻沒有明確如何才能實現這些目標。因此，即便政策沒有做出必要的**貢獻**（contribution），這些目標也完全有可能達成。相反，在某些情況下，政策雖然沒有實現其目標，但是如果沒有這項政策，公共問題會更加嚴峻。在這種情況下，明確制訂的政策目標無法被用來量化政策是否有效。在這些情況下，需要明確政策目標來表明政策能夠取得的一些進步[7]。然而，在政治行政方案制訂中指定的目標通常都是隱晦、非量化並且隨時間而變化的，因為這些目標是政治妥協的結果（Hellstern and Wollmann, 1983, pp. 11-22 ）。「239」

因此，政策評估可能表明公共政策產生了各種行政行為（產出），也引發了目標群體的行為改變（影響）；但是卻沒有達成任何預期的效果。這種政治上十分爭議的情形，通常是以為某些目標群體造成公共問題的錯誤假設（可能由於目標群體的辨認一開始就有誤，而使得因果假說不成立）；也可能是因為外在因素的影響造成問題惡化；或對政策效應發生順序的科學假說存在失誤。

7 參考兩個例子：其一，以失業率減少一個百分點為目標的失業資料整合專案；其二，法國新頒布的獎學金、助學金管理規則，其目的是將貧困階級學生就學率提升三分之一。

瑞士酒店業的公共支持政策，就是政策沒有效果的例子。瑞士某些旅遊觀光區的一些酒店財政狀況堪憂，利潤低下甚至虧本經營使其很難對提升酒店服務品質進行投資。瑞士聯邦和各州政府因此為酒店業提供某些資金支援（例如，零利率貸款、銀行額外支出之衍生），從而提升本國酒店行業的國際競爭力。酒店支持政策評估研究表明，這類公共資金支持政策被廣泛使用。資料表明四分之三的項目只有在國家支持下才能在規定時間內實現或實現計畫中的規模。受到公共資金支持的酒店的財政狀況，比起沒有得到資金支持的酒店要好。但是從中期來看，沒有資料研究可以表明這些受支持的酒店可以實現持續的利潤增長。因此，單一的財產投資不足以提升酒店的競爭力。而且從整個行業的角度出發，可能會出現整個酒店系統停滯等間接或非預期的效果。所以，這種公共支持的策略證明了政策產出，如大量的投資以及專案的實現等積極的政策影響；但是，其在解決公共問題這一層面上卻欠缺有效性（換句話說，無法長期促進酒店業的競爭力提高）。

「240」

這種政策評估結果可能比完全失效的公共政策（沒有影響）更值得引起注意。實際上，這會造成公眾尤其是目標群體對公共行動者產生不滿，感覺受到了不公正待遇，或對官僚主義產生譴責等，從而導致了拒絕接受所有的公共干預。例如，司機得知大霧警報並且依據相關規定而減速行駛，但隨後在報紙上得知大氣中臭氧含量到達新高，並且官方限速規定對其毫無幫助。

最後，同樣存在政策結果符合預期目標的政策，因為政策產生的行為和影響確實能夠以預期的方式改善問題情形。

瑞士的房屋所有權支持政策，就是一項有效的政策。在 1970 年，只有平均 28.1% 的家庭擁有房屋所有權。這個比例和其他歐洲國家相比非常低。因此，瑞士聯邦政府通過一項法律來支持住宅建造，以及增加私人所有的房屋數量[8]。這項法律包含了聯邦擔保、降低地價以及非補償補充性減免等措施，來減少未來房屋購買者所需的初始費用。這項政策的主要目標在於增加瑞士境內私人擁有的房屋數量。根據 Schulz 等人在 1993 年對這項法律的評估，聯邦政府房屋所有權支持政策達到了預期的效果。截止到 1991 年，瑞士邦聯累計向 15,747 項建設項目提供財政資助，即為該項政策的政策產出。對於年輕家庭而言，在公共支持下獲得房屋所有權是最重要的幫助，因為通常這類群體財力不足，很難有機會憑一己之力獲得房屋所有權，即政策產生的影響。也正因為這項措施的實行，在大約十五年的研究期間，房屋所有權的覆蓋率上升至 31.3%，即政策達成了和預期目標相同的結果。而且，該政策還產生了其他間接的積極效應，在經濟衰退時期，支持私人獲取房屋所有權的這一政策大力刺激了經濟[9]。例如，在 1991 年，由於聯邦政府支持 20% 的家用住房建造，是建築行業不景氣的時期。同樣的例子還有英國法律規定公共出租的簡易住房（council house）可以出售給租用者，這一政策從當時政府目標來看是成功的（雖然這些政策受到了某些人的嚴厲批評，他們認為這一措施減弱政府應對無家可歸人群需求的能力，但是顯然這涉及了應用政策目標中並未提及的評估標準（Forrest and Murie, 1988）。 「241」

10.2.3 效率（政策結果與資源投入的關係）

效率（efficiency）標準是指政策所投入的資源和所取得的效果之間的關係，因此它描述了一項政策的成本與收益之間的關係。這種比較一般集中在希望達到的效果。在這種情況下，政策效率和政策目標或結

8 詳見 1974 年 10 月 4 日的《聯邦法》（RS 843）。

9 本書無法斷定這種政策支持是否屬於本書在第 4 章 4.2.2 節中所描述的隱晦的政策目標或法律工具化。

果相關。因此，問題在於為了實現同樣的政策效應是否能使用更少的資源，或者在使用相同資源的條件下是否能夠取得更為理想的政策效應。在政策評估中，主要使用兩種方法來判斷政策及其措施的效率（Rossi and Freeman, 1993, pp. 363-401）。**成本效益分析**（cost-benefit analyses）在量化了政策的成本以及取得的效果（收益）後對兩者進行比較，例如，清理瑞士阿爾卑斯山脈通道積雪的措施成本，就被拿來與該措施產生的效益（主要是旅遊業的收益）比較。事實上，政策分析者很難用金錢的形式來反映政策所帶來的效益。因此，另一種方法成本效益分析相對沒有那麼苛求。成本效益分析將會比較為達成某同一政策效應（例如：減少一定比例的道路交通死亡人數）採用的不同措施（如：限速；道路拓寬；後座強制繫上安全帶）。這種分析法從而能夠明確實現政策目標的最有效措施。在比較的過程中，重點不在於各項措施成本收益價值的絕對量，因為這一點很難確定；而是在於與其他措施產生價值相比時的差別大小，這種差別更容易確定。

只有在實例中確定了政策的有效程度之後，對政策效率的分析才有意義。在政策分析中，從資源配置的角度來看，有效率的政策需要滿足兩個條件：首先，政策是有效的；其次，無論是物質還是非物質的政策資源以最優的方式進行分配。

例如，將家用垃圾袋徵稅、垃圾分類和公共宣傳等措施有效結合起來的政策，便體現了這種分配效率。自 1980 年代以來，瑞士越來越多的地方政府由原先的（每家每戶）垃圾統一徵稅制，逐漸轉變為基於垃圾製造量的比例徵稅制。除了這種激勵性措施，大多數的地方政府還採取了一些輔助性措施來配合，例如，垃圾分類倡議（紙張、玻璃、金屬等）或公共宣傳活動。評估性研究分別檢驗並對比了這三項措施的執行，主、次要影響以及相對成本。對這些在當時被視為各種選擇的不同垃圾管理政策的效力和效率進行評估所得出的結論如下，當垃圾袋徵稅措施與垃圾分類措施、公共宣傳活動相結合的時候，其結果是最理想的。實行垃圾袋徵稅與大力增加垃圾收集點和公共宣傳活動相比，能夠以更低的成本減少未分類垃圾的總量。這三項措施，即垃圾袋徵稅、分類收集和宣傳活動的最優組合能夠實現垃圾處理成本的最小化。之前有研究表明為大約 2,000-3,000 位居民建造一個垃圾收集點是最有效率的解決方式。自此，（基於更多資料的）其他研究也顯示了類似的結果。

在政策評估中，除了效力和效率兩個標準，接下來會簡要討論政策相關性以及產出性價比標準。這同樣會涉及到政策方案制訂階段中產生的政策產品（即政治行政方案制訂的目標，見本書第 7 章），以及政策執行階段的政策產品（即政策產出，見本書第 9 章）。它們也都是政策進程最後階段產生的「評估報告」的組成部分。

10.2.4 相關性（目標／公共問題）和產出性價比（產出／資源）

相關性（relevance）標準檢驗政治行政方案制訂中設定的政策目標，以及待解決公共問題的性質和壓力之間存在或應該存在的聯繫。如果政治行政方案制定中提及或政策行動方案中具體化的目標符合政策待解決問題的性質及其時間、社會空間分布，那麼這一政策就具有相關性。事實上，政策相關性是最具「政治性」的問題，並且是評估過程中最敏感的部分。所以，當委託外部專家對政策進行評估時，政治行政長官和官員們都盡量避免這方面的評估。

「243」

由於政治行政方案制訂中（有時可能政策行動方案中）對於政策目標的定義涉及到在政策方案設定階段中談判所達成的政治妥協，所以政策的相關性直接取決於政治行政行動者之間的權力關係。因此，簡單的評估方式不足以完全檢驗相關性問題。事實上，正如定義有待解決的公共問題以及政策目標（例如：依據預算選擇合理化〔Rationalisation of Budgetary Choices〕和計畫項目預算系統），純然理性和技術的手段是不可能取代立法過程及其所產生的國家行為的合法化過程。公共行為的改變顯然不是一種科學技術行為，而是在於對與某問題情形有關的各行動者之間產生的價值和利益矛盾進行民主裁定。然而，評估政策相關性時會發現政策所設定的目標或有時所隱含的目標並不足以解決公共問題。比如，政策目標不太現實（環境問題零風險），或者政策目標沒有將特定立法過程（公共問題的政治定義）的相關制度或是執行過程考慮在內。根據英國政策評估相關文獻，一個很值得關注的問題是由於政策承繼速度太快，舊的政策還未被有效評估之前就已經出臺了新的政策。

源於偏向管理理念的**產出性價比**（productive economy）標準將政策產出與投入的資源相聯繫。這項標準可以用來評估各行政執行過程。然而，社會、自然環境影響需排除在考慮之外，因為政策分析者只將焦點放在行政行為，即政策產出上。不僅如此，產出性價比標準只會考慮成本或直接使用的資源和材料（例如，製作納稅申請表、罰款單和建築許可證的成本）；而不包括和物質資源間接相關的成本。然而，當對不同的或分散的公共機構流程進行基準分析時，考慮公共行為中所有的成本至關重要。

「244」

從 1980 年代以來，為了合理化和提高行政工作的產出性價比，開展了一系列改革項目。事實上，高度的內部合理化（＝高產出性價比）和隨之產生的低成本的公共行為，如果不能產生直接的政策影響（＝效果微弱），那麼這只會產生毫無意義的「官僚形式主義」（bureaucratic activism）。因此，從政策的分析角度來看，證實行政程序是有效或快速的過程並不能作為目的本身。

10.2.5 政策評估標準：總結概述及其應用邏輯

綜上所述，圖 10.1 展示了政策構成元素與評估國家解決公共問題能力的各項標準之間的關係。在此需要再次強調的是，所有的政策評估應該包括關於政策相關性、政策影響、政策效能和效率，以及產出性價比標準的一系列研究分析。實際上，問題在於，首先要判斷一項政策是否有效解決，或部分解決了社會問題；其次需要判斷政策政治行政方案制訂中的資源配置是否最優。

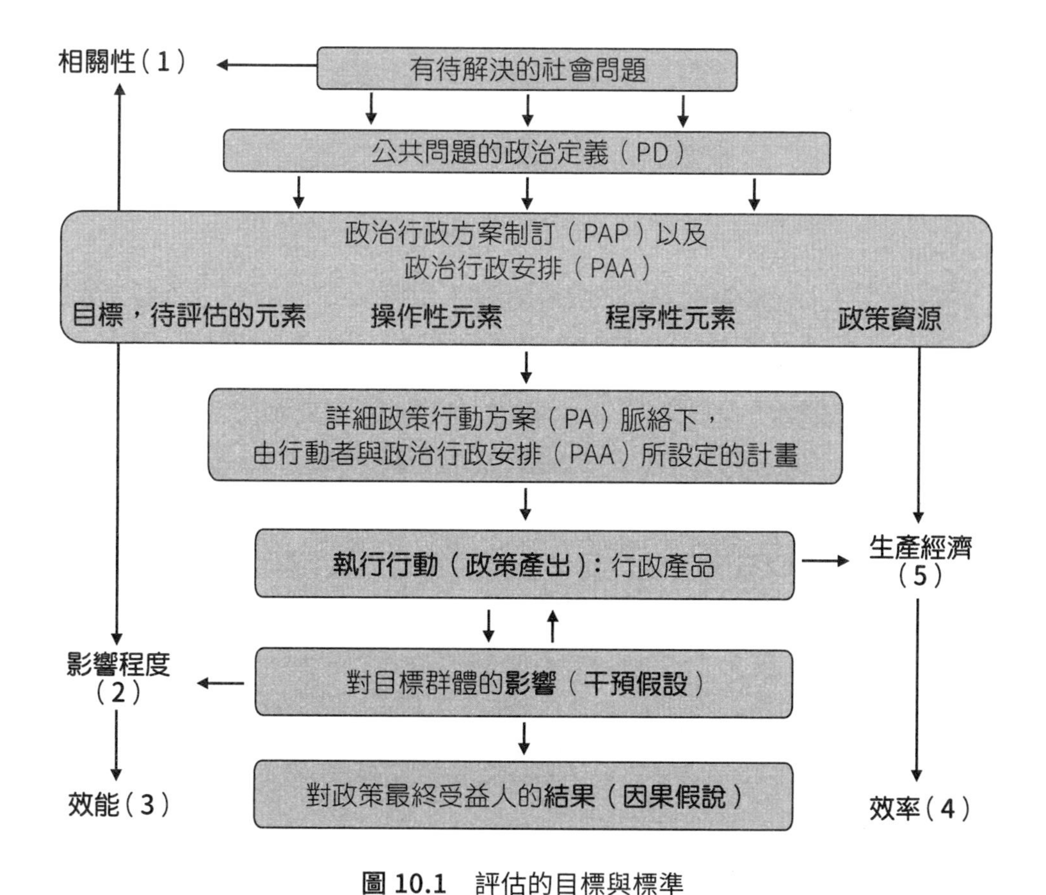

圖 10.1　評估的目標與標準

以上就是對政策評估標準、政策影響和影響操作層面上的分析，接下來會分類討論以上元素，從而區分現實中觀察到的各類評估報告。 「245」

10.3 第六個政策產品——公共政策效應的評估報告

作為政策評估階段的一項產品，「評估報告」(evaluative statements) 可以從實質和制度內容中的多個相互聯繫的角度進行分析。雖然不能列出所有的評估報告類型，但接下來會列出以下幾種理想類型的評估報告，從而指導政策分析者在政策最後階段進行實證研究。同時也要強調的是，以下這些方面是相互補充而非相互排斥的，因此在研究過程中要同時將它們考慮在內。

(a) **評估報告的參考標準（相關性、影響、效能、效率）：**所有的評估報告可以根據其是否呼應政策效應因果鏈中包含的一項或幾項元素來分門別類。具體而言，就是辨別所制訂的評估報告是否關於政策目標的相關性、政策影響以及／或結果（效能）；政策最終取得的成效是否反映了投入的資源（效率）。這一點強調了實際進行政策評估的階段，因此有效避免混淆政策結果（產出）、中間效果（政策影響）和政策最終效果（結果）。

(b) **科學性（因果性）報告或是政治性（意識形態性）報告：**儘管某些評估報告立足於科學分析，即透過可複製的實例資料嘗試在被執行的政策（產出）和導致的結果（影響和結果）之間建立因果聯繫；而有些評估報告則是意識形態化，由作者的黨派觀點所決定。後者所得的結論通常有別於嚴密分析因果關係後得到的論斷，並且也不會提出任何可以改善政策不足的規範性意見。相反，這種評估結果完全是基於分析者的一己之見；基於主觀，片面和缺少透明度的評判；或是基於規範性論證。但是，這些方法的宣導者也會質疑這種區分方法的可操作性。甚至會在道義論（區別於實證主義，認為並非所有的評估都包含了廣義上的政治價值判斷）這樣的理論層面上產生質疑。政策分析者

「246」

應當在進行所謂的「科學性」評估時謹慎地看待這些評論並且加以思索。

(c) **總結性報告或是形成性評估報告**：根據政策評估任務的不同目的，會產生不同的政策評估報告。政策評估的目的可能是對之前政策進行總結，即產生總結概述，或者找出能夠修改和調整政策的方法，從而促進政策學習過程（Lascoumes and Setbon, 1996; Kissling-Näf, 1997）。

總結性評估報告在法國和瑞士都很普遍。例如，瑞士聯邦專案「城市與能源」的評估報告在全面考慮後，積極評估了此專案對提高地方政府代表對能源問題的關注度，以及將能源政策放在地方政府政治議程方面所做的積極貢獻。但是，這個評估報告明顯表明無法對該項目結果進行量化總結，即節約了多少千瓦的能量（Knoepfel et al., 1999）。自 1990 年以來，法國跨部門體系之下產生的評估報告都帶有總結性性質（參考法國政府出版物中刊登的評估報告，涉及自然災害預防、各類社會經濟政策、山地政策等）[10]。無論在法國還是瑞士，所有的大型項目都必須開展環境影響研究，這是典型的前景評估。透過這樣的評估，行動者意識到在空間政策有關的執行專案中之前未被瞭解的某些影響。這些在前景評估之前未曾得知或不明顯的資訊可能會極大改變行動者立場，並促使在評估報告的未來影響方面達成共識（Kissling-Näf, 1997）。

---

10 參考法國政府所出版的各種政策評估報告（法國資料 Documentation Française），特別是有關天災預防、各種社會經濟政策、山地政策等。

「247」

(d) **政策執行前、中、後的評估報告**：根據評估報告產出的時間，可以劃分不同類型的評估報告。事實上，政策執行之**前**，執行過程中以及執行完成**後**都會出現相關的評估。通常在政治行政實踐中，政策評估最適合在實施政治行政方案制訂和最終行動方案至少三到五年之後進行，因為需要留夠一點時間讓所有可能的政策效應出現。因此，從實例角度來看，在政策分析中將政策評估報告作為最後一個產品是合理的。

執行前（ex-ante）評估也被稱之為「立法評估」。在專家小組準備新的法令時，越來越多使用這一方式來測試新的干預工具和目標群體修改中的各個變項。在這種情況下，會在情況各異的政策執行區域類比實際運用各種變項的情況。例如，由瑞士聯邦環境、交通、能源和通訊等部門組成的「水力發電」協作組，就對瑞士的一些發電廠試行了水力發電法規（詳見 Knoepfel 等人在 1997 年做出的評估報告）。同樣的例子也出現在家庭政策、失業政策以及財政政策中，如在統一建立施行這一新的專案之前，瑞士首先在索洛圖恩（Solothurn）和沃州（Vaud）兩個州進行試辦計畫。

另一方面，大量的社會和經濟政策也進行了許多政策中評估活動，從而即時跟進最新的資料。在歐洲委員會結構基金的執行過程中必須實行這種政策中評估活動。

(e) **部分評估或全面評估**：在政治行政方案制訂中設定的操作性元素中包含了目標各異的各種政策措施。因此，有必要確定的是，評估報告的物件僅僅只是執行機制，還是所有包含在行動方案中的措施或者是整個政策。因此，無論從理論還是實踐的角度，都會區分 —— 尤其在國家傳統的基礎上 —— 單項公共措施、計畫（計畫評估）和政策（政策評估）的評估區分開來。

(f) **正式評估（帶有評估條款）或非正式評估（非授權）**：一份評估報告的份量尤其取決於該評估報告的「官方」程度。實際上，可以認為由公共行動者（如：執行的行政機構、政府或議會）授權並撥款所開展的政策評估專案，比起一般的機構（如：獨立的諮詢公司或政策研究者）所發布的政策評估報告可信性更高，且更具有影響力。值得注意的是越來越多的法律法規包含了「評估條款」(evalution clauses)，規定在實施這些法律條款一定年限後，必須對其進行（外部）科學評估（Bussmann, 1998, p. 26)。這種規定尤其出現在合理性備受質疑的新型社會政策中（如：瑞士的醫保政策和人道救援政策，以及法國的社會救助政策)。 「248」

(g) **實質性評估和制度性評估**：除了具有實質性內容的評估報告（針對具體觀察到的政策影響)，同時也存在制度性質的評估報告。後者主要關注的是政策重構過程中需要遵守的條件和規則。比如，根據政策分析所觀察到的政策效應，政策評估報告可以做出「審查委員會必須考慮哪些人群的利益」,「該立法必須考慮哪些有關情況」,「該政策必須符合歐盟和世界貿易組織的法律」或是「所採取的策略必須符合國際現實情況」等規定。

上述實證研究中的一些評估標準直接取決於政策評估的政治行政背景、評估過程，以及相關行動者。因此，以下內容將會探討在政策評估過程中各行動者之間的互動。和前面所述的各政策階段中政策產品一樣，應該基於分析各行動者在證明政策是否有效，是否需要改變等方面所代表的利益來解讀政策評估階段各行動者之間的直接和間接博弈，從而瞭解各行動者使用了哪些資源和制度規則來影響政策評估報告的內容。

「249」

10.4 政策評估過程：被動員的行動者、資源、制度

10.4.1 政策評估的制度化

如同政策方案設定階段，政策評估過程及其產生的結果或評估報告的政治價值在很大程度上也取決於所在的民主體制中的制度規則。在美國，透過「國家會計總機構」（Geneal Accounting Office, GAO）進行政策評估。在瑞士，則是由「議會管理行政機構」（Organe parlementaire de contrôle de l'administration, OPCA）負責。在法國，政策評估工作是由「國家評估委員會」（Conseil national de l'évaluation）負責（瑞士方面的資訊參見 Bussmann〔1998, pp. 13-32〕；法國方面的資訊參見 Monnier〔1992, pp. 63-68〕）。在英國，中央政府所執行的活動一般是由「國家審計部」（National Audit Office）進行評估工作，而「審計署」（Audit Commission）是負責某些地方政府和國家醫療服務（NHS）的評估工作。以上不同國家的政策評估制度不同。

除了分析公共政策評估中的制度因素，接下來也會討論各行動者在評估過程中的策略目標（引用 Bussmann 等人〔1998, pp. 113-117〕的論點）。

10.4.2 行動者之集成與其博弈

政策評估實際上不僅提供了主要政策手段，包括資訊、管理和合法性，同時也提供了次要政策手段，即促使社會行動者對政策進行驗證。它提供了關於國家活動在相關性、影響、效能以及效率方面的資訊。毫無疑問，這些資訊既是目的本身，也可以用來進行不斷積累用於教學和研究。然而一般來說，政策評估都有具體目標或政治目的，如實行新的措施、使某一決定合理化、優化政策執行、監控監督，或減少補貼等目的。因此，

政策評估的目的在於為未來的政策決定做準備，或者合理化已經採取的各種措施。

正如某個國家措施或整個公共政策，政策評估也會產生與政策主要目標和其他政策效應有關的期望或非期望效果，以及直接或間接效果。對所有政策評估目標及其潛在影響進行詳細的敘述是不可能的。因此，這裡僅僅分析在日常經驗中所熟知的幾個經典類型。現今，政策評估已經成為公共活動中不可或缺的一部分了，就像公私行動者採取的其他手段一樣，政策評估也是一個人為產物。政策評估的實現並不依賴於其本身性質，而是在於某些人群或者社會團體想在特定條件下實現某些策略目標的意願。因此，對政策評估的目標和潛在影響進行的任何分類都是不完整的，因為政策評估手段實際上是不斷變化的。「250」

當然，可以立足於某些點對政策評估的目標和影響進行描述（例如，政治領域、歷史構造等）。我們決定介紹最中立的政策評估（也就是適用於任何時期和政治領域的評估體系），主要集中在：(a) 待評估的政策和措施；(b) 政策評估所影響的行動者及其使用的策略；(c) 政策評估所指向的政黨和一般意識形態。

(a) 待評估的政策和措施

政策評估的目標或結果可能是為了重組或者修改現有政策，優化政策執行和制訂。各方觀點在政策評估的中心用途方面是基本一致的(Chelimsky, 1987; Rist, 1990; Bussmann, 1995, pp. 36-45)。然而在現實中，對於何時進行政策評估卻存在不同的觀點。某些類型的政策評估只能適用於政策週期中的特定階段，如措施制訂、政策執行優化以及報告階段。例如，一般認為只有在制訂新政策時才會進行前景性評估。然而，本書認為需要結合不同類型的政策評估來達成上述所說的三個主要目標。以下將會結合實例進行說明。

- 在**修正或改變公共行為**時，即進行前景性評估時，對之前干預政策的效能和效率的評估可以顯示因果關係順序，同時對政策效應的分析也可以表明政策執行的發展過程。最後，綜合型政策評估會總結之前在相同領域或其他國家已經積累下來的評估結果和經驗。

「251」

- 在**公共行為執行**（accompaniment）**與改善**（improvement）過程中也會進行某些政策評估。這些政策評估主要包括監控資料的收集，以便更加瞭解公共問題的本質，如環境變化問題；或者是反映政策執行範圍的政策影響資料，即關於「政策做了些什麼」的資料。這些資料主要揭示了政策執行的各種（因果）關係。所有這些資訊都可以用於伴隨相應的政策執行以及改善政策執行。
- **評估報告**是主要的政策評估手段，包括（回溯性）效能評估，必要時還有對效率和產出性價比的評估。在這時需要評估政策產出和相應的監控資料。其他措施可能會產生的效應偶爾也會被考慮在內（假說模型、計量經濟刺激模型等）。在這樣的情況下，需要結合常規性、回溯性（政策影響的實際驗證）和預期性（假設性實驗〔hypothetical experiment〕）。

(b) 政策評估和行動者

對於行動者來說，政策評估是某種特殊形式的意見或（社會）科學專業知識（詳見 Bussmann〔1989, 1995〕；Kissling-NäF 和 Wildi-Ballabio〔1993〕；以及 Linder〔1989〕；Kessler 等人〔1998〕）。所以說，這樣的評估結果可能是基於不同的目的。（1）政策評估可能僅限於提供某些諮詢顧問，只有委託進行政策評估的行動者才可以利用其所提供的資訊和建議。（2）然而在大部分情況下，這些信息和建議會提供給公眾。這種做法的目的通常是增強或削弱某些行動者的策略政治立場。（3）政策評估有時也只是為了基於客觀事實提供一種「中立」的資訊。（4）此外，這樣的諮詢關係可以促進科學性行政聯合，並始終保持評判能力。(5) 最後，特定行動者也會使用政策評估作為一種手段，象徵性地做出一些行動來贏得更多的時間。

1. **創造在資訊方面的直接優勢**：當政策評估是在直接諮詢背景下進行的，並遠離公眾視線，僅僅提供給參與行動者，那麼這些政策評估就不會受到來自社會科學領域的所有評判性意見。除此之外，這些資訊也不會出版或者刊登在報刊雜誌上。這樣，這種資訊一般會出現在行政機構的內部祕密文檔中，或出現在政策從業人員關於社會科學意見的相關討論中。這樣的諮詢活動常常與私人諮詢公司合作，而非大學研究所，因為後者不願放棄將評估結果公開發表在某些刊物上的權利。「252」

   大多數的這種政策評估都是關於**在組織和管理問題上提出意見**。而這類政策評估在對政策執行和效應進行評估方面仍然不常見 (Zimmermann and Knoepfel, 1997)。這類研究為明確和改正政策缺陷提供了前提條件。儘管社會行政服務機構確保他們可以獨家使用這些評估結果，但是如果他們發現能從中獲利，如改善自身形象、鞏固現有地位，那麼他們也會發布這些資訊。相對於其他公共和社會行動者，這種從政策評估中獲取的資訊會給予其專有使用者巨大的優勢。有些時候這些專業評估也會完全免費提供給所有人，如公共汽車路線的可行性評估，或某種教學方法的評估；但是由於媒體對其缺乏興趣，這些政策評估仍然無法進入到公眾領域。

2. **增強自身策略地位**：某些組織委託其他機構進行政策評估，是因為其相信評估結果對他們來說是有利的。因此，這些評估結果必須能支持委託機構的政治立場，或者至少中和反對者的意見。下面是四個典型的例子來說明這種政策評估：

「253」

- **動員支持特定方案／確定的措施（defined measure）**：1988年，「瑞士聯邦政府經濟事務辦公室」（Swiss Federal Office for Economic Affairs）委託弗雷伯格豪斯（Dieter Freiburghaus）對「促進科學研究委員會」（Commission for the Promotion of Scientific Research, CERS）進行評估。針對新的信用機制，當地政府需要一個獨立的評估體系來促進所提供的服務。從時間上來說，這項評估工作的完成與政府向議會提交備忘錄的時間點相契合，而且此評估結果（Freiburghauset al., 1990）也被納入到備忘錄中作為支持繼續使用這種信用機制的論據。評估結果中所提出的改善意見也被納入其中。同樣的分析也運用於「法國跨部門評估委員會」（Interministerial Committee for Evaluation）一開始評估的一些政策。在大多數情況下，像是將身障者融合政策、濕地保護政策等政策評估的目標，是為了使政策合法化，並且肯定他們存在的意義。
- **動員反對特定方案**：政策評估也可以用來阻礙將行動者置於不利位置的某項方案。例如，當面臨高額的文物保護費用時，瑞士索洛圖恩州財政部門授權對文物保護措施的效能進行評估。1980年代中期，在禁止洗衣粉中添加磷酸鹽規定制訂之前，本書作者之一曾經有機會參與阻止這些措施的實施。由於很多瑞士清潔劑製造商看到在其他國家開始實施這些禁令，他們很是擔憂，並且開始尋找對其有利的論據來阻止這項禁令在瑞士生效。他們嘗試說服本書的某些作者參與到相應的研究中；然而，由於其存在爭議的背景，本書作者最終拒絕了這一任務。最終這項研究是由一個私人諮詢公司完成的。然而，他們並沒有只為這些清潔劑製造廠商服務。最終，事實證明想要阻止磷酸鹽禁令的頒布是不可能的。
- **動員支持以回應對特定政策的需求**：自1970年代末期，隨著福利國家的擴張，之前相互獨立的政策領域開始結合起來發展。現今，政策不再是清楚的線性區域，而是發展成一個相互交叉的形態（「跨政策」

〔interpolicy〕聯合），也就是說某幾個特殊政治領域相互重疊並且交錯。現在對政策範圍界限的定義存在很多爭議——財政政策是否該為組織的社會「利益」負全責？在提供道路運輸服務時是否應該包括環境和健康成本？農業政策是否應該更注重對環境的影響？不同政策交界點會產生很多類似問題。角度不同，這些問題的定義也會不同。政策評估應該論述怎樣劃分這些政策邊界。例如，在「瑞士環境、森林和景觀保護機構」（Swiss Agency for the Environment, Forest and Landscape, OFEFP）的邀請下於 1987 年發起了在農業領域對於水資源保護（Knoepfel and Zimmermann, 1993）的評估研究。透過對水資源保護和農業的研究，這項評估明顯證明環境保護政策相對於農業政策是處在弱勢的位置。儘管農業政策的行動者採納了一些環保意見，但是這些環保措施的執行仍然比較遲緩而且片面。所以這些政策評估也制訂了一些提案，增強農業政策中的環保措施。 「254」

- **對「政治和經濟體制條件」進行評估**：這裡根據不同視角和看法也會得出不同的結論，只是這裡不再是公共政策之間的界線問題，而在於社會次級系統（經濟、政治、文化、宗教、教育）和其基本原理中。事實上，有關德語詞彙中**監管位置**（ordunungspolitische Standortbestimmung）（一項對於框架情況的研究）的經濟分析，占有主導地位。此類研究的物件有很多。例如，租賃權、勞動力市場、產品市場、養老基金以及通訊電信等。一般來說，這樣的研究需要將理論原理和公共規範進行對比，而這樣的方法在這本書的定義下並不算是政策分析的一種方法。但是理論原理需要部分的實證研究作為支持，即效果評估，從而使學術觀點具有更多的實質內容（也就是在勞動市場規則和失業人數之間產生的關係裡進行對照研究）。從這個角度來看，這項研究是具有評估性質的。這通常是和那些贊成撤銷管制規定的行動者利益緊密聯繫的。

「255」 3. **探尋「真相」**：有些政策評估不是為了給任何組織或者機構帶來好處。這類政策評估常常按照研究或者是科學評估等更加常規的方式進行。某些科學系統主要運用這些研究來為其他次級系統提供「客觀」的資訊。對於定義範圍內的客體評估（儘管有時候從實質的角度考慮會有所不同）主要是有跨國際組織進行的（例如，經濟合作暨發展組織、世界銀行）。

各類學術科學機構（如各類高校、公共或私有研究中心）都會產生大量的研究結果。其中一些研究結果可能和某些特定的政策「相關」（如：狂牛病傳播途徑、溫室氣體排放效應），因為他們的研究結果就說明了國家活動中涉及的機遇和危險。毫無疑問，嚴格的學術研究機構在問題定義階段會提供有價值的服務，如為國家實施各項措施提供各種資訊。一旦相應的政策生效，這些研究也會對其效應給予評估。政策效應／影響研究就屬於這一範疇，因為它們指出了單一措施對分眾人口（例如：社會階層或地區）的成本及效益（例如，財政影響、國道維護的成本效益，以及養老金體系的效果）。這些研究一般是以學術為目的，然而仍然需要注意這些研究可能會存在某些潛在的政治偏好或者影響了某些行動者的策略地位。即使如此，這些研究仍然是在教學、出版和廣泛接受的研究要求，如：瑞士國家科學機構(Swiss National Science Foundation)、英國經濟和社會研究委員會（UK Economic and Social Research Council）的背景下進行的，所以一般來說這些政策評估的學術性是可以保證的。

除此之外，某些**國家監督部門**（state monitoring bodies）也開展這些研究來進行評估活動。這種情況下，各國按照某種要求進行國家間比較的評估活動尤為重要。經濟合作暨發展組織對某些國家「256」不同的政策領域（例如，財政、經濟、教育、農業、區域和環境政策）進行定期或者偶爾的研究在這裡是非常重要的。這部分的研究事實上顯示了之前提到的「調查框架情況」的特質，因為其將公共政策與長久以來所積累的資訊中推斷出的模型進行比較。這種國家間的評估活動會透過吸收非傳統措施的成功案例（如 Jänicke 與 Weidner [1995]）來不斷更新他們的經驗庫。

4. **透過委派政策研究任務形成聯盟**：到目前為止，我們一直在關注單項研究的目標和效應上。然而，很多諮詢、研究和評估活動都在結構清晰的背景下產生的（例如，在某些政策和研究領域使用特定的政策評估者）。這產生了固定的期待（來自研究者和所應對的團體方面）及明確的職業類型（例如，大學研究機構和國家或非營利機構所提供的某些職位）。這項評估研究的任務將會交給政治行政安排中那些可以向其他公共或者社會行動者提供源源不斷資訊的行動者，因此這些研究人員也能得到不間斷的委派任務。從長遠的角度來說，政策評估工作確保了研究團體的地位。

5. **透過委派政策研究任務來使用拖延戰術**：像所有國家措施一樣，政策評估工作的宣布和進行有時候只是一個象徵性行為（Edelman, 1964, 1971; Kinderman, 1988）。在這樣的情況下，評估工作並沒有實現其主要價值，即用於解釋和合理化國家措施的作用。相反，這種政策評估其實是模糊承諾了會給予科學解釋，這是一種減輕政治壓力和贏得更多時間的方法。通過宣布政策評估工作表明政策問題需要一系列認真解釋，並且在此方面會採取所有必要方法。然而，儘管這種類型的政策評估提供的是象徵性功能，但仍然會產生效果。例如，宣布進行政策評估可能會贏得群眾的信任（而且可能會提高群眾期待），或是對輕率的立法行為提出警告。由於科學研究越來越受人們的重視，因此要求進行或要求考慮進行此類研究在日常政治領域中變得司空見慣。當然，在具體事例中很難證明某項政策評估工作是純粹的象徵性。分析者就需要指出任何其他的作用，包括合法化用途，從

「257」

一開始就被排除在外。就像象徵性立法一樣（Kindermann, 1988, p. 229），很難發現完全是象徵性功能的政策評估；相反，這些政策評估可能會組成一系列評估，並最終發揮其效果。

(c) 政策評估和一般的政治脈絡

在最好的情況下，政策評估可以確認國家政策措施和其帶來的社會影響之間的關係。事實上，政策背景一般都是在廣泛的政治背景下進行的（Taylor and Balloch, 2005）。政治是一場為得到權力的戰鬥。在這種情況下，各黨派都爭相推廣自己的政治概念和黨派理念。就像科學主張一樣，這些概念的表達形式也常常是「如果……那麼」這樣的等式。例如，「如果國有股的持有量被減少，那麼經濟局勢會更好」。這些概念一般包括宏觀社會層面上因果關係形式的指導原則。然而，這些概念與科學研究結果不同，他們是建立在經驗、推測和信念基礎之上的。因此，可以說當科學研究方法運用完後，政黨的意識形態開始起作用是完全合理的。

一般來說，在實例中進行科學性的政策評估產生的結果常常針對非常小範圍的分析物件。因此，對政策的解釋，以及在很大程度上針對評估結果所做出的改變都需要參考這些政治概念。例如，當一個評估結果得出使用措施 A 並不能使得指標 Z 上升 X 個百分點時——當然，這麼精確的結論也很少見，可以得到以下兩個不同的結論：放棄措施 A，或者加強措施 A 的執行。所以說，在大多數情況下，在採納評估結果之前都必須進行政治**價值判斷**（value judgement）。

在英國，在政府對待政策評估的角度和社會科學（假如不是全部的科學）的客觀性方面，人們有大量的質疑和憂慮。解決這類問題的方法包括詳細討論以清晰明確評估目標（在本章中所有問題都有些不明確之處），並採取「評判現實主義」（critical mordernist）的標準，即識別多重和矛盾的評估標準，並保持這樣的觀點「即使評估系統只是測試中的一種，

「258」

但是用實際經驗來檢驗理論和假說是很重要的，並且對於現今平和的情況是否有弄虛作假的成分進行永不止境的討論」(Pollitt and Bouckaert, 2000, p. 23)。

研究和實踐型假說

本章將概括之前在定義政治行政和社會領域中的六個公共政策產品時所用的主要分析標準（詳見第 7 章至第 10 章）。這裡將重點強調這些公共政策產品實質內容和制度內容相互補充的性質。之後將會概括提供三個制訂實踐型假說（working hypotheses）的「接入點」；在對六個政策產品背後解釋因素進行實例分析時，會對這些假說進行驗證。因此，將會直接借鑒之前分析模型的邏輯（詳見本書第 6 章），以及行動者、資源和制度這三個基本要素。以行動者為中心的制度主義啟發了我們的公共政策分析取徑，而這樣的分析取徑正是植基於前述之三要素（詳見本書第 2 章至第 5 章）。 「261」

概括來說，本書嘗試解釋這六個政策產品是如何受到公私行動者所使用的策略，為主張其權利和利益所調動的各種資源，以及研究領域中的一般和特別制度規則帶給他們的限制或者機會的影響。因此本章將會提出在政策產品和「基本三角模型」中的行動者「博弈」—— 依變項和自變項之間可能存在的（因果）聯繫假說。

本書提出的分析模型可被用於描述、解釋、說明或預測政策內容。表 11.1 就展示了在不同分析層面上模型可能發揮的作用。本章將會集中闡述制訂研究和工作假說，從而有利於進行解釋性的實證研究。

「262」

表 11.1 不同實證研究之應用（基於不同的分析層面與目標）

	分析目標	模型用途
描述層面	■描述 （＝運用各種概念和變項來描述某種社會現象）	■為系統描述公共政策中的六個產品提供了操縱因素（詳見本書第 7 章至第 10 章） ■用於解釋主要行動者及其行為策略的「基本三角模型」和資源和制度規則分類（詳見本書第 3 章至第 5 章）
分析層面（關於公共政策的知識）	■理解 （＝解釋社會活動中的各種聯繫） ■解釋 （＝說明各個社會事實間的因果關係） ■預測 （＝在變項中形成「如果，那麼」假說）	■一方面利用理論和研究實踐型假說來促進分析模型的設計並且能理解、解釋和預期行動者、資源和制度規則之間的聯繫，另一方面觀察政策產品中實質性和制度性內容在其他方面的影響（分別詳見本書第 7 章 7.3 節、第 8 章 8.3 節、第 9 章 9.5 節和第 10 章 10.4 節）
規範層面（用於公共政策的知識）	■建議 （＝對公共政策的管理制訂實用性的建議）	■委託進行的研究顯示在進行公共改革時政策分析措施的有效性

「263」

11.1 依變項：政策產品的實質性和制度性內容

表 11.2 展現了政策週期過程中的六種政策產品。這些產品受到多種物質支援影響，例如，政府專案、立法和執法行為、公共行政服務的年度報告、專家評估、由行政機構和利益團體出具的非正式文檔、諮詢和協商環節的綜合體、媒體、網站。

表 11.2 總結用於分析公共政策產品的各種操作因素（接下頁）

「264」
「265」

			分析產品的操作因素	
政策階段	待解釋的產品	對產品的一般定義	主要實質內容	主要制度內容
議程設定	公共問題的政治定義（PD）	為吸引政治行動者制訂某種政策來解決政治議程中已存在的公共問題而制訂的要求（→要求政府進行干預，以及制訂初始解決方法）	■ 嚴重程度（強度） ■ 涉及範圍（受眾範圍） ■ 創新程度	■ 緊急程度
政策方案設定	政治行政方案制訂（PAP）	所有明確政策中的實質性和程序性因素的法律法規和制度規則（→明確規範內容和主要合法性）	■ 具體目標 ■ 評估標準 ■ 操作因素（或行為手段）	■ 行政機關和資源 ■ 程序性因素（包括司法程序）
	政治行政安排（PAA）	負責執行政策的公共行動者或者是半公共行動者所組成的結構性體系（→明確各行動者職責，明確組織內、外部管理，以及總體上分配資源）	■ 行動者的數量和類型 ■ 其他政策所造成的影響	■ 縱向和橫向的協作程度 ■ 集中程度 ■ 政治化程度 ■ 開放程度
政策執行	政策行動方案（APs）	用於明確政策執行在時間、空間和社會群體間的執行重點的所有計畫（→專門分配某些資源從而實現有針對性的政策產出）	■ 明確的（或正式的）方案或是缺少方案 ■ 時間、空間和社會團體方面上的區別對待程度	■ 執行行動者的結構性程度 ■ 相關聯的資源或是不相關的資源 ■ 開放程度
	正式執行行動（產出）	政治行政過程中直接針對政策措施的目標群體的最終產品（→政策實施和執行）	■ 執行範圍（完整的或是不完整） ■ 實質和內、外方面上的一致性	■ 制度因素（例如，目標群體的創建） ■ 中間或是最終行為 ■ 正式或非正式

表 11.2 總結用於分析公共政策產品的各種操作因素（續上頁）

			分析產品的操作因素	
政策階段	待解釋的產品	對產品的一般定義	主要實質內容	主要制度內容
政策評估	政策效應（影響和結果）的評估性報告	關於目標群體行為改變和最終受益人境況改善（→次級正當性）的所有價值判斷	■ 所應用的評估標準 ■ 概括性或形成性的政策評估 ■ 部分或全面的政策評估 ■ 科學性或意識形態型的政策評估	■ 政策前、中、後評估 ■ 正式或非正式政策評估 ■ 評估報告的未來用途

除了對六個政策產品的一般定義之外，表 11.2 也列出之前提到的，為詳細研究這些產品的組成因素而提供例證的操作標準。根據這些標準是與產品**實質**內容（「怎麼解決公共問題」）有關，還是與產品**制度**內容有關（「哪些行動者會參與到公共問題的解決方案中」、「他們會動用到怎樣的資源」、「應該怎樣運用制度來進行這場博弈」），可以把它們分成兩個類別。需要強調的是，這裡所列出的這些操作因素是經過實例分析證明的，但並沒有涵蓋所有的因素。

即使實質性因素和制度性因素的區分有時很模糊或是隨意，但是在實證研究中同時對政策產品的兩方面因素進行考慮和研究是必不可少的。事實上，一個政策的品質取決於其實質因素和制度因素之間的區分程度；並且在更大程度上取決於兩種因素之間的一致性，或至少是消極協作。如果國家行為要達到高度的有效性（= **實質**目標），並具有一定程度的可預見性和時間上的持久性（= 攸關行動者互動的**制度**穩定性），那麼這六個政策產品中的任何一個都應該逐漸具體化「因果關係模型」中的因果假說和干預假設（需要做什麼來解決這個公共問題），以及組成「公共行為網絡」的各個行動者的任務、職責和資源（誰參與到此次公共政策的解決方案中？根據哪些一般和特殊的規則）。

正如在第三部分的引言（詳見本書第 6 章）中的解釋，隨著一個政策過程的開展，觀察者應該能夠確認政策「實質」的具體化、相關行動者網絡的鞏固、特殊法律法規構成真正的「制度性」內容，以及對所有可用資源的（反覆）利用。「266」

關於政策實質性和制度性因素是相輔相成的這一原理是非常重要的，原因有以下兩點：

- 從**規範性**角度出發，所謂公共行為的首要合法性（從民主的決策過程、政策輸入和生產能力中得到的）和次要合法性（secondary legitimacy）（從公共服務的品質、執行方案和效果中得到的）都需要依靠制度因素和實質因素。事實上，這兩個類型的合法性一方面是建立在社會行動者共同參與政策的程序形式上（如：透明開放的協商程序、授權半政府組織進行政策執行、公平對待受影響團體、發布評估結果）；**以及**建立在公共行動者解決具體問題的真實能力上（如：在需要取得的集體目標上達成政治共識，根據問題的客觀壓力制訂政策行動方案［APs］中的重點，對政策影響和結果進行充分評估）。從這方面來說，分析者必須同時考慮實質性因素和制度性因素，因為這兩類因素共同構成了公共政策的雙重合法性。
- 從**實例分析**的角度來看，一般來說，公私行動者對政策中實質性因素和制度性因素中的多重利益關係十分清楚。因此，他們會制訂出能影響各目標和干預工具的行動策略（例如：在核心以及內部層次進行直接博弈）；**以及**占據一個穩固的組織位置，或者至少擁有某些操作空間來影響政策接下來的階段（例如，在和政治行政安排的外部層面進行間接博弈）。在這個層面上，需要將實質性分析和制度性分析結合起來，從而瞭解行動者之間博弈的複雜度和豐富度，他們之間的互動，以及他們對政策產品不斷變化所產生的影響。

「267」 在進行實證分析時，我們建議分析者參考表 11.2 中所有的政策操作因素。表 11.2 可以作為一個系統性的「檢查列表」。因此運用這個分析表格有利用明確和運用研究中的各個變量。

然後分析者可以找出自變項來解釋實證研究中時間和空間上的依變項。為此，接下來要討論行動者之間不同的「博弈」，從而解釋政策產品的實質性或制度性內容。

11.2 解釋變項（explanatory variable）：行動者的「博弈」、資源和制度規則

在對政策行動者的初步討論中（第 3 章），我們定義了由政治行政行動者（公共行動者）、目標群體和政策最終受益人所組成的「基本三角模型」，通常也會加入受益或受損第三方。根據本書分析模型的一般邏輯，當行動者置於一個不斷變化的制度環境中，他們會應用不同的資源來捍衛自己的利益、權利和價值，他們的這些策略性行為可以部分解釋六種政策產品。這裡將會重新回顧一下作為本書理論方法基礎的兩種假設（見第 6 章）：

- **假設 1**：某一政策階段中的實質和制度內容，如和政治行政安排，會直接影響下一個階段的成果，如政策行動方案和正式執行計畫。
- **假設 2**：在每個政策階段中，公共政策的行動者利用（新）制度規則和結合（新）資源去影響所在階段的結果，必要時甚至會脫離之前的階段成果。

第一個假設指出為了確保政策的確定性、連續性和可預見性，行動者會規劃出一些政策產品，試圖限制政策接下來階段的「可能性領域」。政

策前面階段所採取的行動和決策結果可以直接影響某一政策產品的實質性和制度性內容。

「268」

然而，第二個假設認為某些行動者意圖要調整，修改或取消之前階段的政策產品所做出的提議或決定。並不是所有政府行為都是直線性的，或者可以完全決定個人或集體行為。因此，政策產品的內容總是會受到制度框架、資源、行動者之集成、博弈等因素之綜合影響（被當下政策階段影響的行動者所採取的博弈活動）。

將這兩個假設考慮在內，圖 11.1 指出了行動者策略和政策產品之間可能存在的聯繫。這種概述性表述包含了之前關於政策產品兩方面內容討論的所有觀點。在這個圖形中，這六種政策產品的位置取決於其實質性因素和制度性因素的相對重量，這一相對重量是在之前的實證研究上確定的。此外，這個圖形也表示行動者會發展不同的、多樣的或相互補充的博弈方式，以影響這些產品的兩方面內容。具體來說，直接影響政策產品實質因素的博弈稱之為**直接**博弈，而影響政策產品制度因素的博弈稱之為**間接**博弈（詳見第 6 章）。「間接」一詞表明某些政策行動者的策略並不僅僅集中在即將制訂的政策產品上，即接下來的階段中的政策產品，而且還會透過使用制度資訊預測影響之前政策產品的未來博弈。例如，對政治行政方案制訂中程序性因素進行博弈，從而保證在正式的執行階段擁有上訴權，或在評估階段中占據優先位置。

圖 11.1 並沒有列舉出所有行動者間「博弈」，但是其試圖表明這些博弈是如何融入到本書的分析模型邏輯。

所有公共政策的實證研究都會表明各種行動者間「博弈」會同時存在，並且會對六個政策產品的內容產生不同程度的影響。這裡無法一一列舉所有相關「博弈」。但是本書不僅採用描述性研究方法，還制訂了關於這些博弈的一些研究假說，因為這些「博弈」在本書中可以作為解釋公共政策產品的關鍵因素。

「269」

直接博弈和間接博弈的例子

公共問題的政治定義（PD）和政治行政方案制訂（PAP）間的聯繫

- **影響政治行政方案設置核心和內部層面的直接博弈**：在某項應對大氣汙染的法律領域內，最終受益人（如：汙染性工廠周圍的居民）政策要求明確清晰的目標和評估標準（例如：在 1985 年達到 1960 年的空氣品質水準）以及一些限制手段（如：汙染排放限制），從而確保政策的效力。
- **影響政治行政方案設置外部層面的間接博弈**：在軍事結構領域內（如：設有靶場的軍事營地），環境組織雖然無法在立法層面上影響國防目標的實際定義，但卻試圖獲得有可能推翻某項計畫的正式權利。

政治行政方案制訂（PAP）和政治行政安排（PAA）之間的聯繫

- **影響政治行政安排組成的直接博弈**：在農業直接報酬領域內，受影響人群，即農民試圖讓與其關係密切的行政行動者，如農業部門，成為單獨負責報酬分配的行政行動者；相反他們可能會反對由另外某個行政行動者來負責，因為承擔不同職責的其他部門，如環境部門可能會損害其特殊或短期利益。
- **影響政治行政安排結構和程序的間接博弈**：在有關建築許可證的法律領域內，建築主管機關等傳統主導部門試圖透過影響文檔管理的內部協作形式，如建立協商記錄的專有系統，以維持其相對於能源、水資源保護、空間規劃等其他部門所占據的中心位置。

直接博弈和間接博弈的例子

政治行政方案制訂（PAP）、政治行政安排（PAA）和政策行動方案（APs）之間的聯繫

- **影響政策行動方案區別對待程度的直接博弈**：在改善失業現象的法律領域內，如果預算受到限制，負責職業培訓和失業人員安置的部門（如：瑞士的地方就業中心）會在行動方案的階段，優先向某些類型的失業人員（如：受過教育的年輕人）而非其他類型的失業者（如：未受過訓練的年長者）提供服務。
- **影響政策行動方案中相關資源的間接博弈**：在防止經濟通貨膨脹的法律領域內，創造或維持就業機會的公司作為補貼接受者試圖在行動方案中確定一個較短的期限，這樣他們就可以快速從促進經濟增長的財政資源中獲利。

「270」

政策行動方案（APs）和執行行動（產出）之間的聯繫

- **影響政策執行行動一致性的直接博弈**：在水資源保護領域內，水力發電公司等政策目標群體需要保證某些河段擁有最低水量，因此他們試圖在政策執行時，即承擔在某些日期內減少水資源儲存量，也可以向他們謀些財政補償，如清理攔河壩的補助，從而減少實施專案和由於水電銷售量較少而造成的無回報投資的成本。
- **影響政策執行控制性條款的間接博弈**：在促進中小企業發展的經濟政策領域內，作為給予稅收減免，即政策產出的條件，行政服務部門（例如，財政部門）規定，受益人必須在每個財政年度末證明創造了並維持了一些政策資助型崗位。

直接博弈和間接博弈的例子

執行行動（產出）和政策影響和結果評估報告之間的聯繫

- **影響政策效應範圍的直接博弈**：在促進節能措施和可再生資源的領域內，能源部門試圖使得最後的評估結果不僅包括政策對於能源和環境的主要影響，如減少的用電量以及汙染排放；還包括他們在創造和維持就業市場上的次要影響，如在綠色能源行業創造就業崗位。
- **影響政策評估參與形式和正式情況的間接博弈**：在向有機物種植的農民發放生態環境補助時，生態組織代表等被排除在政策執行階段之外的政策最終受益人雖然無法對給予不採取有機方法的農民以補貼這一不正當行為提出申訴，但是他們試圖正式參與到政策結果的評估階段，如評估農田生物多樣性的顯著增長，從而表達他們自己關於所採納政策效應大小的評估。

「271」

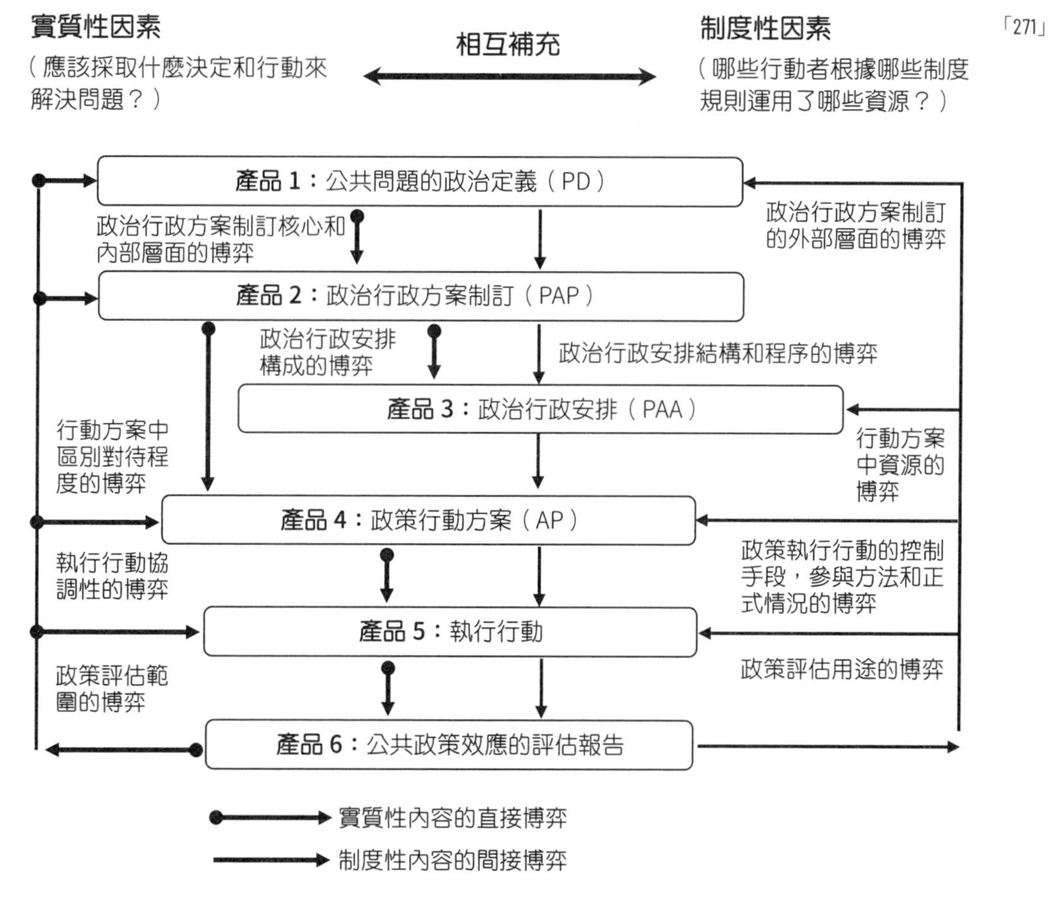

圖 11.1 建立在政策產品實質性內容和制度性內容上的直接和間接博弈遊戲

「272」

11.3 實證研究中的各種假說

為了確定本書模型中依變項和自變項之間的聯繫，以及再次促進在實證研究中運用這一模型，接下來的內容將會提出一系列假說。首先將會提出三個**研究型假說**（research hypotheses），這種一般抽象的假說可以用於所有的政策；之後將會提出若干**實踐型假說**（working hypotheses），這種專門具體的假說可以用於某一項具體的政策。因此，政策分析者在根據自身的研究問題和領域制訂實踐型假說時，或許能夠從這些建議中找到一些靈感。

11.3.1 研究型假說

三個研究型假說總結了某項政策產品內容，以及相關行動者所動用的各種資源和制度規則，以及之後階段的政策產品之間，可能存在的（因果）關係。這些假說解釋和具體化了之前提出的兩個推斷。同時，它們也為之後提出的實踐型假說的制訂做了總體上的鋪墊。

採用 Lakatos（1970）提出的認識論觀點，之前提出的兩個推斷和現在提出的三個研究型假說是本書分析模型的「硬核」（hardcore）；而實踐型假說則是本書模型的「保護帶」（protective belt）—— 它們主要作用在於架起理論研究和實例分析的橋樑。因此，接受這一認識論觀點的政策分析者可以多下面所提出的實踐性假說做出檢驗，或者制訂更有效的實踐性假說，但是卻並不需要從根本上重新制訂以上所說的推斷和研究型假說。圖 11.2 闡述了研究型假說中的因果鏈。

圖 11.2 表明透過研究性假說的幫助，三個相互補充的「切入點」（access point）能夠包含分析模型中所有的因果關係。

首先，某一政策產品中的實質性內容和制度性內容和其之後出現的政策產品之間存在一種準結構性（quasi-structural）聯繫。這一假說具體化了假設 1，並且擴展了假設 1 的範圍 —— 在同一個政策階段，如政策執行階段，已經被採用的政策產品 X，如行動方案會直接影響到接下來的政策產品 Y 的組成，如政策產出。概括的來說，**研究型假說 I：如果政策產品 X 包含這樣或那樣的實質性和制度性內容，在其他條件不變的情況下，接下來的政策產品 Y 也將會顯示出這樣或那樣的實質性和制度性內容**（H_I）。

「273」

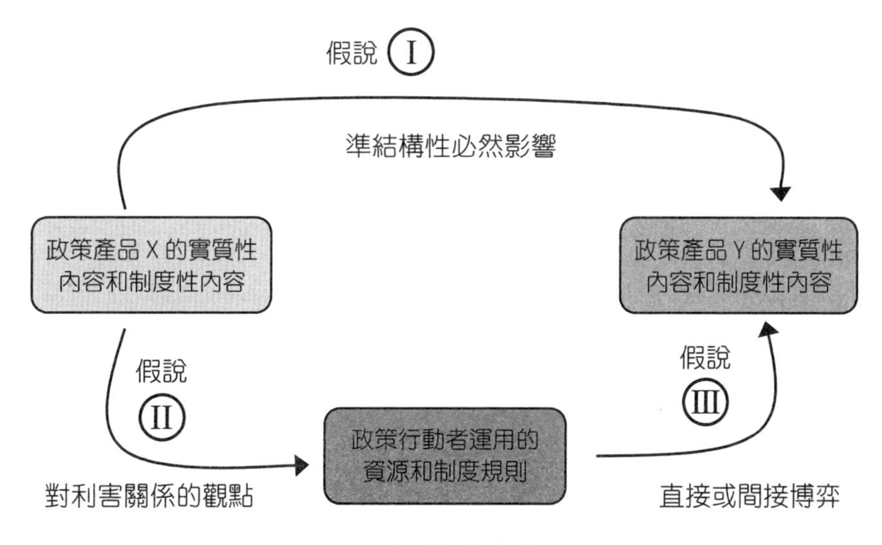

圖 11.2　研究型假說中的因果關係

這一假說看起來似乎過於機械和「墨守成規」(legalistic)，因為它沒有考慮到政策行動者的主動性。實際上，這一假說反而應被理解為：它預測了政策逐漸演變的一般趨勢，而這種一般趨勢本身取決於政治行政現實中經常出現的行動者集成與其行動策略。

這個假說中提到的**其他條件不變**(ceteris paribus)的標準，指的是各行動者之間的博弈不會引起某項政策產品和下階段政策產品之間發生根本性的差別。相反，這一標準表明不同政策在其發展過程中，至少在某些特定條件下，會表現出一些與行動者博弈無關的某些相似之處。如果無法確認第一個研究型假說，政策分析者需要更多的考慮接下來提出的兩個研究型假說，它們具體化了先前提到的本書分析模型中的假設 2。

其次，相關行動者對政策產品 X 中實質性內容和制度性內容的看法，和他們在制訂下一個政策產品 Y 的（無）行為存在著因果關係。實際上，公共行動者是否採用一個（新的）行動策略，取決於他們是否認為產品 Y 的內容會影響他們的「利害」(stakes)。根據產品 X 中政策實質性方向

「274」本質的清晰程度和確定程度，以及行動者在制度上有多大的操作範圍，這些行動者在制訂產品 Y 時運用（新）資源和制度規則的主動性不同。

這裡所說的「利害」，指的是行動者在政策裡失去或獲得的權益，即他們所捍衛的實質性和制度性利益，以及他們必須承擔的風險，即所動用的資源和制度規則。概括地來說，**研究型假說Ⅱ：如果行動者認為政策產品 X 的內容有損於其利益，在其他條件不變的情況下，他們會動用某些資源和制度規則，試圖使下一階段的政策產品 Y 的內容改變方向**（H_{II}）。

一般來說，在政策週期過程中，階段越高，相應的利害關係越小，因為政策產品不斷減少實質性選擇，並越來越明確其政策特有的制度規則。即使如此，某些新的行動者有時候可能會開辟一個在很大程度上新的方向，如訴諸於某些一般制度，從而從根本上重新確定政策利害關系。

第二個研究型假說中**其他條件不變**的情況是指，一方面行動者運用某些資源和制度規則，而另一方面其他資源和制度規則則保持不變，儘管其他行動者或許可以利用它們。這種標準也說明行動者制訂行動策略是為了改變政策產品內容的某些實質性和制度性因素，而非產品內容的其他因素，即所謂的恆定因素。

第三，行動者之間的博弈和政策產品的內容之間存在著聯繫。第二個研究型假說關注的是公共政策中存在的利害關係，即「為什麼博弈？」，「博弈運用的了哪些資源和規則？」的問題。然而，**研究型假說Ⅲ**著重於分析博弈的種類 —— 直接博弈還是間接博弈，即「採取哪種博弈策略」的問題，以及它們對政策產品實質性和制度性內容產生的影響。概括來說，**研究型假說Ⅲ：如果行動者進行了這樣或那樣的直接或間接博弈遊戲，其他條件不變的情況下，下一階段的政策產品 Y 也將會顯示出相應的實質性內容和制度性內容的變化**（H_{III}）。

本書之前的內容已經展示過一些影響不同政策產品的直接或間接博弈（詳見 11.2 節）。這些例子說明了研究型假說 III 的範圍。需要注意的是，這裡的**其他條件不變**指的是行動者集中利用某些行動策略來修改政策產品的某個要素，因此他們不一定會試圖進行所有可能的博弈（特別是由於過高的資源成本），來修改政策產品的所有內容。政策產品 Y 中不是行動者博弈目標物件的實質性內容和／或制度性內容就在這裡被認為是恆定因素。

「275」

理論上來說，可以運用這三個研究型假說來確認存在於六個政策產品的實質性和制度性內容，三類進行直接或間接博弈的主要政策行動者（包括公共行動者、目標群體和政策最終受益人），十種可運用的資源，以及所有一般（與民主體制相關）和特殊（與研究領域相關）的制度規則之間的所有聯繫。顯然，所有這些變項的系統性結合可以產生極大數量的實踐型假說（圖 11.3 是關於可能存在的變項結合）。

接下來的內容不會列舉出依變項和自變項所有的結合方式，而是介紹一些已經有實證研究驗證的實踐型假說。接下來的內容，將會引用某些變項的結合作為例子，但這些例子並不一定能夠解釋所有情況下的公共政策產品。

11.3.2 實踐型假說

實際上，這一節所介紹的每一個實踐型假說都對應圖 11.3 中的某個路線。它們在之前三個研究型假說的基礎上進行合理分類。為了避免重複，將會主要關注在受影響的群體，這些受影響群體部分上促成了行動者對利害關係的看法，資源和制度規則之間的因果聯繫（研究型假說 II，1ff）；關於直接和間接博弈（研究型假說III，1ff）的實踐性假說中，主要觀察的是公共行動者的行動。這些假說的提出是基於政策行動者的觀察或系統性的研究。

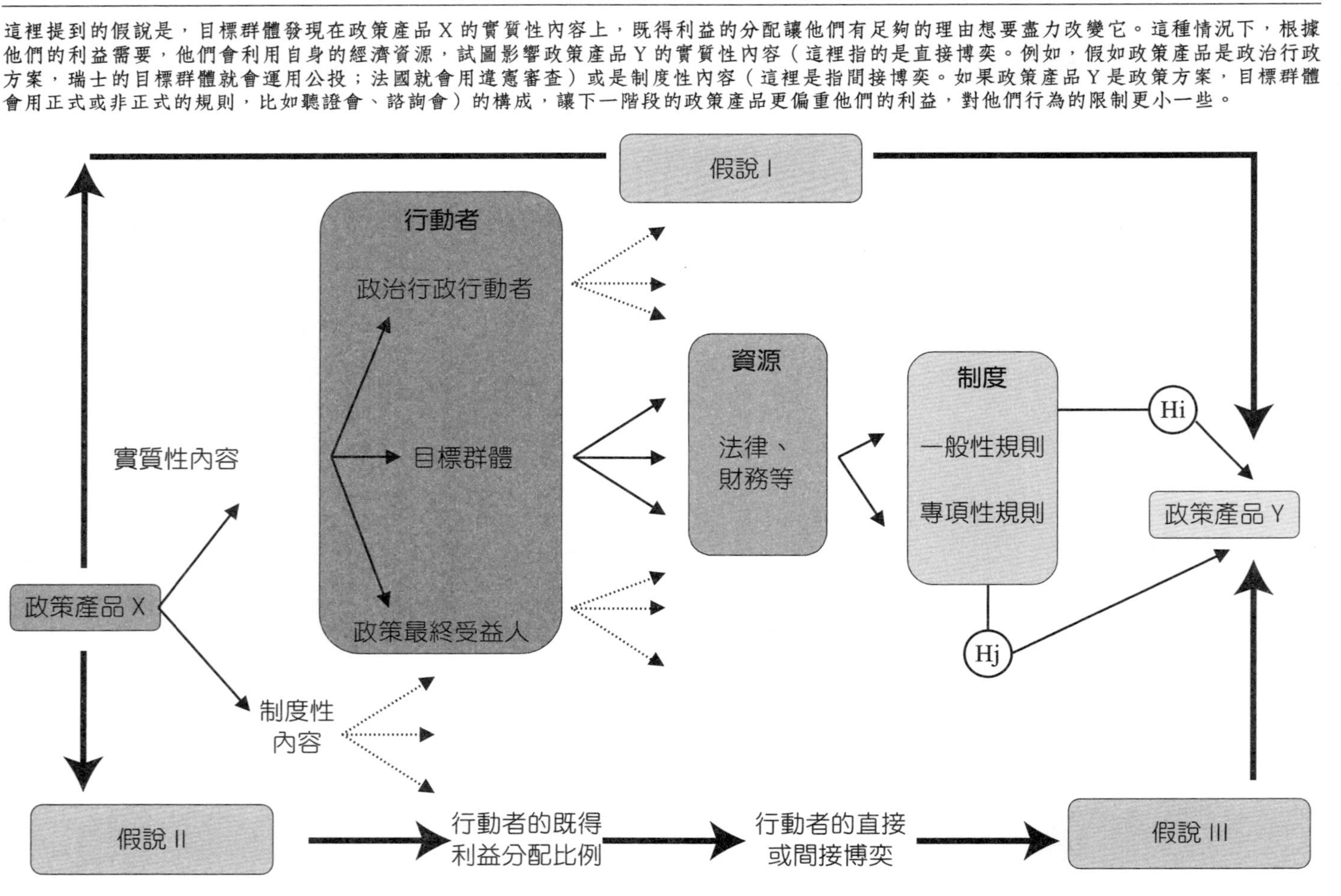

「276」 **圖 11.3** 制訂實踐性假說時可能的變項結合

備註：

這裡提到的假說是，目標群體發現在政策產品 X 的實質性內容上，既得利益的分配讓他們有足夠的理由想要盡力改變它。這種情況下，根據他們的利益需要，他們會利用自身的經濟資源，試圖影響政策產品 Y 的實質性內容（這裡指的是直接博奕。例如，假如政策產品是政治行政方案，瑞士的目標群體就會運用公投；法國就會用違憲審查）或是制度性內容（這裡是指間接博奕。如果政策產品 Y 是政策方案，目標群體會用正式或非正式的規則，比如聽證會、諮詢會）的構成，讓下一階段的政策產品更偏重他們的利益，對他們行為的限制更小一些。

(a) 關於政策產品內容的實踐型假說（研究型假說 I 中政策行動者不進行決定性干涉）

- **假說 I.1**：如果政治上對問題的定義很複雜（多種因果關係假設〔multi-causal PD〕），政治行政方案制訂的目標會不穩定，實施手段需要具有激勵和說服的作用。例如，欲尋求失業問題的解方，求職者的個人因素、宏觀經濟資料、其他經濟結構性資料都扮演重要的角色。 「277」
- **假說 I.2**：如果目標明確，政策干預的手段和目標群體定義也很精確，那麼政策實施的政治行政安排會對受影響群體開放。舉例來說，在實例中，常會觀察到的干預力度（對目標群體的權利和自由的限制）和政治行政安排對目標群體的開放程度之間常常成比例關係，即干預的手段越是嚴厲，受影響群體對各個程序的參與度就越高。
- **假說 I.3**：如果政策實施的政治行政安排高度分化，那麼行動方案的區別程度就越大，並且政策產出範圍會受到持反對立場的地方行動者權力關係的影響。舉例來說，對造成社會空間影響的政策進行分散執行，會加大緩解交通擁堵政策中的社會不平等現象（Terribilini, 1995）。
- **假說 I.4**：如果行動方案中區別程度很大，執行行動就會更加正式和全面。新公共管理理論試點的服務合同就是很好的例子。由於行動方案重點突出，政策產出更加具有針對性，政策執行行動也更加容易控制。
- **假說 I.5**：如果政策產出中沒有正式的控制條款，那麼評估報告是非正式並且意識形態型的。在這種情況下，評估報告沒有可靠的實證研究基礎，換句話說，評估報告制訂前並沒有對政策執行的行動或真正效應（影響與結果）進行系統性的調查。例如，庇護政策中，對於政策效應的討論脫離了在要求庇護的實際人數、得到庇護的人數、尋求庇護者和外國人犯罪行為數量等方面的實際資料（Frossard and Hagmann, 2000）。

- **假說 I.6**：如果政策評估報告是正式、系統、科學和精確的，政治上對公共問題的定義將會更加複雜，問題牽涉的周界會更廣。行業公共政策在一個政策週期過程結束邁向下一個政策週期過程時會變得更複雜，尤其是在這一輪的政策評估報告中，已清楚指明需要增加新的目標群體。例如，毒品政策和水資源保護政策在發展過程中逐漸變得更加複雜。

「278」

(b) 關於利益關係和所運用的資源和制度規則的實踐型假說（例如：從目標群體的角度出發）（研究型假說 II）

- **假說 II.1**：如果某一社會群體在問題定義階段被認為負有全部責任，那麼它們將會運用「資訊」、「政治支援」以及「協商程序」（consultation procedure）的制度規則等資源來保證中採用的干預措施不會對他們造成太多限制，以及／或是同樣針對其他目標群體。例如，如果工廠被認為是造成大氣汙染的唯一汙染者，它們會試圖把造成空氣品質惡化的責任分攤給其他可能的群體，比如家庭、司機和農民，以期待施加給它們的措施不要那麼嚴格。
- **假說 II.2**：如果政治行政方案制訂中決定對目標群體實施激勵手段，這個群體將會運用「組織」、「人力」以及「輔助性原則」（principle of subsidiarity）的制度規則等資源來保證自身的優勢地位。比如政治行政安排中的半國家行政部門。尤其是在農業政策中，農業組織希望自己負責實施牛奶配額。
- **假說 II.3**：在垂直層面上分散且開放的政治行政安排中，受影響群體將會利用「訊息」、「時間」以及「聯邦式政策執行」（federalism of execution）的制度規則等資源來保證政策行動方案會把地方特殊情況考慮在內。例如，在法國和瑞士，許多聯邦（或中央）政策都是由州（canton）（或地方政府）落實的。

- **假說 II.4：**如果一個受影響群體在行動方案中沒有享有公共服務的優先權，它們將會運用「信任」、「法律」以及「平等對待」（equality of treatment）的制度規則等資源來保證其享受到更加有利的政策產品（公共服務）。例如，住在機場周圍的居民要是無法享受政府提供安裝隔音玻璃的補助（因為他們居住範圍內的噪音汙染沒有超標），就會對政府施加壓力以得到公共補助。

「279」

- **假說 II.5：**如果受影響群體認為某些政策的政策產品缺少一致性而且缺少控制性條例，他們將會運用「資訊」、「金錢」以及「言論自由」的制度規則等資源，開展一項獨立的政策效應評估研究。例如，某公司為某項政策效應研究提供資金支援，其研究報告表明展示了社會保障稅繳納這一政策產品會對某地區的就業情況起到消極的作用。
- **假說 II.6：**如果一份科學的評估報告指出目標群體行為的變化並沒有解決社會公共問題，這些目標群體就會運用「資訊」、「組織」、「金錢」以及「創制權」（right of initiative）的制度規則資源來試圖重新定義社會問題，即制訂一個新的因果聯繫假說。例如，汽車協會發現對車輛的限速不能提升空氣品質，他們就會試圖要其他行動者（如：工廠）對問題負責（例如：在瑞士發起提高汽車限速的公民創制〔popular initiative〕）。

(c) 關於直接或間接博弈的實踐型假說（例如：從政治行政機關角度出發）（研究型假說 III）

- **假說 III.1：**如果某個公共問題完全由行政部門定義（直接博弈），政治行政方案制訂的目標將會和其已經負責的政策傳統條款相一致。例如，在制訂毒品政策中，警察部門負責打壓毒品，社會服務部門負責提供社會支援，醫務部門負責提供醫療服務。

「280」

- **假說 III.2**：如果中央行政機構試圖加強政治行政方案的實質影響（間接博弈），那麼他就會制訂清晰的政策評估標準。為了避免對政治行政方案的目標制訂產生政治上的爭論，行政部門會明訂技術面的參數和資料對政策效益最終評估的影響，藉以明訂該政策的適用範圍（例如，地下水體中的硝酸鹽減少了 X%）。
- **假說 III.3**：如果中央行政機構試圖避免與當地公私行動者產生衝突（間接博弈），那麼就會出現分散（垂直協調度低）且開放的政治行政安排。例如，環境規定實施等政策實施實行職責下放的方式，從而避免矛盾，這在政治行政方案制訂中是可以預見的。
- **假說 III.4**：如果公共行動者想要在應用的時候增加自身自由裁量權和操縱政策的空間（間接博弈遊戲），那麼政策行動方案區別程度就不會太高，並且資源之間也不會有很大的聯繫（比如說，財政資源和人力資源）。公共部門常常使用這一策略來增加其自身自由裁量權的範圍，避免讓區別程度高的限制性行動方案來限制它們。
- **假說 III.5**：如果公共行動者想要保證自身提供的服務的合法性和影響力（直接博弈），那麼執行行動者需要有一個控制性條款。這一策略可以用於控制受影響團體的行為，它們接受政府提供的經濟服務，如各種補貼。
- **假說 III.6**：如果公共行動者想要重新評估其政策，並獲得一些補充資源（間接博弈遊戲），它們會大力宣傳官方政策評估報告。常見的情況是，公共行動者委託進行的政策評估指出政策的方向是正確的，即因果模型經實證研究證明是有效的，但是公共行動者缺少資源來提高政策效力。例如，透過對吸煙成本進行定量評估，證明需要給實施預防措施的公共部門提供更多的財政資源。

總而言之，這裡需要重申的是這些實踐型假說僅僅只是一些例子。因此，政策分析者可以對其進行改善或者制訂其他的實踐性假說。另外，由於本書篇幅有限，這裡沒有基於研究型假說 II 對政治行政行動者或政策最終受益人提出實踐性假說；同樣也未基於研究型假說 III 對目標群體和最終受益人提出實踐型假說。實際上，也需要就這些情況提出實踐型假說[1]。

1 總的來說，在一個複雜的政策週期過程研究裡，可能存在 **84 種實踐型假說**（不管是對政策實質性內容或是制度性內容的研究），根據以下的計算方式：

- 6 個基於研究型假說 I 所提出的實踐型假說（已經在本章節中提到）。
- 18（＝6×3）個基於研究型假說 II 所提出的實踐型假說，以三個不同政策行動者作為主要對象，探討四個政策階段的六種主要政策產品（這裡本書只以目標群體作為物件解釋了實踐型假說）。
- 18（＝6×3）個基於研究型假說 III 所提出的實踐型假說，以三個不同政策行動者作為主要對象，探討四個政策階段的六種主要政策產品（這裡本書只以公共授權行動者作為對象解釋了實踐型假說）。

12 CHAPTER 結論

「283」對整本書的討論和案例分析是為了促使在政策分析和管理領域的研究者和實踐者能很好地回顧本書中提到的論點，並進一步發展，在實際分析的狀況下將其他理論方法也應用到其中。因此，本書會呈現出此次理論分析概念的優勢（12.1 節）和劣勢（12.2 節）以及實踐中的具體例子。最後，本書會指出繼續並發展這項研究的兩個可能性方向（12.3 節），那就是治理（governance）和制度體制（institutional regimes）。

12.1 本書研究方法的優勢

根據我們在教學、研究的理論與實務經驗[1]，我們認為本書所呈現的分析模型具有以下優勢：我們對於國家的概念化，不受限於單一的理論（藉由單一理論進行概念化，也常會導致論述過於規範性）。亦即，我們試著透過一個更為均衡的研究取徑來分析公共政策。

1　相關的絕佳案例請參閱 IDHEAP 公共政策與永續學程（法語全稱為 Politiques Publiques et Durabilité，簡稱 PPD）即時更新的教學資料網頁（2006 年至今）www./ideap. ch。這裡包含了：各式出版物、課程教材、實際應用的大小案例。

(a) 拒絕單一的國家理論

就如本書開頭所述（詳見本書第 1 章），本書的分析模型不是針對國家運作和他們在公民社會占有的位置提出新的理論。說得更明白點，本書是想將本書中的分析模型，運用到更廣泛的領域中來理解和解釋政府及其行為，基於這種想法本書才開展了一系列概念性的研究。例如，在本書中有多種、甚至是相互分歧的理論：

- 公私行動者間的相互關係（例如，新馬克思主義、新社團主義以及新自由主義）；
- 不同類別下的行動者得到可用資源的途徑（例如，行動者之間對於相互依賴的資源網絡進行的分析）；「284」
- 普通和特殊制度規則在公共行為的有效性方面所扮演的角色。

因此，本書的分析模型保留了那些基於法律法規、政治以及經濟情況所發展的公共領域和政府行為的理論探討開放性。然而，這樣的開放性就假定了任何促進這些多樣方法的研究人員，都可以接受研究分析運行的原理、經實證合適的概念，以及建立在理論之上的這個假說。如果這些概念和假說也涉及到公共行為中的行動者、資源和制度規則，甚至只是片面的或者建立在具有爭議的解釋上的，即使這樣，在這個範圍內進行的意見交換也可以進一步促進研究。因此，一系列建立在不同的理論基礎上而形成的實踐型假說是遵從那些具有教育意義的討論，並可以為政策流程中知識的積累奠定基礎（詳見本書第 11 章中所提出的三項研究型假說）。

為了發展研究方案的實質內容，將根據研究者興趣及其理論考慮範圍而篩選出的不同分析設計結合起來，呈現出如下狀態：

- **多種政策的比較分析**會影響假說的應用和解釋，這對運用所積累的有效資料來測試關於國家概念的多種理論是很重要的。建立在某一政策的選擇邏輯上來說，分析者應該注意觀察公共政策週期階段中的一個或者多個環節。同時，建立在選擇性概念化理論上，分析者應該挑選其他政策作為控制管理。例如，當研究者要測試源於新社團主義理論中的關於國家行為的假說時，需要對不同經濟組織在不同經濟政策想要解決的問題定義階段中所扮演的角色，以及他們在政策的同一環節中對經濟效用的影響，做出對比性研究。研究者或者也可以反對或者是支持那些想抵觸的理論教條在聯邦制和非中央集權制中，地方性、區域性和國家行動者所做出的決策。

- 對在不同地區和國家的同一政策中，**按時間順序或不按時間順序的不同階段進行比較分析**。例如，現實生活中很多公共政策可能由地方性分權代理中心所執行，那麼分析者就應該著重對私人行動者利用其所具備的資源來支持或者改變政策等理論，進行實證性測試（例如，多元理論對抗新馬克思主義理論）。第二個研究設計是和所提出的分析模型緊密相連的，因為這個模型允許基於不同理論起源、管理辦法和公共行為效果而形成相應的實踐型假說。如果本書的模型是建立在極度狹隘的國家概念和及其組成要素的話，那麼用本書所提出的模型來測試具有爭議的假說並不合適。這些假說包含：有關行動者的角色及其資源之假說（例如：新馬克思主義）、有關制度、一般、特殊規則之影響的假說（例如：新制度主義學派）。

「285」

本書提出的模型對各種不同的理論潮流保持開放的態度，也是本書的優勢之一。這就使得很多學生和研究人員可以從不同的理論和意識形態來進行各自的研究。這種應用手段也促使本書採取一個強有力的概念程序，這樣也可以簡化其中的流程。本書的政策分析是建立對於律師、政治科學家和政客所認同的政治行政流程中不同政策產品的簡單分類，以及對其實質性和制度性要素的分析。此外，本書的模型也是建立在分析不同行動者如何運用制度規則和資源來影響不同政策產品的實質性和制度性內容。雖然並不能窮盡，但是本書所提出的模型也在不同形態中提供了幾種分類、創建以及衡量的標準。

(b) 對於政策研究而言更為均衡的研究取徑

當本書的方法試圖在不同因素中保持平衡時，通常會得到相互衝突的結果。

「286」

- **無論公共政策已進行到的階段而使用完全相同的研究手段**：當在政策發展、執行和評估階段運用相同分析手段，會提供很多優勢。這個方法解釋了在各個流程之間反反復復的關係，並且也使得分析者在政策形成和執行階段能克服不同程度上的困難，其實哪個階段比較重要，完全取決於行動者自己的利益所在點。審查所有的政策階段並將其放在同一視鏡下，可以使本書能更好地說明不同的決策過程中正式的或者非正式的聯繫。這同時也說明，當政策週期是作為一個有實際價值的手段去塑造分析模型時，本書應該更關注不同部分之間的互動，這也是很多評論家在這個分析方法中所指出的重要特點（Hupe and Hill, 2006）。很多研究者想要集中研究某個階段，那這樣就不可避免地限制了他們分析的範圍。
- **政策產品的實質性和制度性觀點**：當本書起初在政治行政方案制訂中所提到這兩者之間的不同，之後逐漸延伸到政策週期中的各個產品中。這樣的結果使得本書要強調在政策流程中直接和間接博弈遊戲出現的概率遠遠超過本書的想像。這至少和其他研究者在行動者政策中所觀察到的策略性目標和實質性目標的表現形式相一致（具體例子詳見 Dente 和 Fareri〔1998〕）。甚至會超越這一點，因為在同一個政策產品中，本書可以從它的策略遊戲的制度性規範中得到追溯結果。此外，將實質性因素和制度性因素之間的關係做概念化的陳述，最終會導致加強或者是減弱政策實行的效能。
- **啟發法與因果分析法的觀點**：透過六個政策產品對政策週期的概念化（原創性相對較低）以及本書分析模型（部分內容比較具有原創性）對於不同行動者、資源和制度規則的分類，可提供一個具有啟發性的框架來分析與決策過程有關的文獻與研究發展。三個研究型假說中，其中兩個關注於行動者所策劃的博弈遊戲的假說指出了政策產品（依變項）和運用制度規則的行動者之間的因果聯繫。對於這個機制的可理解度應用，本書持有謹慎的態度，這些由具體例子形成但非完整的實踐型假說通常也認為具有啟發性，但事實卻與之相反。實際上，與其說本書要對某些特定理論的應用進行周密的觀察（演繹過程），還不如將本書在實證研究中所碰到的實踐型假說引入其中（感應性過程）。最後需要注意的是三個以因果關係為實質的研究型假說，僅僅依賴於四個自變項（前階段的產品、行動者、普通和特殊制度規則以及所能動用的資源）。

「287」

- **（再）建構主義與實證主義的觀點**：有鑒於所謂的社會真實其實是由不同的政策行動者所建構，我們在本書提擬了有關實證研究之諸多面向。政策分析者的任務是讓這個建構更加客觀化（例如，藉由明確定義欲解決之集體問題，以及主要的因果關係假設）。然而，這個再建構的任務仰賴實際分析時可得的資料（通常是有關決策過程結論階段的文件）。通常，容易觀察到的有形資料包括：政治行政方案制訂、執行計畫以及評估結果之陳述。其實，行動者口中「被建構的真實」，是可以被研究者加以「客觀化」的。例如，在很多情況下，研究者重新建構政策的實質性、時間性和空間性邊界，這與政策行動者自己的察覺是相呼應的。在我們定義本書所提擬的若干具有啟發性的分類時，前述的再建構與客觀化過程是我們的指導原則。此過程包含了社會事實之（再）建構，而這樣的（再）建構是基於行動者與官方文件所做的個別與集體建構（即使這些仍受限於再建構「公共政策之真實」的分析者的詮釋）。基於我們之前執行相關應用研究的經驗，我們在本書所援引的研究取徑是介於絕對的建構主義和絕對的實證主義之間。

12.2 研究方法的局限性

在最近出版的公共政策分析的文獻中（尤其是法語的出版物），本書研究方法的局限在於：(a) 在政策的實際定義中，強調公行動者所扮演的角色（「國家集權化」）；(b) 在本書決策範圍考慮過公共政策是解決社會問題的；(c) 將政策作為一個單元來研究可能會限制本書的某些看法。

「288」

(a) 公行為：「政治社會學」中的一種方法

本書的研究雖然不至於到舉足輕重的份上，但是在政治行政行動者（涉及的政策產品：政治行政方案制訂、政治行政安排以及政策行動方案）上的研究也是具有重大意義的。儘管如此，本書還是要重複強調議程設定階段並不是完全由公共行動者所控制，同時也指出，既然執行階段是一個比較開放的過程，因此私人行動者的多樣性利益也會產生影響，有時候就會發生一些無法預期的結果。因此這個以國家為中心而進行一系列行為的理論就遭到湯尼格（Jean-Claude Thoenig）的質疑，他擔心這個以國家為中心的理論會進入一段低迷態勢。

因此，湯尼格就推薦選擇社會學中一種「（建構完成的）公共行為」（Thoenig, 1998, pp. 308-309）的理論，而非偏向於政治科學：

> 如果對問題的分開定義、政治議程設定和評估過程不能形成一個解決方法的話，那麼它將會被遺棄，因為有一個將所有集體活動進行解釋分類的有效方法，這類方法通常發生在那些可以根據問題的特殊性進行調整的行動者中。這個認知的過程可以更好地定義問題，行動者根據自己的能力去建構一個網絡和行動者社區並提出解決方案，那麼這樣所有的東西就不需要統一化了。

我們提及的分析方法本身就偏向國家政府一些，用湯尼格的話來說就是「制度從眾之原罪」(Thoenig, 1998, p. 306)。本書將國家一系列的行為和本書模型中所提出的變項聯繫起來，這樣在最後就保留一部分的操作性空間。但是，這就是一個主要的實證問題。真的可能觀察到政府在所有公共政策控制中的損失嗎？或是我們只觀察到在公共干預後的一些變化呢？在本書絕對摒棄使用「公共政策」這個詞語而替換成「公共行為」之前，絕對有必要將之前提出的問題好好思考一番。今天看來，相應的觀點的確開始提出，「政策」這一詞語被越來越多的行政行動者、半公共行動者和私人行動者所運用。最後需要注意的是，如果不只是字面上的簡單影響，則這裡呈現的這一面和新制度主義的趨勢（社會學階層、歷史階層、經濟階層）不一致。

「289」

本書同意由科隆馬克斯普朗克研究院（Max Planck Institute of Cologne）提出的觀點（Mayntz and Scharpf, 1995），而保留其他意見。湯尼格反對以國家為中心的理論也引起了德國社會學家魯曼（Luhmann, 1989）的強烈認同，他在 1980 年代後期提出政府沒有任何能力才操控社會，隨之而來一系列對於國家潛在的特質討論，而新自由主義學者發表了相應的觀點：這種說法會為某些公共行動者退出社會（因為他們沒有能力控制社會）奠定合法的基礎，同時將他們從民主立法中剔除，可以將他們身上所肩負的責任全部拋開。在這樣一個分析的過程中，將政策轉變成公共行為可能導致公私行動者間的不同之處也慢慢消失。但是這兩者之間的區別對本書來說很重要（見本書第 3 章 3.3.2 節），因為它可以使政策分析者完成他們最重要的使命，那就是清楚將政治責任劃分給特定的行動者，即使私人行動者更願意將在形成於社會學中而非政治過程中的「公共行為」對他們的幫助痕跡抹去。

湯尼格及其他學者認為本書應該將重心放在「公共行為的網絡」上，並不是說將它作為一種比喻手法運用於解釋學中（或者作為一種方法研究的手段），而是將它視作一個標準型模型，使參與到這個政策網絡中的公行動者不歸咎行為合法化，但與之相反的是，本書模型中對於決策和執行過程中的概念，是拒絕接受沒有制度規則過程的。事實上，本書的分析模型強調的是政策週期中不同產品的制度因素，通常這些元素可能會限制於行動者所策劃的直接或者間接博弈遊戲，而最終得到改變。

最後，在此觀點上，本書研究方法中的相關局限性也體現在，它忽視了政策行動者在人性、人力、空間和心理上的想法，並且沒有對其之間的互動進行分析。這個可能對我們聲稱要一個解釋性的分析，形成重要的局限。這方面的內容其實發揮重要的作用，卻被本書故意忽視。當本書充分意識到這點限制因素時，提出兩個論點來減少局限：首先，正如本書在第3章所提出的，會根據行動者之間組織的從屬關係以及認知和感知的局限性，理解行動者之間的行為邏輯。其二，本書可以建議形成一個研究行動者更詳細的方法，運用一些方法論的工具使得研究過程更加具有綜合性。

「290」

(b) 注重在實質性的公共問題上

本書的分析模型是將政策看作是解決政治所定義的集體問題。這個理論，或者這個最全面的版本是遭到許多其他學者所詬病的，這些學者更能接受的是運用所謂「認知」方法來分析政策。這些學者中包括皮耶赫．穆勒（Pierre Muller, 2000, pp. 194-195），他指出：

> ……**公共政策不是（至少不只是）為解決問題而服務**。當然，這裡觀點並不是說公共政策和解決公共問題一點聯繫也沒有，它的存在意義仍然無可厚非。但是本書關注也應該在局限於政策的負責人想讓本書看到什麼以及某些政策分析者營造了怎麼樣的氛圍，而應該更關注公共行為和公共問題之間的關係，這可能比之前的認知中將

政策作為解決問題方法之一來得更複雜。公共政策應該在解釋現實問題的構造（為什麼失業問題一直存在？應該怎麼應對在國際關係系統中發生的改變？食品安全標準是否有所退化？）和對行為的規範模型定義（工作必須變得可調性大一些；前東歐國家的民主化進程必須要被支持；健康和安全的監控必須加強）中運用。這個使得世界越來越合理的過程包括因果關係的解釋（「如果失業不斷增加，一定是因為我們公司在全球化的進程中不具競爭力」）和制度規則的解釋（「要增加公司的競爭力，就『需要』增加工作的彈性」）。

「291」

因此，這個分析過程涉及地區產業框架的形成和應用，並解釋世界格局（作為地區產業框架的參考）以及他們與全球框架的聯繫，這都建立在將社會看作一個整體的基礎上。這類方法中會運用「調停者」來形容在整個政策中執行認知和規範功能的主要行動者，以及減少地區產業框架和全球框架之中存在的不一致性（Jobert and Muller, 1987; Muller, 1995; Muller and Surel, 1998）。

事實上，這個具有世界性的政策認知分析可以幫助本書更好理解公共政策中的一些改變，這是在本書的分析方法中所缺少的。這引起了對政策和社會秩序建構之間關係的熱議。之前啟蒙式的理論是說這個無所不知和無所不能的國家是超越任何個人利益的，但是根據穆勒（Muller, 2000）的觀點，政策分析者必須將注意力重新放回，在政治秩序及其複雜、不同以及全球化進程如此之快的社會中所產生的政策產品。

雖然穆勒（Muller, 2000）、薩巴提耶（Sabatier, 1987）以及大量的其他學者（March and Näf, 1997; Fischer and Forester, 1993; Nullmeyer, 1993; Kissling-Näf, 1997; Kissling-Näf and Knoepfel, 1998）認同在公共政策中包括認知學習的過程，也認為這能影響這些政策中的實質性和制度性內容，但它絕不意味著政策就是一個對於由行動者所建構的問題和框架的單一社會學習過程。最終學習或者不學習的欲望是建立在行動者之間的權力分配之上。此外，對於隨著時間慢慢變化的政策領域中會存在不同的行動者聯盟這樣的信念，在問題的認知中被看作是很「客觀的」，並且這樣的結果被大多數人所接受（至少也是尊重公共實質的），即使很清楚發現，行動者在因果關係假設中和政策所建立的干預模型中只承擔了部分責任。

「292」

(c) 將單個政策作為限制性單元進行分析

21 世紀政策對於本書現在的政策分析模型來說是一個挑戰，因為本書所提倡的分析模型比較強調局限於單個獨立的政策中。事實上，本書的分析過程可能低估了行政行動者和國家公民的效應，他們可能就相當於連接兩個政策之間的上千個通道。而本書的所持的概念和分析流程越來越遭到現今政治環境的質疑，因為本書的分析著重於單個獨立政策，由此便會產生一些偏見，本書用以下三個理由來說明。

首先，行政行動者只管理一個政策（單一的政策行政機構）的情況是很少的。本書的分析中也把這點考慮在內，因此本書在行政內容中（重新）介紹了政治行政安排中的制度結構。然而在特殊的情況下，例如公民對政治機構的信任危機中，其中的制度因素扮演的角色比任何政治分析者所想到的都要重要。即使政策中與之前所產生的危機沒有任何的實質性直接聯繫，但是本書依然會發現評估法國的政治醜聞和瑞士的「個人記錄」危機都會在其他政策中追溯到他們的足跡。

在英國也有同樣的情況出現，當地的行動者嘗試透過任何途徑向那些持有懷疑態度的公眾證明政府已經掌控了局勢，而不是精心策劃解決問題的方案（這種情況在處理法律法規和移民控制問題時尤為突出）。在這樣的情況下，本書的政策分析工具對考慮政治因素的比較就顯得不合適了。然而，從政策分析者的角度來說，對那些只具有象徵意義（Edelman, 1964, 1971），而且不能幫助解決問題的政治行為可能會影響政策分析者進入到政策評估階段，因為在這個階段中理性分析起不到大作用。當然，這樣不意味著這個分析沒有任何意義。

其次，從大多數私行動者（組織、經濟利益團體、社會組織等）、個人、政策目標群體以及政策最終受益人的角度來說，他們的公共生活很難被分裂到（清楚定義的）某個政策中。對於在街頭的民眾來說，他們的公共生活呈現網狀，因此很難被分解（政策毛毯〔policy carp〕，見Knoepfel與Kissling-Näf［1993］）。這些政策是被附加到每個行動者上的，但如果這些行動者只關注每個單一或者是獨立的政策，則無法解釋最終的行為和反應。政策為了政治審查而挑選和選擇的目標並不是單一地只建立在政策結果的品質上。「293」

此外，本書也不能忽視行政和社會行動者的行為習慣，因為很大程度上來說，這和文化傳統有著密切的聯繫，甚至超越了地區和地方行政行動者的範圍。這在瑞士很說得通，例如，為什麼透過對沃州、日內瓦州和瓦萊州的政策進行分析比較後，會發現他們在行政行為的層面上採取了相似的模型？

第三，對政策的比較分析有時可能會導致過度強調「因果關係」，而事實上他可能是需要研究政策產品背後的自變項因素。當然，每個社會科學研究都需要將他們提出研究的社會現象進行明確的定義，例如，透過假說的形式，或者那些可能的自變項因素。但是，這樣做的話可能就會把研究導入一個錯誤的方向。政策分析者不應該只局限於某種領域，因為這些領域中的大多數案例都被從整個世界中隔離出來，他們應該從更大範圍上對其所研究的結果進行解釋，這個範圍可能超過其他社會科學所研究方法（例如，對國家行為進行的分析認為其並不具有解釋性，只是想確認一個特殊的研究方法產生是否必然會帶來現實世界的改變）。

(d) 對其他可能存在的劣勢進行評估

在這裡加上另外一個與以上三個觀點有聯繫的評論是很有必要，這個觀點看上去與英國所應用的模型有異曲同工之妙。強調分析單個模型並且注重於它在問題解決上的功能，會在這個狂熱的政治行為背景中（如前文所述），根據以下幾個因素發生變化：

- 對於各個政策是怎樣互相聯繫起來的進行著重分析（用通俗的用語進行解釋是促進「參與進來」的政府對其的理解）；
- 對於迅速的政策改變使得分析者很難進行評估，以及缺乏對問題的因果關係的認定；
- 政客們大多數都會以公眾帶有懷疑的眼光為由來審視這些政策，因此那些與之分離的分析活動也應該得到重視。

「294」

儘管只注意模型主要方面的讀者可能會忽視對於解決問題方法的研究。他們並沒有對模型提出反對意見；相反地，這個模型的確是為政策分析提供了一個明確的方法，儘管在現實中，要強調政策流程中如何分配權力以及怎麼運用是很難實施的。

另外，還有很多問題值得進行進一步的比較研究分析，例如，問題解決的程度，對問題的界限劃清以及對目標群體和受益人的定義，這些問題可能在某些國家制度和文化背景中認定的比較明確，這很值得分析。這些問題在英語版本中的準備工作中都有所提出，並且提及了對這些概念在不同實質政策領域中運用。因此對於問題的診斷以及對目標群體的認定（特別是當某些組織和個人需要為這些問題負責），在環境政策領域中而非社會政策領域中更容易形成。這就是為什麼對政策目標群體的定義需要引起廣泛的注意，尤其是明確哪個行動者的行為習慣需要改變，以及確定公行動者的行為改變是否也應該應用在私人行動者上，無論他們是不是需要在第一時間為問題的發生負起責任。

12.3 未來的發展方向

基於本書上述所描述出的不足之處，本書的分析模型可能會從以下方向中繼續發展：(1) 在給定的功能和特殊的領土中，本書應該分析政府是怎樣管理這種政策的聯合功能，以及：(2) 除了公共政策之外，對制度體制的分析也應該包括行動者之間財產關係（包括中期的和長期的）。特別是在引進了這個具有啟蒙意義的分析角度，它是研究治理(governance)、「制度體制」(institutional regimes) 和在這本書所述的政策概念之間的關聯，儘管在我們眼中它仍顯不足。

「295」

12.3.1 「治理」：分析一系列的政策

對於新的技術手段的引進，也就是網路技術（例如，網際網路、鐵路和航空運輸），通常會導致產生一系列相互聯繫的政策產生。此外，對這些政策的實際執行可能會影響那些已經建設好的政策效應（例如，空間發展政策、環境保護政策以及區域經濟發展政策）。因為他們所涉及是大量的地方、區域、國家、甚至有些時候是國際行動者，在同一時間或者連續不斷在不同區域中參與到這個立法、執行和評估的階段，因此這些政策的確是需要相互聯繫的（Knoepfel, 1995）。所以說，本書需要一個嶄新的制度規則體系，它可以使得涉及於不同政策中的行動者根據自身的能力及其行為範圍內自覺遵守這項義務，同時能同意在彼此之間進行資源的交換，甚至聯合經營（特別是在合約化的過程中）。在新的建設網絡中，這個任務會變得很敏感，因為它會要求跨越多個不同司法權之下的多個領域，甚至要跨越很多個政治舞臺。對那些政策行動者聯合起來的需求，雖然他們活在公共行為聯合的背景下，但是通常他們是相互獨立的，以及對制度創新的要求可以為「一系列」的政策管理提供基礎，而且也會在不久的將來變得越來越重要。

所以，當務之急應該是用具有一致性、有條理的方式來反思這些政策的新「治理」形式。這些「治理形式」應能透過具正當性的決定來協調行動者與其政策產品的合作形式，這些政策產品主導新型態的集體基礎建設之研發與應用。「治理」一詞在本書是指制度規則的一個框架，該框架可以促進政策的綜合管理。這裡的政策包含了地方、區域、國家和國際之間相互關聯的政策活動和政策網絡。在發展與執行集體選擇的過程中，這些規則可以聯繫相關的公共行動者、基礎建設的運作者、私人機構。前述的集體選擇能夠在目標群體（運作者）和政策最終受益人（使用者）之間建立主動且一致的相互支持。這個框架包含了一整套的規則，而這些規則治理了行動者之間的資源配置、行動者之間的互動、不同行動之間的界限（不論是就治理範圍或是功能意義上的界限）。因此，這個框架能夠反映整個技術系統的網絡。此外，這個框架也需要若干規則來治理政策內、外部之功能得以如預期般地運作（依據其他受影響之政策來劃分內、外部）。綜上，為達成跨政策之間的協調所需的新監管結構，不但必須回應每個政策在實際執行時的需求，同時也必須滿足民主原則、憲政體制、平等對待和政府補助的需求。

「296」

這裡需要再次提出的是，所運用來分析特定區域中政策管理功能的工具對本書來說是必不可少的，但是這些手段現在也被某些政客用來掩藏公行動者的責任所在。如果將這個分析方法進一步發展，那麼對於揭示行動者的真正職責所在，和確認每個行動者對政策的成果或者失敗所做出的努力，就不再是遙不可及，而會變得觸手可及。

12.3.2 「制度體制」：分析行動者之間所涉及的財產權

在很多領域中，政策執行活動一般包括向民眾提供物品（例如，水資源和電力資源）以及提供服務（例如，健康服務和文化教育）。在法國、瑞士和英國，以前這些物品和服務都是由公共機構提供的。隨著管制規定的撤銷，現今這些物品和服務都轉移到有競爭力的公有和／或私有公司上。本書同時也見證了公共機構朝著私有化發展的趨勢。這樣的潮流不僅影響傳統的公共財和公共服務，也導致使用權的重新分配（以前這些權利是全民共享）。這種現象在以下兩種情況會特別明顯：分配自然資源的使用權、政府限制資源之使用權。前者包括：空氣流通、空間資源、自然資源和水資源；後者主要是對公共資源的使用徵收稅賦，舉凡對道路、公共空間和博物館等公用設施。

在很多案例中，政策會對其活動範圍中某些公共財和服務所涉及的自然資源使用權進行分配，旨在解決公共問題。這些使用權會根據行動者的可轉移性及其排他性重新得到配比。因此，本書對這種類型的公共干預不只看成是簡單的政策管理過程，而是將它視為制度體制的創造與維繫（這些制度體制生產並分配公共財和服務，對於社會日常生活而言是至關重要的）。

「297」

這些制度體制的特色在於：對所有權、處置權和使用權的創造與（合法）認可（這些在憲法與民法中已經定義，例如：對私有財產的認定）。某些公共政策可能會創造一些新的財產權（這些新創造的財產權會修改既存的、一般的財產秩序，或者是在特殊領域創造一些特殊的財產秩序）。在其他案例中，這樣的改變導致了公共機構的國有化或者是私有化，而這將會對一個國家經濟的某個產業或領域產生影響。但是，執行這些「日常」制度體制的是某一種或多種政策，而新的管制機構被創造出來執行相關任務（對於他們來說，自由裁量權可能對公共政策之管理造成挑戰）。

這對於政策行動者可選擇的範圍進行了限制，也就是說，他們以後必須將某些行動者所「獲得」的所有權、處置權和使用權納入決策的考慮範圍內。因此，從很大程度上來說，現今的政策（相較於以往）必須檢視制度規則，這些制度規則不僅治理了行動者之間的關係，同時也治理了一種特殊的行動者（他們治理了行動者與相關物品、服務的財產關係）。這樣的制度規則要不是建立在透過公有物品和服務所表達的政策產品之上，要不就是根據以前生產傳統政策產品的而現今是私有行動者所提供的公共服務之上。

同時也應該注意，不像傳統的政策那樣，只是將單一的或者持久不變的財產制度深埋於憲法和民法之中，現今的政策會和制度體制結合起來創造出更多的法律法規，使得實際獲得的所有權、處置權和使用權受到這些政策更嚴格的限制。這樣的狀態會導致對（目標群體）公共產品和服務的必要投資，以及出於對行政行動者和政客所執行決策的艱難過程的解放，現今的政治必會重新分配公共財和服務。

這個觀察和我們之前的論點一致（在單一政策之層級，有愈來愈多特殊的制度規則被創造出來）。但是，我們絕不是在處理具有排他性的決策本質（在行動者之間），而是在建立行動者和資源，特別是公共財和服務之間的財產關係。這樣的創造會對政策進入制度規則轉型期做出明顯的貢獻。

「298」

因此，我們認為，是時候將政策分析研究擴展到對制度體制進行研究分析的層面上。在所要分析的因素中，將創造出嶄新的財產關係規則，使得在政策舞臺上，某些（私）行動者和相應的（公）行動者的位置得到鞏固。如果將來這樣的流程得到確認的話，那麼公行動者會比現在越來越依靠私人行動者。因此，政策分析者應該將政客的眼光吸引過來，告知這些由他們決策所引起的潛在結果（特別是在私有化關係中），並且要發展出一套合適的分析模型來研究這個新制度體制的出現和存在價值。

參考文獻

Adler, M. and Asquith, S. (eds) (1981) *Discretion and Welfare*, London: Heinemann.

Anderson, C.W. (1978) 'The logic of public problems: evalution in comparative policy research', in D.E. Ashford (ed) *Comparing public policies: New concepts and methods*, Beverly Hills, CA/London: Sage Publications.

Anderson, J.E. (1984) *Public policy making*, New York, NY: Holt Rimehart and Winston.

Audit Commission (2006) *Annual review* 2005-6: *Getting better value for public service*, London: Audit Commission.

Bachrach, P. and Baratz, M.S. (1963) 'Decisions and nondecisions: an analytical framework', *American Political Science Review*, vol 57, pp. 632-42.

Bachrach, P. and Baratz, M.S. (1970) *Power and poverty: Theory and practice*, New York, NY: Oxford University Press.

Baitsch, C., Knoepfel, P. and Eberle, A. (1996) 'Prinzipien und Instrumente organisationalen Lernens. Dargestellt an einem Fall aus der öffentlichen Verwaltung', *Organisationsentwicklung*, vol 3, pp. 4-21.

Baldw in, R. (1995) *Rules and government*, Oxford: Oxford University Press.

Bardach, E. (1977) *The implementation game: What happens after a bill becomes a law*, Cambridge, MA: MIT Press.

Barker, A. and Peters, B.G. (ed) (1993) *The politics of expert advice*, Edinburgh: Edinburgh University Press.

Baroni, D. (1992) *Aperçu sur les politiques cantonales de prévention et de lutte contre les catastrophes naturelles de quelques cantons alpins (Grisons, Tessin, Uri, Valais, Vaud), étude preliminaire*, PNR 31, Berne.

Barrett, S. and Fudge, C. (1981) 'Examining the policy-action relationship' and 'Reconstructing the field of analysis', in S. Barrett and C. Fudge (eds) *Policy and action. Essays on the implementation of public policy*, London: Routledge, pp. 3-34 and 249-78.

Bättig, C., Knoepfel, P., Peter, K. and Teuscher, F. (2001) 'Konzept für ein Policy-Monitoring zur Erhaltung der Biodiversität', *Zeitschrift für Umweltpolitik und Umweltrecht* , vol 24, pp. 21-59.

Bättig, C., Knoepfel, P., Peter, K. and Teuscher, F. (2002) 'A concept for integrated policy and environment monitoring system', in P. Knoepfel, C. Bättig, K. Peter and F. Teuscher, *Environmental policies 1982-2002*, Bâle : Helbing & Lichtenhahn.

Baumgartner, F.R. and Jones, B.D. (1993) *Agendas and instability in American politics*, Chicago, IL: Universitz of Chicago Press.

Benninghoff, M., Joerchel, B. and Knoepfel, P. (eds) (1997) *L'öcobusiness: Enjeux et perspectives pour la politique de l'environnement*, Bâle/Frankfurt am Main: Helbing & Lichtenhann (série Ecologie & Société, vol 11).

Bernoux, P. (1985) *La sociologie des organisations*, Paris: Seuil.

Berthelot, J.-M. (1990) *L'intelligence du social. Le pluralisme explicatif en sociologie*, Paris: Presses Universitaires de France.

Blowers, A. (1984) *Something in the air: Corporate power and the environment*, London: Harper and Row.

Bobrow, D.J. and Dryzek, J.S. (1987) *Policy analysis by design*, Pittsburgh, PA: University of Pittsburgh Press.

Bohnert, W. and Klitzsch, W. (1980) 'Gesellschaftliche Selbstregulierung und staatliche Steuerung. Steuerungstheoretische Anmerkungen zur Implementation politischer Programme', in R. Mayntz (ed) *Implementation politischer Programme. Empirische Forschungsberichte*, Königstein/Ts : Athenäum, pp. 200-15.

Boudon, R. (1979) *La logique du social*, Paris: Hachette.

Boudon, R. and Bourricaud, F. (1990) *Dictionnaire critique de la sociologie*, Paris: Presses Universitaires de France.

Bourrelier, P. H. (1997) *Evaluation de la politique française de prévention des risques naturels, Rapport de l'instance de la politique publique de prévention des risques naturels*, Paris : Commissariat Général au Plan, La Documentation Française.

Bourricaud, F. (1977). *L'individualisme institutionnel: Essai sur la sociologie de Talcott Parsons*, Paris: Presses Universitaires de France.

Bovens, M., 't Hart, P. and Peters, B.G. (eds) (2001) *Success and failure in public governance*, Cheltenham: Edward Elgar.

Brandl, J. (1987) 'On politics and policy analysis as the design and assessment of institutions ', *Journal of Policy Analysis and Management*, vol 7, no 3, pp. 419-24.

Buchanan, J. and Tullock, G. (1962) *The calculus of consent: Logical foundation of consititutional democracy*, Ann Arbor, MI: University of Michigan Press.

Budge, I. and Farlie, D. (1983) 'Party competition: selective emphasis or direct confrontation? An alternative view with data', in H. Daalder and P. Mair (eds) *Western European party systems*, Beverly Hills, CA : Sage Publications, pp. 267-305.

Bussmann, W. (1989) 'Von der Doppelbödigkeit des Verhältnisses zw ischen Wissenschaft und Politik', *Annuaire Suisse de Science Politique*, vol 29, pp. 17-30.

Bussmann, W. (1995) *Accompagner et mettre à profit avec succès les évaluations des mesures étatiques*, Genève: Georg.

Bussmann, W. (1998) 'Les évaluations en Suisse', in W. Bussmann, U. Klöti and P. Knoepfel (eds) *Politiques publiques. Evaluation*, Paris: Economica, pp. 13-33.

Bussmann, W., Klöti, U. and Knoepfel, P. (eds) (1998) *Politiques publiques: Evaluation*, Paris: Economica.

Cahill, M. (2002) *The environment and social policy*, London: Routledge.

Callon, M. and Rip, A. (1991) 'Forums hybrides et négociations des normes socio-techniques dans le domaine de l 'expertise', in J. Theys (ed) *Environnement, science et politiques*. Les experts sont formels, GERMES: Cahier du GERMES, pp. 227-38.

Carter, N. (2001) *The politics of the environment*, Cambridge: Cambridge University Press.

Castells, M. and Godard, F. (1974) *Monopolville: Analyse des rapports entre l'entreprise, l'etat et l'urbain à partir d'une enquéte sur la croissance industrielle et urbaine de la région de Dunkerque*, Paris: Mouton.

Chelimsky, E. (1987) 'Linking program evaluation to user needs', in D.J. Palumbo (ed) *The politics of program evaluation*, Newbury Park, CA : Sage Publications, pp. 72-99.

Chevallier, J. (1981) 'L' analyse institutionnelle', in J. Chevallier et al (eds) *L'institution*, Paris: Presses Universitaires de France, pp. 3-61.

Chevallier, J. et al (eds) (1981) *L'institution*, Paris: Presses Universitaires de France.

Clivaz, C. (1998) *Réseaux d'action publique et changement de politique publique*, Cahier del 'IDHEAP 175/1998, Chavannes-près-Renens: IDHEAP.

Clivaz, C. (2001) *Influence des réseaux d'action publique sur le changement politique. Le cas de l'écologisation du tourisme alpin en Suisse et dans le canton du Valais*, Bàle: Helbing & Lichtenhahn (série Ecologie & Société, no 15).

Cobb, R.W. and Elder, C.D. (1983) *Participation in American politics: The dynamics of agenda-building*, Baltimore, MD: Johns Hopkins University Press.

Cobb, R.W., Ross, J.K. and Ross, M.H. (1976) 'Agenda building as a comparative political process', *American Political Science Review*, vol 70, no 1, pp. 126-38.

Cook, F.L., Tyler, T.R., Goetz, E.G., Gordon, M.T., Protess, D., Leff, D.R. and Molotch, H.L. (1983) 'Media and agenda setting: effects on the public, interest groups leaders, policy makers and policy', *Public Opinion Quarterly*, vol 47, pp. 16-35.

Crenson, M.A. (1971) *The unpolitics of air pollution*, Baltimore, MD: Johns Hopkins University Press.

Croyier, M. (1963) *Le phénomène bureaucratique*, Paris: Seuil [published in English in 1964 as *The bureaucratic phenomenon*, Chicage, IL: University of Chicago Press].

Croyier, M. (1991) *Etat modeste, etat moderne: Stratégie pour un autre changement*, Paris: Fayard.

Crozier, M. and Friedberg, E. (1977) *L'acteur et le système: Les contraintes de l'action collective*, Paris: Seuil.

Croyier, M. and Thoenig, J.C. (1975) 'La régulation des systèmes organisés complexes', *Revue française de sociologie*, vol XVI, no 1, pp. 3-32.

Czada, R. (1991) 'Muddling through a "nuclear-political"emergency: multilevel crisis management after radioactive fallout from Chernobyl', *Industrial Crisis Quarterly*, vol 5, pp. 293-322.

Dahme, J., Grunow, D. and Hegner, F. (1980) 'Aspekte der Implementation soyialpolitischer Anreiyprogramme: Zur überlappung von Programmentwicklung und Programmimplementation am Beispiel der staatlichen Förderprogramme für Sozialstationen', in R. Mayntz (ed) *Implementation politischer Programme*. Empirische Forschungsberichte, Königstein/Ts: Athenäum, pp. 154-75.

Davies, H.T.O., Nutley, S.M. and Smith, P. C. (eds) (2000) *What works? Evidence-based policy and practice in public services*, Bristol: The Policy Press.

Deleau, M., Nioche, J.P. , Penz, P. and Poinsard, R. (1986) *Evaluer les politiques publiques: Méthodes, déontologie, organisation*, Paris: Commissariat Général du Plan, La Documentation Française.

DeLeon, P. (1994) 'Reinventing the policy sciences. Three steps back to the future', *Policy Sciences*, vol 27, pp. 77-95.

Delley, J.-D. (1991) 'L'action par la formation', in C.-A. Morand (ed) *Les instruments d'action de l'etat*, Bâle/Francfort-sur-le-Main: Helbing & Lichtenhahn, pp. 89-112.

Delley, J.-D., Derivaz, R., Mader, L., Morand, C.-A. and Schneider, D. (1982) *Le droit en action. Etude de mise en œuvre de la loi Furgler*, (Publications du Fonds National Suisse de la Recherche, vol 16), Saint-Saphorin: Georgi.

Denham, A. and Garnett, M. (2004) 'A "hollowed out" tradition? British think tanks in the twenty-first century', in D. Stone and A. Denham (eds) *Think tank traditions: Policy research and the politics of ideas*, Manchester: Manchester University Press.

Dente, B. (1985) *Governare la frammentayione*, Bologna: II Mulino.

Dente, B. (1989) *Politiche pubbliche e pubblica amministrayione*, Rimini: Maggioli Queste Istituyioni Ricerche.

Dente, B. (ed) (1995) *Environmental policy in search of new instruments*, Dordrecht/ Boston, MD: Kluwer Academic Publishers.

Dente, B (2009) 'The law as policy resource: some scattered thoughts', in S. Nahrath and F. Varone (eds) *Rediscovering public law and public administration in comparative policy analysis: A tribute to Peter Knoepf el*, PPU, Haupt, pp. 33-44.

Dente, B. and Fareri, P. (1993) *Deciding about waste facilities citing lessons from cases of success in five European countries: Guidelines for case-study analvsis*, Milan: Istituto per la Ricerca Sociale.

Dente, B. and Fareri, P. (1998) 'Siting waste facilities: drawing lessons from success stories', in B.Dente, p. Fareri and J. Ligteringen (eds) *The waste and the backyard. The creation of waste facilities: Success stories in six European countries*, Dordrecht/Boston, MD: Kluwer Academic Publishers (series: Environment & Management, vol 8), pp. 3-46.

Dery, D. (1984) *Problem definition in policy analysis*, Law rence, KS: University of Kansas Press.

DFJP (Département Fédéral de Justice et Police) (1975) *Auswirkungen von Tempo 100/130*, Schlussbericht der vom EJPD eingesetzten Arbeitsgruppe "Tempo 100", Bern (mimeo).

Dockès, P. (1997) *La nouvelle économie institutionnelle, L'évolutionnisme et l'histoire*, Cahier No 105 du Centre Auguste et Léon Walras, Lyon: Centre Walras.

Dolowitz, D.P. and Marsh, D. (2000) 'Learning from abroad: the role of policy transfer in contemporary policy making ', *Governance*, vol 13, no 1, pp. 5-24.

Dolow itz, D.P. , Hulme, R., Nellis, M. and O'Neill, F. (2000) *Policy transfer and British social policy: Learning from the USA?*, Buckingham: Open University Press.

Dorey, P. (2005) *Policy making in Britain*, London: Sage Publications.

Downs, A. (1957) *An economic theory of democracy*, New York, NY: Harper and Row.

Downs, A. (1973) 'Up and down with ecology. The issue attention cycle', *Public Interest*, vol 32, pp. 38-50.

Drewry, G. (2002) 'The New Public Management', in J. Jowell and D. Oliver (eds) *The changing constitution*, Oxford: Oxford University Press, pp. 167-89.

Dryzek, J.S. and Ripley, B. (1988) 'The ambitions of policy design', *Policy Studies Review*, vol 7, pp. 705-19.

Dunleavy, P. (1995) 'Policy disasters: explaining the UK's record', *Public Policy and Administration*, vol 10, no 2, pp. 52-69.

Duran, P. (1993) 'Les difficultés de la négociation institutionnalisée, le parc national des Pyrénées occidentales', *Annuaire des Collectivités Locales*, 5th series.

Duran, P. and Monnier, E. (1992) 'Le développement de l'évaluation en France: necessities techniques et exigences politiques', *Revue Française de Science Politique*, vol 42, pp. 235-62.

Duran, P. and Thoenig, J.C. (1996) 'L'etat et la gestion publique territoriale', *Revue Française de Sciences Politiques*, vol 46, no 4, pp. 580-623.

Duverger, M. (1968) *Institutions politiques et droit constitutionnel*, Paris: Presses Universitaires de France.

Dye, T.R. (1972) *Understanding public policy*, Englewood Clifs, NJ: Prentice-Hall.

Easton, D. (1965) *A systems analysis of political life*, New York, NY: Wiley.

Edelman, M. (1964) *The symbolic uses of politics*, Urbana, IL: University of Illinois Press.

Edelman, M. (1971) *Politics as symbolic action*, Chicago, IL: Markham Publishing Company.

Edelman, M. (1988) *Constructing the political spectacle*, Urbana, IL: University of Illinois Press.

Emery, Y. (1995) 'Le management de la qualité dans les administrations publiques: une des pierres angulaires du New Public Managemcnt', in Y. Emery (ed) *Total quality management und ISO-Zertifiyierung in der öffentlichen Verwaltung der Schweiz, Berne: Collection Société Suisse des Sciences Administratives*, vol 34, pp. 37-83.

Emery, Y. and Gonin, F. (1999) *Dynamiser les ressources humaines. Une approche intégrée pour les services publics et entreprises privées compatible avec les normes de qualité*, Lausanne: Presses Polytechniques et Universitaires Romandes.

European Commission (1999) *Evaluer les programmes socio-économiques*, 6 vol Collection MEANS, Luxembourg: Office des Publications Officielles des Communaut-ées Européennes.

Evans, P. B., Rueschemeyer, D. and Skocpol, T. (eds) (1985) *Bringing the state back in*, Cambridge: Cambridge University Press.

Exw orthy, M., Berney, L. and Powell, M. (2002) '"How great expectations in Westminster may be dashed locally": the implementation of national policy on health inequalities', *Policy & Politics*, vol 30, no 1, pp. 79-96.

Faber, H. (1974) *Das Organisationsrecht der Planung*, Konstanz: Mskr.

Finger, M. (1997) 'Le New Public Management: reflet et initiateur d'un changement de paradigme dans la gestion des affaires publiques', *Nouvelle Gestion Publique*, Gen- ève: Université de Genève/Faculté de Droit, pp. 41-60.

Fischer, F. (2003) *Reframing public policy*, Oxford: Oxford University Press.

Fischer, F. and Forester, J. (eds) (1993) The argumentative turn in policy analysis and planning, London: UCL Press.

Flückiger, A. (1998) *L'extension du contrôle juridictionnel des activités de l'administration, un examen généralisé des actes matériels sur le modèle allemand?*, Berne: Staempfli.

Forrest, R. and Murie, A. (1988) *Selling the welfare state*, London: Routledge.

Fourniau, J.M. (1996) 'Transparence des décisions et participation des citoyens', Techniques, *Territoires et Sociétés*, no 31, pp. 9-90.

Fox, C.J. and Miller, H.T. (1995) *Postmodern public administration: Toward discourse*, Thousand Oaks, CA: Sage Publications.

Freiburghaus, D. (1991) 'Le développement des moyens de l'action étatique', in C-A. Morand (ed), *L'Etat propulsif. Contribution à l'étude des instruments d'action de l'Etat*, Paris: Publisud, pp. 49-63.

Freiburghaus, D., Zimmermann, W. and Balthasar, A. (1990) *Evaluation der Förderung praxisorientierter Forschung (KWF)*, Bern: Schriftenreihe des Bundesamts für Konjunkturfragen, Studie Nr 12.

Friedberg, E. (1993) *Le pouvoir et la r ègle: Dynamiques de l'action organisée*, Paris: Seuil.

Frossard, S. and Hagmann, T. (2000) *La réforme de la politique d'asile suisse à travers les mesures d'urgence- "Le vrai, le faux et le crimine"*, Cahier de l'IDHEAP no 191, Chavannes-près-Renens: IDHEAP.

Garraud, P. (1990) 'Politiques nationales: élaboration de l'agenda', *L'Année Sociologique*, no 40, pp. 17-41.

Gaudin, J.-P. (1995) 'Politiques urbaines et négociations territoriales. Quelle légitimité pour les réseaux de politiques publiques?', *Revue Française de Science Politique*, vol 45, no 1, pp. 31-56.

Gaudin, J.-P. (ed) (1996) *La négociation des politiques contractuelles*, Paris: L'Harmattan.

Gentile, P. (1995) *Lernproyesse in Verwaltungen. Etude de cas sur trois politiques sanitaires en Suisse*, Cahier de l'IDHEAP no 142, Chavannes-près-Renes: IDHEAP.

Germann, R.E. (1987) 'L'amalgame public-privé: l 'administration para-étatique en Suisse', *Revue Politique et Management Public*, vol 5, no 2, pp. 91-105.

Germann, R.E. (1991) 'Die Europatauglichkeit der direkt-demokratischen Institutionen der Schw eiz', *Schweiyerisches Jahrbuch für politische Wissenschaft*, vol 3, pp. 257-69.

Germann, R.E. (1996) *Administration publique en Suisse*, Berne: Haupt.

Germann, R.E., Roig, C., Urio, P. and Wemegah, M. (1979) *Fédéralisme en action: L'aménagement du territoire. Les mesures urgentes à Genève, en Valais et au Tessin*, Collection Etudes urbaines et régionales, Saint-Saphorin: Georgi.

Gibert, P. (1985) 'Management public, management de la puissance publique', *Politique et Management Public*, vol 4, no 2, pp. 1-17.

Glendinning, C., Powell, M. and Rummery, K. (eds) (2002) *Partnerships, New Labour and the governance of welfare*, Bristol: The Policy Press.

Godard, F. (ed) (1997) *Le gouvernement des villes: Territoire et pouvoir*, Paris: Descartes et Cie.

Gomà, R. and Subirats, J. (eds) (1998) *Polìticas pùblicas en España: Contenidos, redes de actores y niveles de gobiermo*, Barcelona: Editorial Ariel SA.

Goodin, R.E. (1996) *The theory of institutional design*, Cambridge: Cambridge University Press.

Gormley, W.T. (1975) 'New spaper agenda and political elites', *Journalism Quarterly*, vol 52, pp. 304-8.

Grawitz, M. and Leca, J. (eds) (1985). *Traité de science politique, tome 4: Les politiques publiquers*, Paris: Presses Universitaires de France.

Greer, A. (1999) 'Policy co-ordination and the British administrative system: evidence from the BSE Inquiry', *Parliamentary Affairs*, vol 54, p. 4.

Grottian, P. (1974) *Strukturprobleme staatlicher Planung*, Hambourg: Campus.

Gusfield, J.R. (1981) *The culture of public problems: Drinking-driving and the symbolic order*, Chicago, IL: University of Chicago Press.

Habermas, J. (1973) *Legitimationsprobleme im Spätkapitalismus*, Frankfurt: Suhrkamp.

Hablützel, P. (1995) 'New Public Management als Modernisierungschance – Thesen zur Entbürokratisierungsdiskussion ', in P. Hablützel, T. Haldemann, K. Schedler and K. Schwaar (eds) *Umbruch in Politik und Verwaltung: Ansichten und Erfahrungen zum New Public Management in der Schweiz*, Bern: Haupt, pp. 499-507.

Hall, P. A. (1986) *Governing the economy: The politics of state intervention in Britain and France*, Cambridge: Polity Press.

Hall, P. A. (1993) ' Policy paradigms, social learning and the state : the case of economic policy making in Britain ', *Comparative Politics*, vol 25, pp. 275-96.

Hall, P. A. and Taylor, R.C.R. (1996) 'Political science and the three new institutionalisms', *Political Studies*, vol 44, no 5, pp. 936-57.

Hanser, C., Kuster, J. and Cavelti, G. (1994) *Hotellerieförderung durch Bund und Kantone. Evaluation der Auswirkungen in der Hotellerie*, Berne: Bundesamt für Industrie, Gewerbe und Arbeit, Beiträge zur Tourismuspolitik, Nr 3.

Heclo, H. (1972) 'Policy analysis', *British Journal of Political Science*, vol 2, pp. 83-108.

Hellstern, G.-M. and Wollmann, H. (1983) *Evaluierungsforschung: Ansätze und Methoden-dargestellt am Beispiel des Städtebaus*, Bâle : Birkhäuser Verlag.

Hilgartner, S. and Bosk, C. (1988) 'The rise and fall of social problems: a public arenas model', *American Journal of Sociology*, vol 94, no 1, pp. 53-78.

Hill, M. (2000) *Local authority social services*, Oxford: Blackwell.

Hill, M. (2005) *The public policy process*, Harlow: Pearson Education.

Hill, M. and Hupe, P. (2002) *Implementing public policy*, London: Sage Publications.

Hill, M. and Hupe, P. (2006) 'Analysing policy processes as multiple governance: accountability in social policy ', *Policy & Politics*, vol 34, no 3, pp. 557-73.

Hisschemäller, M. and Hoppe, R. (1996) 'Coping with intractable controversies: the case for problem structuring in policy design and analysis', *Knowledge and Policy: The International Journal of Knowledge Transfer and Utilization*, vol 8, no 4, pp. 40-61.

Hjern, B. (1978) 'Implementation and network analysis', Paper presented to ECPR workshop on Implementation of Public Policies, Grenoble.

Hjern, B. and Hull, C. (1983) 'Policy analysis in mixed economy. An implementation approach', *Policy & Politics*, vol 11, pp. 295-312.

Hofferbert, R. (1974) *The study of public policy*, Indianapolis, IN/New York, NY: Bobbs-Merril.

Hofferbert, R. and Budge, J. (1992) 'The party mandate and Westminster model: election programmes and government spending in Britain, 1948-85', *British Journal of Political Science*, vol 22, pp. 151-82.

Hoffmann-Riem, W. (1989) 'Konfliktmittler in Verwaltungsverhandlungen', *Beiträge zu neueren Entwicklungen in der Rechtswissenschaft*, no 22, Heidelberg: C.E. Müller.

Hoffmann-Riem, W. and Schmidt-Assmann, E. (eds) (1990) *Konfliktbewältigung durch Verhandlungen. Konfliktmittlung in Verwaltungsverfahren*, Baden-Baden: Nomos, pp. 185-208.

Hood, C. (1986) *The tools of government*, Chatham, NJ: Chatham House.

Hood, C. (1995) 'Contemporary public management: a new global paradigm?', *Public Policy and Administration*, vol 10, no 2, pp. 104-17.

Howlett, M. (1991) 'Policy instruments, policy styles and policy implementation: national approaches to theories of instrument choice', *Policy Studies Journal*, vol 19, no2, pp. 1-21.

Howlett, M. and Ramesh, M. (2003) *Studying public policy*, Don Mills, Ontario: Oxford University Press.

Hudson, B. and Henwood, M. (2002) 'The NHS and social care: the final countdown?', *Policy & Politics*, vol 30, no 2, pp. 153-66.

Hulley, T. and Clarke, J. (1991) 'Social problems: social construction and social causation ', in M. Loney, J. Bacock, J. Clarke, A. Cochrane, P. Graham and M. Wilson (eds) *The state or the market: Politics and welfare in contemporary Britain*, London: Sage Publications.

Hupe. P. and Hill, M. (2006) 'The three action levels of governance: re-framing the policy process beyond the stages model', in B.G. Peters and J. Pierre (eds) *Handbook of public policy*, London: Sage Publications, pp. 13-30.

Hupe, P. and Hill, M. (2007) 'Accountability and street-level bureaucracy', *Public Administration*, forthcoming.

Jaeger, C., Beck, A., Bieri, L., Dürrenberger, G. and Rudel, R. (1998) *Kilmapolitik: Eine Chance für die Schweiz, das Potential innovativer regionaler Milieus zur Entwicklung praktikabler Strategien angesichts der Risiken einer globalen Klimaveränderung*, Zurich: vdf (Arbeitsbericht NFP 31).

Jänicke, M. and Weidner, H. (eds) (1995) *Successful environmental policy: A critical evaluation of 24 cases*, Berlin: Sigma.

Jenkins, W.I. (1978) *Policy analysis*, Oxford: Martin Robertson.

Jenkins-Smith, H.C. and Sabatier, P. A. (1993) 'The dynamics of policy-oriented learning', in P. A. Sabatier and H. C. Jenkins-Smith (eds) *Policy change and learning: An advocacy coalitions approach*, San Francisco, CA: Westview Press, pp. 41-56.

Jobert, B. and Muller, P. (1987) *L'etat en action: Politiques publiques et corporatismes*, Paris: Presses Universitaires de France.

Jones, C.O. (1970) *An introduction to the study of public policy*, Belmont, CA: Duxbury Press.

Jordan, A.G. (1998) 'Private affluence and public squalor: the Europeanisation of British coastal bathing water policy', *Policy & Politics*, vol 26, no 1, pp. 33-54.

Jordan, A.G. and Richardson, J. (1982) 'The British policy style or the logic of negotiation', in J. Richardson (ed) *Policy styles in Western Europe*, London: Allen and Unwin.

Jordan, A.G. and Richardson, J.J. (1987) *British politics and the policy process*, London: Unwin Hyman.

Jordan, G. (1994) *The British administrative system*, London: Routledge.

Jowell, J. and Oliver, D. (eds) (2002) *The changing constitution*, Oxford: Oxford University Press.

Kaufmann, F.X. and Rosewitz, B. (1983) 'Typisierung und Klassifikation politischer Massnahmen', in R. Mayntz (ed) *Implementation politischer Programme II. Ansätze zur Theoriebildung*, Opladen, pp. 25-49.

Keller-Lengen, Ch., Keller, F. and Ledergerber, R. (1998) *Die Gesellschaft im Ungang mit Lawinengefahren. Fallstudie Graubünden*, Zürich: vdf (Arbeitsbericht NFP 31).

Kessler, M.C. et al (1998) *Evaluation des politiques publiques*, Paris: L'Harmattan.

Killias, M. (1936) *The general theory of employment, interest and money*, London: Macmillan.

Killias, M. (1998) 'Consommation de drogue et criminalité parmi les jeunes dans une perspective internationale', *Les délinquants usagers de drogues et le système pénal*, Strasbourg: Edition du Conseil de l'Europe, pp. 23-55.

Killias, M. and Grapendaal, M. (1997) 'Entkriminalisierung des Drogenkonsums oder Einschränkung der Strafverfolgungspflicht? Diskussionsvorschlag zur Vermeidung einer sterilen Debatte-unter Berücksichtigung des niederländischen Modells', *Schweiuerische Zeitschrift für Strafrecht*, Bern, Bd 115 (1997), H 1, pp. 94-109.

Kinderman, H. (1988) 'Symbolische Gesetygebung', in *Gesetzgebungstheorie und Rechtspolitik*, Jahrbuch für Rechtssoziologie und Rechtstheorie, Band 13, Opladen, pp. 222-45.

Kingdon, J.W. (1984) *Agendas, alternatives and public policies*, New York, NY: Harper Collins.

Kingdon, J.W. (1995) *Agendas, alternatives and public policies* (2nd edn), New York, NY: Addison Wesley.

Kiser, L. and Ostrom, E. (1982) 'The three worlds of action', in E. Ostrom (ed) *Strategies of political inquiry*, Beverly Hills, CA: Sage Publications, pp. 179-222.

Kissling-Näf, I. (1997) *Lernprozesse und Umweltverträglichkeitsprüfung. Staatliche Steuerung über Verfahren und Netzwerkbildung in der Abfallpolitik*, Bâle: Helbing & Lichtenhahn (série Ecologie & Société, vol 12).

Kissling-Näf, I. and Knoepfel, P. (1998) 'Lernproyesse in öffentlichen Politiken', in H. Albach, M. Dierkes, A. Berthoin Antal and K. Vaillant (eds) *Organisationslernen-institutionelle und kulturelle Dimensionen*, Berlin: Sigma (WZB-Jahrbuch), pp. 239-69.

Kissling-Näf, I. and Wildi-Ballabio, E. (1993) 'Kontrollinstrumente zur erfolgreichen Implementation von Politiken: Impulse der Umweltbeobachtung für ein intergriertes Policy-Monitoring', *Annuaire Suisse de Science Politique*, vol 33, pp. 277-94.

Kissling-Näf, I., Knoepfel, P. and Bussmann, W. (1998) 'Amorcer un processus d'apprentissage par une évaluation', in W. Bussmann, U. Klöti and P. Knoepfel, *Politiques publiques. Evaluation*, Paris: Economica, pp. 247-70.

Kleinnijenhuis, J. and Rietberg, E.M. (1995) 'Parties, media, the public and the economy: patterns of societal agenda-setting', *European Journal of Political Science*, vol 28, no 1, pp. 95-108.

Klingeman, H.D. et al (eds) (1994) *Parties, policies and democrary*, Boulder, CO: Westview Press.

Klok, P. J. de (1995) 'A classification of Instruments for Enviornmental Policy', in B. Dente (ed) *Environmental Policy in Search of New Instruments*, Dordrecht: Kluwer, pp. 21-36.

Klöti, U. (1998) 'Les exigences substantielles et méthodologiques de l'évaluation scientifique des politiques publiques', in W. Bussmann, U. Klöti and P. Knoepfel, *Politiques Publiques. Evaluation*, Paris: Economica, pp. 37-54.

Knapp, B. (1991) 'Information et persuasion', in C.-A. Morand (ed) *Les instruments d'action de l'etat*, Bâle/Francfort-sur-le Main: Helbing & Lichtenhahn, pp. 45-88.

Knight, J. (1992) *Institutions and social conflict*, New York, NY: Cambridge University Press.

Knoepfel, P. (1997) *Demokratisierung der Raumplanung. Grundsätyliche Aspekte und Modell für die Organisation der kommunalen Nutzungsplanung unter besonderer Berücksichtigung der schweizerischen Verhältnisse*, Berlin: Duncker & Humblot.

Knoepfel, P. (1979) *öffentliches Recht und Vollzugsforschung*, Bern: Haupt.

Knoepfel, P. (1986) 'Distributional issues in regulatory policy implementation-the case of air quality control policies', in A. Schnaiberg, N. Watts and K. Zimmermann (eds) *Distributional conflicts in environmental policy*, Aldershot: Gower, pp. 363-79.

Knoepfel, P. (1995) 'New institutional arrangements for a new generation of environmental policy instruments: intra- and interpolicy cooperation', in B. Dente (ed) *Environmental policy in search of new instruments*, European Science Foundation, Dordrecht: Kluwer Academic Publishers, pp. 197-233.

Knoepfel, P. (1996) 'Plädoyer für ein tatsächlich wirkungsorientiertes Public Management', *Revue Suisse de Science Politique*, vol 2, no 1, pp. 151-64.

Knoepfel, P. (1997a) 'Le New Public Management: attentes insatisfaites ou échecs préprogrammés-une critique à la lumière de l'analyse des politiques publiques', in CETEL (Universit é de Genève), *Nouvelle gestion publiques: Chances et limites d'une réforme de l'administration*, Travaux CETEL no 48, Genève: Université de Genève, pp. 73-92.

Knoepfel, P. (1997b) *Conditions pour une mise en œuvre efficace des politiques environnementales*, Cahier de l'IDHEAP no 167, Chavannes-près-Renens: IDHEAP.

Knoepfel, P. (2000) 'Policykiller-Institutionenkiller-ein Triptichon zum Verhältnis zwischen institutionellen und substantiellen öffentlichen Politiken', in P. Knoepfel and W. Linder (eds) *Verwaltung, Regierung und Verfassung im Wandel. Gedächtnisschrift für Raimund E. Germann. Administration, gouvernement et consititution en transformation. Hommage en mémoire de Raimund E. Germann*, Bâle: Helbing & Lichtenhahn, pp. 285-300.

Knoepfel, P. (2006) 'Der Staat als Eigentümer', in J. Chappelet and L. Beiträge, *zum öffentlichen Handeln*, Haupt, pp. 145-67.

Knoepfel, P. (2007) 'Ecobusiness and the state-analysis and Scenarios', in P. Knoepfel et al. (1996) *Environmental policy analyses: Learning from the past for the future*, Springer, pp. 331-64.

Knoepfel, P. and Horber-Papayian, K. (1990) 'Objets de l'évaluation: essai d'identification à l'aide du concept de politiques publiques', in K. Horber-Papayian (ed) *Evaluation des politiques publiques en suisse. Pourquoi? Pour qui? Comment?*, Lausanne: Presses Polytechniques et Universitaires Romandes, pp. 27-46. (Cahier de l'IDHEAP no 63, Chavannes-près-Renens: IDHEAP).

Knoepfel, P. and Kissling-Näf, I. (1993) 'Transformation öffentlicher Politiken durch Verräumlichung-Betrachtungen zum gewandelten Verhältnis zwischen Raum und Politik', in A. Héritier, *Policy-Analyse, Kritik und Neuorientierung*, PVS-Sonderheft, vol 24, Opladen: Westdeutscher Verlag, pp. 267-88.

Knoepfel, P. and Varone, F. (1999) 'Mesurer la performance publique: méfions-nous des terribles simplificateurs', *Politiques et Management Public*, vol 17, no 2, pp. 123-45.

Knoepfel, P. and Varone, F. (2009) 'Politiques institutionnelles régulant les ressources des acteurs des politiques substantielles: un cadre d'analyse', in P. Knoepfel (ed) *Réformes des politiques institutionnelles et action publique-Reformen institutuioneller Politiken und Staatshandeln*, PPU/Haupt, pp. 97-116.

Knoepfel, P. and Weidner, H. (1982) 'Formulation and implementation of air quality control programmes: patterns of interest consideration ', *Policy & Politics*, vol 10, pp. 85-109.

Knoepfel, P. and Zimmermann, W. (1987) *Oekologisierung von Landwirtschaft. Fünf Geschichten und eine Analyse*, Aarau/Frankfurt-am-Main/Salzburg: Sauerländer.

Knoepfel, P. and Zimmermann, W. (1993) *Gewässerschutz in der Landwirtschaft, Evaluation und Analyse des föderalen Vollzugs*, Bâle: Helbing & Lichtenhahn (série Ecologie & Société, vol 7).

Knoepfel, P., Kissling-Näf, I. and Varone, F. (eds) (2001) *Environmental policies 1982-2000*, Bâle: Helbing & Lichtenhahn.

Knoepfel, P., Varone, F., Imer, J.-M. and Benninghoff, M. (1998) *Evaluation des activités de l'énergie dans la cité*, rapport final, sur mandat de l'Office Fédéral de l'Energie, Chavannes-près-Renens: IDHEAP.

Knoepfel, P., Nahrath, S., Csikos, P. and Gerber, J.-P. (2009) *Les stratégies politiques et foncières des grands propriétaires fonciers en action-Etudes de cas*, Cahier de l' IDHEAP 247/2009.

Knoepfel P., Nahrath S., Savary J., and Varone F., in collaboration with Dupuis J. (2010) Analyse des politiques suisses de l'environnement, Zürich/Chur, Ruegger Verlag, 592 p.

Knoepfel, P., Bächtiger, C., Bättif, C., Peter, K. and Teuscher, F. (2000) *Politikbeobachtung im Natruschutz: Ein Führungsinstrument für nachhaltige Politik*, Forschungsprojekt im Rahmen des Schwerpunktprogramms Umwelt des Schweizerischen Nationalfonds, Mai.

Knoepfel, P. , Eberle, A., Joerchel Anhorn, B., Meyrat, M. and Sager, F. (1999) *Militär und Umwelt im politischen Alltag, Vier Fallstudien für die Ausbildung/Militaire et environnement: La politique au quotidien. Quatre études de cas pour l'enseignement*, sur mandat de l'Office Fédéral du Personnel, Berne: OCFIM, no 614.051, DF 03.99 300.

Knoepfel, P. , Enderlin Cavigelli, R., Varone, F., Wälti, S. and Weidner, H. (1997) *Eneigie 2000: Evaluation der Konfliktlösungsgruppen*, Rapport à l'Office Fédéral de l'Energie (OFEN), Berne: Office Central Fédéral des Imprimés et du Matériel (OCFIM).

Koelble, T.A. (1995) 'The new institutionalism in political science and sociology', *Comparative Politics*, vol 27, no 2, pp. 231-43.

König, K. and Dose, N. (1993) *Instrumente und Formen staatlichen Handelns*, Cologne: Carl Heymanns Verlag KG (Verwaltungswissenschaftliche Abhandlungen, vol 2).

Krasner, S.D. (1984) 'Approaches to the state: alternative conceptions and historical dynamics', *Comparative Politics*, vol 16, no 2, pp. 223-46.

Lagrove, J. (1997) *Sociologie politique*, Paris: Presses de la Fondation Nationale des Sciences Politiques and Dalloz.

Lakatos, I. (1970) 'Falsification and the methodology of scientific research programmes', in I. Lakatos and A. Musgrave (eds) *Criticism and the growth of knowledge*, Cambridge: Cambridge University Press, pp. 91-196.

Lambeth, E.B. (1978) 'Perceived influence of the press on energy policy making', *Journalism Quarterly*, vol 26, no 2, pp. 176-87.

Lane, J.-E. a nd Ersson, S.O. (2000) *The new institutional politics: Performance and outcomes*, London: Routledge.

Larrue, C. (2000) *Analyser les politiques publiques d'environnement*, Paris: L'Harmattan.

Larrue, C. and Vlassopoulou, C.A. (1999) 'Changing definitions and networks in clean air policies in France', in W. Grant, A. Perl and P. Knoepfel (eds) *The politics of improving urban air quality*, Cheltenham: Edward Elgar, pp. 93-106.

Lascoumes, P. (1994) *L'éco-pouvoir*, Paris: La Découverte.

Lascoumes, P. and Setbon, M. (1996) *L'évaluation pluraliste des politiques publiques: Enjeux, pratiques, produits*, Paris: GAPP/Commissariat général du Plan.

Lascoumes, P. and Valuy, J. (1996) 'Les activités publiques conventionnelles (APC): un nouvel instrument de politiques publiques? L'exemple de la protection de l'environnement industriel', *Sociologie du Travail*, vol 4, pp. 551-73.

Lasswell, H.D. (1936) *Politics: Who gets what, when, how*, Cleveland, OH: Meridian Books.

Lasswell, H.D. (1951) 'The policy orientation', in D. Lerner and H. D. Lasw ell (eds) *The policy sciences*, Palo Alto, CA: Stanford University Press.

Lasswell, H. D. and Kaplan, A. (1950) *Power and society: A framework for political inquiry*, New Haven, CT: Yale University Press.

Latour, B. (1991) *Nous n'avons jamais été modernes*, Paris: La Découverte.

Le Galès, P. and Thatcher, M. (1995) *Les réseaux de politique publique. Débat autour des policy networks*, Paris: L'Harmattan.

Le Moigne, J. L. (1990) *La modélisation des systèmes complexes*, Paris: Dunod.

Lehmbruch, G. and Schmitter, P. (eds) (1982) *Patterns of corporatist policy-making*, London: Sage Publications.

Lemieux, V. (1995) *L'étude des politiques publiques*: Les acteurs et leur pouvoir, Sainte-Foy: Les Presses de l'Université Laval.

Lerner, D. and Lasswell, H.D. (eds) (1951) *The policy sciences*, Palo Alto, CA: Stanford University Press.

Lester, P., Bowman, O'M., Goggin, M. and O'Toole, L. (1987) 'Public policy implementation: evolution of the field and agenda for future research', *Policy Studies Review*, vol 7, no 1, pp. 200-16.

Levitt, B. and March, J.G. (1988) 'Organizational learning', *Annual Review of Sociology*, vol 14, pp. 319-40.

Lijphart, A. (1999) *Patterns of democracy*, New Haven, CT: Yale University Press.

Lindblom, Ch. E. (1959) 'The science of"muddling through"', *Public Administration Review*, vol 39, pp. 517-26.

Linder, S.H. and Peters, B.G. (1988) 'The analysis of design or the design of analysis', *Policy Studies Review*, vol 7, no 4, pp. 738-50.

Linder, S.H. and Peters, B.G. (1989) 'Instruments of government: perceptions and contexts', *Journal of Public Policy*, vol 9, no 1, pp. 35-58.

Linder, S.H. and Peters, B.G. (1990) 'The design of instruments for public policy', in S. S. Nagel (ed) *Policy theory and policy evaluation*, New York, NY: Greenwood Press, pp. 103-19.

Linder, S.H. and Peters, B.G. (1991) 'The logic of public policy design: linking policy actors and plausible instruments', *Knowledge and Policy*, vol 4, nos 1-2, pp. 125-51.

Linder, W. (1987) *La décision politique en Suisse. Genèse et mise en œuvre de la législation*, Lausanne: Réalit és Sociales.

Linder, W. (1989) 'Wissenschaftliche Beratung der Politk', *Annuaire Suisse de Science Politique*, vol 29, Berne: Haupt.

Linder, W. (1994) *Swiss democracy: Possible solutions to conflicts in multicultural societies*, New York, NY: St Martin's Press.

Lipsky, M. (1980) *Street-level bureaucracy*, New York, NY: Russell Sage.

Lowi, T.J. (1972) 'Four systems of policy, politics and choice', *Public Administration Review*, vol 32, no 4, pp. 298-310.

Lowndes, V. (1996) 'Varieties of new institutionalism. A critical appraisal', *Public Administration*, vol 74, pp. 181-97.

Luhmann, N. (1984) *Soziale Systeme. Grundriss einer allgemeinen Theorie*, Frankfurt: Suhrkamp.

Lahmann, N. (1989) 'Politische Steuerung: Ein Diskussionsbeitrag', *Politische Vierteljahresschrift* (PVS), vol 1 (mars), pp. 4-9.

Lukes, S. (1974) *Power: A radical view*, London: Macmillan.

Lüthi, R. (1997) *Die Legislativkommissionen der Schweizerischen Bundesversammlung. Institutionnelle Veränderungen und das Verhalten von Parlamentsmitgliedern*, Berner Studien zur Politikwissenschaft, Band 4, Bern: Haupt.

McCombs, M. and Shaw, D.L. (1972) 'The agenda-setting function of mass media', *Public Opinion Quarterly*, vol 36, pp. 176-87.

Majone, G. (1996) 'Public policy and administration: ideas, interests and institutions', in R. E. Goodin and H.-D.Klingemann (eds) *A new handbook of political science*, Oxford: Oxford University Press, pp. 610-27.

Maloney, W. and Richardson, J. (1994) 'Water policy-making in England: policy communities under pressure?', *Environment Politics*, vol 34, no 4, pp. 110-38.

Manfrini, P. -L. (1996)'Réflexions sur l'objet du recours en droit genevois', *Revue de Drout Administratif et de Drout Fiscal et Revue Genevoise de Drout Public*, Lausanne, Genève, vol 52, nos 3/4, pp. 253-64.

March, J.G. and Olsen, J. P. (1984) 'The new institutionalism: organizational factors in political life', *American Political Science Review*, no 78, pp. 734-49.

March, J.G. and Olsen, J.P. (1989) *Rediscovering institutions. The organization basis of politics*, New York, NY: The Free Press.

Marsh, D. and Rhodes, R.A.W. (1992) *Policy networks in British government*, Oxford: Oxford University Press.

Mastronardi, P. (1997) 'Aspects juridiques du nouveau management public', CETEL (Université de Genève), *Nouvelle gestion publique. Chances et limites d'une réforme de l'administration*, Travaux CETEL no 48, Genève: Université de Genève, pp. 93-103.

Mayntz, R. (1980) 'Einleitung. Die Entwicklung des analytischen Paradigmas der Implementationsforschung', in R. Mayntz, *Implementation politischer Programme. Empirische Forschungsberichte*, Königstein/Ts: Athen äum, pp. 1-19.

Mayntz, R. (ed) (1980) *Implementation politischer Programme. Empirische Forschungsberichte*, Königsstein/Ts: Athenäum.

Mayntz, R. (ed) (1983) *Implementation politischer Programme II. Ansätze zur Theoriebildung*, Opladen: Westdeutcher Verlag.

Mayntz, R. and Scharpf, F.W. (1995) 'Der Ansatz des akteurszentrierten Institutionalismus', in R. Mayntz and F.W. Scharpf (eds) *Gesellschaftliche Selbstregelung und politische Steuerung*, Frankfurt am Main: Campus, pp. 39-72.

Maystre, L.Y., Pictet, J. and Simos, J. (1994) *Méthodes multicritères ELECTRE: Description, conseils pratiques et cas d'application à la gestion environnementale*, Lausanne: Presses Polytechniques et Universitaires Romandes.

Mény, Y. and Thoenig, J.C. (1989) *Politiques publiques*, coll Thémis Science Politique, Paris: Presses Universitaires de France.

Mény, Y., Muller, P. and Quermone, J.-L. (eds) (1995) *Politiques publiques en Europe*, Paris: L'Harmattan.

Migaud, D. (2000) *Le contröle de la dépense publique*, Intervention au Colloque de la Société Française d'évaluation, Rennes, 15-16 juin.

Moe, T.M. (1980) 'A calculus of group membership', *American Journal of Political Science*, vol 24, pp. 543-632.

Monnier, E. (1992) *Evaluation de l'action des pouvoirs publics* (2ème édition), Paris: Economica.

Moor, P. (1994) *Droit administratif. Vol. I: Les fondements généraux* (2ème édition), Bern: Stämpfli.

Moor, P. (1997) *Dire le droit: Revue européenne de sciences sociales*, tome XXXV, no 105, Genève et Paris: Droz, pp. 33-55.

Morand, C.-A. (ed) (1991) *Les instruments d'action de l'etat*, Bâle: Helbing & Lichtenhahn.

Morand, C.-A. (ed) (1993) *Evaluation léfislative et loi expérimentale*, Aix-en-Provence: Presses Universitaires d'Aix-en-Provence.

Morand, C.-A. et al (1991a) *L'etat propulsif. Contribution à l'étude des instruments d'action de l'etat*, Paris: Publisud.

Morand, C.-A. et al (1991b) 'Les nouveaux instruments d'action de l'Etat et le droit', in C.-A. Morand (ed) *Les instruments d'action de l'etat*, Bâle: Helbing & Lichtenhahn, pp. 237-56.

Morin, E. (1977) *La méthode, tome 1: La nature*, Paris: Seuil.

Morin, E. (1980) *La méthode, tome 2: La vie de la vie*, Paris: Seuil.

Müller, F. (1971) *Theorie der Normativität*, Berlin: Duncker & Humbolt.

Muller, P. (1985) 'Un schéma d'analyse des politiques publiques', *Revue Française de Science Politique*, vol 35, no 2, pp. 165-88.

Muller, P. (1990) *Les politiques publiques*, Paris: Presses Universitaires de France.

Muller, P. (1995) 'Les politiques publiques comme construction d'un rapport au monde', in A. Faure, A.G. Pollet and P. Warin (eds) *La construction de sens dans les politiques publiques. Débats autour de la notion de régérentiel*, Paris: L'Harmattan, pp. 153-79.

Muller, P. (2000) 'L'analyse cognitive des politiques publiques: vers une sociologie de l'action publique', *Revue Française de Science Politique*, vol 50, no 2, pp. 189-207.

Muller, P. and Surel, Y. (1998) *L'analyse des politiques publiques*, Paris: Montchrestien.

Muller, P. , Thoenig, J-C., Duran, P., Leca, J. (1996) 'Forum: Enjeux controverses et tendances de l'analyse des politiques publiques', *Revue Française de Science Politique*, vol 46, no 1, pp. 96-133.

Müller, U., Zimmermann, W., Neuenschwander, P., Tobler, A., Wyss, S. and Alder, L. (1997) *Katastrophen als Herausforderung für Verwaltung und die Politik. Kontinuitäten und Diskontinuitäten*, Zurich: vdf (Schlussbericht NFP 31).

Musgrave, R.A. (1959) *The theory of public finance*, New York, NY: McGraw-Hill.

Nagel, S.S (ed) (1990) *Policy theory and policy evaluation*, New York: Greenwood Press.

Nahrat, S., Knoepfel, P., Csikos, P. and Gerber, J.-D. (2009) *Les strategies foncières des grands proprietaries fonciers au niveau national-Etude comparée*, Caher de l'IDHEAP 246/2009.

Newman, J. (2001) *Modernising governance*, London: Sage Publications.

Niskanen, W.A. (1971) *Bureaucracy and representative government*, New York, NY: Aldine-Atherton.

Norgaard, A.S. (1996) 'Rediscovering reasonable rationality in institutional analysis', *European Journal of Political Research*, vol 29, pp. 31-57.

North, D.C. (1990) *Institutions, institutional change and economic performance*, Cambridge: Cambridge University Press.

Nullmeyer, F. (1993) 'Wissen und Policy-Forschung. Wissenspolitologie und rhetorisch-dialektisches Handlungsmodell', *PVS Sonderheft*, vol 24, pp. 175-96.

Odershook, P. C. (1986) *Game theory and political theory*, Cambridge: Cambridge University Press.

Offe, C. (1972) *Strukturprobleme des modernen Staates*, Frankfurt: Suhrkamp.

Olson, M. (1965) *The logic of collective action: Public goods and the theory of groups*, Cambirdge: Harvard University Press.

Ostrom, E. (1990) *Governing the commons: The evolution of institutions for collective actions*, Cambridge: Cambridge University Press.

Ostrom, E. et al (1993) *Institutional incentives and sustainable development: Infrastructure policies in perspective*, Boulder, CO: Westview Press.

Padioleau, J.G. (1982) *L'état au concret*, Paris: Presses Universitaires de France.

Pal, L.A. (1992) *Public policy analysis*, Scarborough: Nelson.

Parsons, T. (1951) *The social system*, New York, NY: Free Press.

Parsons, W. (1995) *Public policy: An introduction to the theory and practice of policy analysis*, Aldershot: Edward Elgar.

Perret, B. (1997) 'Les enjeux épistémologiques de l'évaluation', in Conseil Scientifique de l'Evaluation, *L'évaluation en développement*, Paris: La Documentation Française, pp. 283-312.

Peters, B.G. (1998) 'The problem of policy problems', Paper presented at the Southern Political Science Association, Atlanta (Georgia).

Pétry, F. (1995) 'The party agenda model: election programmes and government spending in Canada', *Canadian Journal of Political Science*, vol 28, no 1, pp. 51-84.

Pierre, J. (ed) (2000) *Debating governance*, Oxford: Oxford University Press.

Plein, C. (1994) 'Agenda setting, problem definition and policy studies', *Policy Studies Journal*, vol 22, no 4, pp. 701-4.

Pollitt, C. (2003) *The essential public manager*, Maidenhead: Open University Press.

Pollitt, C. and Bouckaert, G. (2000) *Public management reform: A comparative analysis*, Oxford: Oxford University Press.

Powell, W.W. and Di Maggio, P. J. (eds) (1991) *The new institutionalism in organizational analysis*, Chicago, IL: Chicago University Press.

Power, M. (1997) *The audit society*, Oxford: Oxford University Press.

Pressman, J.L. and Wildavsky, A. (1973) *Implementation*, Berkeley, CA: University of California Press.

Querminne, J.L. (1985) 'Les politiques institutionnelles. Essai d'interprétation et de typologie', in M. Grawitz and J. Leca, *Les politiques publiques*, 4ème tome du Traité de Science Politique, pp. 61-88.

Ranney, A, (1968) *Political science and public policy*, Chicago, IL: Markham Publishing.

Rhodes, R.A.W. (1981) *Control and power in central-local government relations*, Aldershot: Gower.

Richards, D. and Smith, M.J (2002) *Governance and public policy in the UK*, Oxford: Oxford University Press.

Richardson, J. (ed) (1982) *Policy styles in Western Europe*, London: Allen and Unwin.

Richardson, J. and Jordan, G. (1979) *Governing under pressure*, Oxford: Martin Robertson.

Riker, W.H. (1980) 'Implications form the dis-equilibrium of majority rule for the study of institutions', *American Political Science Review*, vol 74, pp. 432-47.

Rist, R. (1990) *Program evaluation and the management of government*, New Brunswick, NJ: Transaction Publishers.

Rochefort, D.A. and Cobb, R.W. (1993) 'Problem definition, agenda sccess and policy choice', *Policy Studies Journal*, vol 21, no 1, pp. 56-69.

Rogers, E.M. et al (1991) *AIDS in the 1980s: The agenda setting process for a public issue*, Austin, TX: Association for Education in Journalism and Mass Communication.

Rose, R. and Davies, P. L. (1994) *Inheritance in public policy: Change without choice in Britain*, New Haven, CT: Yale University Press.

Rossi, P. H. and Freeman, H.E. (1993) *Evaluation: A systematic approach* (5th edn), Newbury Park/London: Sage Pulications.

Sabatier, P. (1986) 'Top-down and bottom-up approaches to implementation research: a critical analysis and suggested synthesis', *Journal of Public Policy*, vol 6, no 1, pp. 21-48.

Sabatier, P. (1987) 'Knowledge, policy-oriented learning and policy change: an advocacy coalition framework', *Knowledge: Creation, Diffusion, Utilization*, vol 8, no 4, pp. 649-92.

Sabatier, P. and Jenkins-Smith, C.H. (eds) (1993) *Policy change and learning: An advocacy coalitions approach*, San Francisco, CA: Westview Press.

Sabatier, P. and Mazmanian, D. (1979) 'The conditions of effective implementation: a guide to accomplishing policy objectives', *Policy Analysis*, vol 5, no 4, pp. 481-504.

Salisbury, R.H. (1968) 'The analysis of public policy: a search for theory and rules', in A. Ranney, *Political science and public policy*, Chicago, IL: Markham Publishing, pp. 154-72.

Scharpf, F. (1983) 'Interessenlage der Adressaten und Spielräume der Implementation bei Anreiyprogrammen', in R. Mayntz (ed) *Implementation politischer Programme. Ansätze zur Theoriebildung*, Opladen: Westdeutscher Verlag, pp. 89-116.

Scharpf, F.W. (1997) *Games real actors play: Actor-centred institutionalism in policy research,* Boulder, CO: Westview Press.

Schattschneider, E.E. (1960) *The semi-sovereign people*, New York, NY: Holt.

Scheberle, D. (1994) 'Radon and asbestos: a study of agenda setting and causal stories', *Policy Studies Journal*, vol 22, no 1, pp. 74-86.

Schneider, A. and Ingram, H. (1990) 'Behavioural assumptions of policy tools', *Journal of Politics*, vol 52, no 2, pp. 510-29.

Schneider, A. and Ingram, H. (1993) 'The social construction of target populations: implications for politics and policy', *American Political Science Review*, vol 87, no 2, pp. 334-47.

Schneiderm, A.L. and Ingram, H. (1997) *Policy design for democracy*, Lawrence, KS: University Press of Kansas.

Schneider, S. et al (1990) *Pilotversuch Zürich-Hotingen*, Zürich: Planungsbüro Jud.

Schneider, S. et al (1992) *Parkierungsbeschränkungen mit Blauer Zone und Anwohnerparkkarte: Empfehlungen für die Einführung*, Zürich: Planungsbüro Jud.

Schneider, S., Häberling, D. and Keiser, S. (1995) *Erfolgskontrolle Blaue Zone Bern-Kirchenfeld*, Zürich: Planungsbüro Jud.

Schöneich, P. and Busset-Henchoz, M.-C. (1998) *Les Ormonans et les Leysenouds face aux risques naturels*, Zurich: vdf (rapport final PNR 31).

Schulz, H.-R., Nuggli, C. and Hübschle, J. (1993) *Wohneigentumsförderung durch den Bund. Die Wirksamkeit des Wohnbau-und Eigentumsförderungsgesetzes (WEG)*, Bern: Schriftenreihe Wohnungswesen, Band 55.

Sciarini, P. (1994) *La Suisse face à la Communauté européenne et au GATT: Le cas test de la politique agricole*, Genève: Georg.

Scott, J. (1991) *Social network analysis: A handbook*, London: Sage Publications.

Scott, W.R. and Meyer, J.W. (eds) (1994) *Institutional environments and organizations: Structural complexity and individualism*, Thousand Oaks, CA: Sage Publications.

Segrestin, D. (1985) *Le phénomène corporatiste: Essai sur l'avenir des systèmes professionnels en France*, Paris: Fayard.

Self, P. (1993) *Government by the market: The politics of public choice*, London: Macmillan.

Sharkansky, I. (1970) *Policy analysis in political science*, Chicago, IL: Markham.

Shepsle, K.A. (1979) 'Institutional arrangements and equilibrium in multidimensional voting models', *American Journal of Political Science*, vol 23, pp. 27-60.

Shepsle, K.A. (1989) 'Studying institutions. Some lessons from the rational choice approach', *Journal of Theoretical Politics*, vol 1, no 2, pp. 131-47.

Simeon, R. (1976) 'Studying public policies', *Canadian Journal of Political Science*, vol 9, no 4, pp. 548-80.

Simon, H.A. (1957) *Models of man: Social and rational*, New York, NY: John Wiley.

Skocpol, T. (1985) 'Bringing the sate back in: strategies of analysis in current research', in P. B. Evans, D.Rueschemeyer and T. Skocpol (eds) *Bringing the state back in*, Cambridge: Cambridge University Press.

Smith, B.C. (1976) *Policy making in British government*, London: Martin Robertson.

Smith, M.J. (1993) *Pressure, power and policy*, Hemel Hempstead: Harvester Wheatsheaf.

Spector, M. and Kitsuse, J.I. (1987) *Constructing social problems*, New York, NY: Aldine de Gruyter.

Steinmo, S., Thelen, K. and Longstreth, F. (eds) (1992) *Structuring politics. Historical institutionalism in comparative analysis*, New York, NY: Cambridge University Press.

Stone, D.A. (1989) 'Causal stories and the formation of policy agendas', *Political Science Quarterly*, vol 104, no 2, pp. 281-300.

Stone, D.A. (2002) *Policy paradox* (2nd edn), New York, NY: Norton.

Surel, Y. (2000) 'The role of cognitive and normative frames in policy-making', *Journal of European Public Policy*, vol 7, no 4, pp. 495-512.

Taylor, D. and Balloch, S. (eds) (2005) *The politics of evaluation*, Bristol: The Policy Press.

Taylor-Gooby, P. (ed) (2004) *New risks, new welfare: The transformation of the European welfare state*, Oxford : Oxford University Press.

Terribilini, S. (1995) *De la distributivité des politiques régulatrices. Discriminations socio-spatiales en matière de modération de trafic. Constat et causes*, Cahier de l'IDHEAP Nr 151, Chavannes-près-Renens: IDHEAP.

Terribilini, S. (1999) 'Fédéralisme et inégalités sociales dans la mise en oeuvre des politiques à incidence spatiale', thèse présentée à l'IDHEAP, fondation associée à l'Université de Lausanne, pour obtenir le grade de docteur en administration publique, Chavannes-près-Renens: IDHEAP.

Theys, J. (ed) (1991) *Environnement, science et politiques: "Les experts sont formels"*, Paris: Cahier du GERMES, 3 volumes.

Thoenig, J.-C. (1985) 'L'analyse des politiques publiques', in M. Grawitz and J. Leca (eds) *Traité de Science Politique*, tome no 4, Paris: Presses Universitaires de France, pp. 1-60.

Thoenig, J.-C. (1998) 'Politiques publiques et action publique', *Revue Internationale de Politique Comparée*, vol 5, no 2, pp. 295-314.

Toke, D. and Marsh, D. (2003) 'Policy networks and the GM crops issue: assessing the utility of a dialectic model of policy networks', *Public Administration*, vol 81, no 2, pp. 229-51.

Touraine, A. (1984) *Le retour de l'acteur: Essai de sociologie*, Paris: Fayard.

Treiber, H. (1984) 'Warum man nicht die Erwartungen hegen kann, beim Blick durch ein Mikroskop den ganzen Elefanten zu sehen', *Programme National de Recherche no 6*, Bulletin no 7, pp. 85-109.

Trumbo, C. (1995) *Longitudinal modeling of public issues: An application of the agenda-setting process to the issue of global warming*, Austin, TX: Association for Education in Journalism and Mass Communication.

Universität Zürich, Gerichtlich-medizinisches Institut (1977) *Unfalluntersuchung Rücksitzpassagiere und Kinder*, Im Auftrag des Eidg Justiz und Polizeidepartementes, Von Hansjörg Sprenger und Félix Waltz, Bern: EJPD.

Varone, F. (1998a) 'De l'irrationalité institutionnelle de la Nouvelle Gestion Publique', in M. Hufty (ed) *La pensée comptable. Etat, néolibéralisme, nouvelle gestion publique*, Collection Enjeux, Paris: Presses Universitaires de France, pp. 125-39.

Varone, F. (1998b) *Le choix des instruments des politiques publiques*, Bern: Haupt.

Vlassopoulou, C.A. (1999) 'La lutte contre la pollution atmosphérique urbaine en France et en Grèce. Définitions des problèmes publics et changement de politique', thèse de doctorat, Paris: Université Panthéon-ASSAS PARIS II.

Volvo Car Corporation and Swedish Road Safety Office (1980) *Injury-reducing affect of seatbelts and rear passengers*, Göteborg: Volvo AB.

Wade, H.W.R. (1982) *Administration law* (5th edn), Oxford: Oxford University Press.

Walker, J.L. (1977) 'Setting the agenda in the US Senate: a theory of problem selection', *British Journal of Political Science*, vol 7, pp. 423-55.

Walker, J.L. (1983) 'The origins and maintenance of interest groups in America', *American Political Science Review*, vol 77, pp. 390-406.

Wälti, S. (1999) *Les politiques à incidence spatiale. Vers un mode de gestion médiatif?*, thèse présentée à l'IDHEAP, fondation associée à l'Université de Lausanne, pour obtenir le grade de docteur en administration publique, Chavannes-près-Renens: IDHEAP.

Warin, P. (1993) *Les usagers dans l'évaluation des politiques publiques: Étude des relations de service*, Paris: L'Harmattan.

Weale, A. (1992) *The new politics of pollution*, Manchester: Manchester University Press.

Weaver, R.K. and Rockman, B.A. (eds) (1993) *Do institutions matter? Government capabilities in the United States and abroad*, Washington, DC: Brookings Institution.

Weidner, H. (1993) *La médiation en tant qu'instrument politique permettant de résoudre les conflits sur l'environnement. A l'exemple de l'Allemagne*, Cahiers de l'IDHEAP, no 117, Lausanne: IDHEAP.

Weidner, H. (1997) *Alternative dispute resolution in environmental conflicts: Experiences in twelve countries*, Berlin: Sigma.

Weidner, H. and Knoepfel, P. (1983) 'Innovation durch international vergleichende Politikanalyse dargestellt am Beispiel der Luftreinhaltepolitik', in R. Mayntz (ed) *Implementation politischer Programme II. Ansätze zur Theoriebildung*, Opladen: Westdeustscher Verlag.

Weimer, D.L. (ed) (1995) *Institutional design*, Boston, MA: Kluwer Academic Publishers.

Weir, M. and Skocpol, T. (1985) 'State structure and the possibilities for Keynesian responses to the Great Depression in Sweden, Britain, and the United States', in P. B. Evans, D. Rueschemeyer and T. Skocpol (eds) *Bringing the state back in*, Cambridge: Cambridge University Press.

Weiss, J. (1989) 'The powers of problem definition: the case of government paperwork', *Policy Science*, vol 22, pp. 97-121.

Whitmore, R. (1984) 'Modelling the policy/implementation distinction', *Policy & Politics*, vol 12, no 3, pp. 241-68.

Wildavsky, A. (1979) *Speaking truth to power: The art and craft of policy analysis*, Boston, MA: Little, Brown.

Williamson, O. (1985) *The economic institutions of capitalism*, New York, NY: Free Press.

Windhoff-Héritier, A. (1987) *Policy-Analyse*. Eine Einführung, Frankfurt/New York, NY: Campus.

Wollmann, H. (1980) 'Implementationsforschung-eine Chance für kritische Verwaltungsforschung?', in H. Wollmann (ed) *Politik im Dickicht der Bürokratie*, Opladen: Westdeutscher Verlag.

Wollmann, H. (ed) (1980) *Politik im Dickicht der Bürokratie*, Opladen: Westdeutscher Verlag.

Zimmermann, W. and Knoepfel, P. (1997) 'Evaluation of the Federal Office of Environment Protection: across two levels of government', in O. Rieper and J. Toulemond, *Politics and practices of intergovernmental evaluation*, New Brunsw ick, NJ/London: Transaction Publishers.

索引

（條目後的頁碼為英文版頁碼，檢索時請查證正文頁邊的數碼）

「行動者」、「政治行政方案」、「政治行政安排」等概念是本書最核心的關鍵字，因此在索引的部分不將其列出。其他也在本書持續出現的若干概念，諸如「政策資源」、「制度規則」、「最終受益人」、「目標團體」、「第三方團體」，若在內文當中有特別強調，則會在此列舉其相對應的頁碼。

A

B

C

D

E

F

G

H

I